D1015672

DU MÊME AUTEUR

Aux Éditions Gallimard

LA BLOUSE ROUMAINE, roman.
EN TOUTE INNOCENCE, roman.
À VOUS, roman.
JOUIR, roman (Folio n° 3271).
LE PROBLÈME AVEC JANE (Grand prix littéraire des lectrices d'*Elle* 2000).

LA HAINE DE LA FAMILLE

CATHERINE CUSSET

LA HAINE
DE LA FAMILLE

roman

nrf

GALLIMARD

À ma mère
À mon père
À Claire

I

Papa

« *C'est fini maintenant, car ça finit toujours,*
peut-être même l'éternité, mais ça recommence
aussi toujours et ça n'a pas manqué : retour du
marché, il fallait ranger, c'est-à-dire commettre
autant de crimes contre la rationalité et la
méthode qu'il y avait d'objets à ranger, et recevoir
autant de sanctions. »

Maman, lettre de juillet 1999

Dans la répartition des tâches, il s'est attribué les rangements. Toute la lingerie de maison, ses vêtements à lui, les vêtements qu'elle ne met pas en cette saison et ceux qu'elle souhaite donner, les valises, les bouts de ficelle, les outils, les décorations du sapin de Noël, les ampoules, et tout ce qu'on ne sait pas où ranger ailleurs, sont répartis dans les casiers de la penderie, bien ordonnés. Ici les serviettes bleues, là les marron, là les bleues avec des raies vertes, ici les taies d'oreiller rectangulaires, là les carrées, ici les draps-housses une place, là les deux places, ici les torchons, là les serviettes de table, ici les valises, là les sacs de voyage.

En se débarrassant de manteaux qu'on ne met plus on a empiété sur l'espace déjà restreint réservé à ses costumes : «Fais chier, bordel!» Quand on l'entend crier, seul, dans la penderie, on se dépêche de finir la phrase qu'on est en train d'écrire, la page qu'on est en train de lire. On sait que la tranquillité ne va pas durer. Il n'avait déjà presque aucune place ; est-ce qu'on cherche tout simplement à l'éliminer ? À qui est ce manteau que quelqu'un a mis, là, dans la partie de la penderie qui lui est réservée, dans celle-là bien sûr puisque les autres sont archipleines ? À qui, à qui ? Pas à moi. Ni à moi. Anne sans doute. Mais oui, Anne : elle est sûrement coupable puisqu'elle n'est pas là. Anne ou nous, peu importe ; nous sommes tous aussi odieux, sans gêne, égoïstes les uns que les autres.

Une serviette a disparu. Il les a comptées il y a moins d'une semaine. Il y avait trois serviettes de bain marron à côté des vertes avec les raies bleues, et maintenant il n'y en a plus que deux. Qui a pris la troisième ? Non, elle n'est pas au sale. Il a cherché, évidemment. Oui, même dans le sèche-linge, et dans la salle de bains des enfants. «Mais, papa, arrête de crier, je travaille, j'essaie de me concentrer, c'est pénible ! — Je ne crie pas !» hurle-t-il. «Il ne crie jamais, jamais, maugrée-t-elle dans sa barbe en sortant de la salle de bains où elle est allée chercher un médicament ; ce n'est pas sa faute, il ne s'entend pas, il se croit doux comme un agneau.» Heureusement, la remarque ne lui est pas parvenue. Pour qui le prend-on ? Se moque-t-on de lui ? Est-ce qu'on pense qu'il va passer sa vie à racheter des serviettes de bain, qu'il n'a que cela à faire, acheter des serviettes pour nous servir ? On hausse les épaules. «Je ne sais pas, moi, je ne l'ai pas vue, cette serviette, ce n'est pas moi.» On a fait attention, on a parlé du ton le plus neutre possible, on a dit «cette» serviette, pas «ta» serviette. Peine perdue. «Évidemment que ce n'est pas toi ! Ce n'est jamais toi ! Ce sont toujours les autres ! Ce n'est jamais personne ! Vous me rendez dingue ! Je ne l'ai pas vue cette serviette nien nien nien… !» Il fait la grimace, prend une voix ridiculement aiguë pour imiter la nôtre, manifester son écœurement devant notre ton de sainte-nitouche, notre hypocrisie, notre égoïsme, et cette fois-ci on ne peut retenir un cri : «Mais fous-moi la paix avec ta serviette ! Fais chier ! Puisque je t'ai dit que je ne l'ai pas vue ! Tu veux fouiller ma chambre ou quoi ? J'en ai rien à baver de ta serviette ! Qu'est-ce que tu veux que je foute avec ! — Je ne sais pas ce que vous foutez avec, c'est ça que j'aimerais bien savoir, tout ce que je sais c'est qu'elle n'est plus là et qu'un de vous l'a prise, alors vous allez me faire le plaisir de me dire où elle est ! »

« C'est un maniaque, un maniaque », murmure-t-elle d'une voix exaspérée. La tête rentrée dans les épaules, l'air maussade, vêtue de sa vieille robe de chambre en velours marron et de ses chaussons à trous, elle est en train de préparer le dîner, un dîner de plus pour six personnes dont aucune des cinq autres ne l'aide. Elle monte le volume de la radio pour ne plus entendre les cris. Dès qu'il entre dans la cuisine, avant même qu'il ait ouvert la bouche, elle lui enjoint sèchement : « Tais-toi, c'est *Le masque et la plume,* j'ai absolument besoin d'entendre la critique de ce film, les avis d'Albert et de Jacques sont contradictoires. » Sans rien dire, il sort une bouteille du casier à bouteilles et la pose bruyamment sur la table. Il ouvre un tiroir. « Où est le tire-bouchon ? Qui a pris le tire-bouchon ? » C'est un cri qui ne s'adresse à personne en particulier mais qu'il est impossible de ne pas entendre. Elle s'approche et ouvre brusquement le tiroir du dessous, où se trouve, bien visible à côté des couteaux, le tire-bouchon. « On l'a changé de place, grommelle-t-il, et avec tout ce qu'Elena a volé pour meubler sa maison, j'ai le droit de m'inquiéter. Tiens, j'ai cherché partout et je n'ai pas retrouvé les piques à escargot qui étaient dans le second tiroir. — Ce n'est sûrement pas Elena qui les a prises, il n'y a pas plus honnête qu'Elena, demande-lui de les chercher. — Je lui ai déjà demandé. Elle ne les a pas vues. Elle ne sait pas de quoi je parle. C'était là, dans le deuxième tiroir, c'est moi qui les avais rangées là. Mais jamais vu, pfuit, envolées, on voudrait me faire croire que c'est moi qui suis fou, qu'elles n'ont jamais existé ! » Elle monte encore le volume de la radio, qui fait maintenant un vacarme épouvantable, presque inaudible.

«Mais baisse cette radio! Tu veux nous rendre sourds ou quoi!» Il hurle plus fort que la radio.

Dans les bons jours, quand l'égaie la perspective d'une soirée agréable et longtemps attendue, d'un dîner mondain qui la sortira momentanément de sa grisaille quotidienne et de l'angoisse du temps qui file, elle compatit, elle participe à son souci. «Ah bon, elle a disparu la troisième serviette marron? C'est étrange, vraiment. Si tu l'avais rangée il y a une semaine sur l'étagère dans la penderie, elle n'a pas pu en sortir toute seule. Les serviettes de bain, que je sache, n'ont pas de moyen de locomotion autonome. Je suis d'accord avec toi, il faut que quelqu'un l'ait prise. C'est troublant, vraiment, c'est irritant. Ironique, mon ton? Mais enfin, comment veux-tu que je parle? Je ne me moque pas du tout, je comprends très bien que ce soit tout à fait contrariant, si mes dossiers disparaissaient ainsi de mon bureau, seuls, sans raison, je serais tout aussi en colère. Oui, je vais en parler à Elena.»

Elle ne connaît pas le nombre des serviettes; elle ne prête aucune attention à leur couleur; elle se sèche dans un rectangle d'éponge qu'elle trouve accroché dans l'anneau scellé au mur près de la baignoire. S'il ne la mettait pas au sale de temps à autre, elle garderait la même pendant des mois; elle ne remarque pas la saleté. Elle ne sait pas ce qu'il y a dans les tiroirs ni dans les casiers de la penderie. Elle ne voit pas s'user les objets. Elle boit son café, le matin, dans une vieille tasse en porcelaine ébréchée, que l'un de nous a dû leur offrir il y a dix ans. Ses casseroles sont toutes cabossées, et elle ne voit vraiment pas la nécessité d'en acheter d'autres. La simple idée que les choses prennent suffisamment de place pour mériter de devenir l'objet d'une conversation la désespère. Qu'on puisse parler, à table, d'assiettes, de casseroles, de four, de serviettes, de torchons, du prix comparé des verres d'Ikéa et d'Habitat! Qu'on puisse s'abaisser à un tel échange, qu'il semble nous intéresser! Son visage maussade, sa bouche qui pas un instant ne perd son pli amer, son silence, ses gestes secs quand elle ramasse les assiettes et les racle bruyamment pour jeter les déchets, nous avertissent précisément de sa manière de penser.

Elle a peur de lui. De sa chambre, elle nous appelle. Aujourd'hui, pour la troisième fois en moins de quinze jours, elle s'est fait voler son autoradio. S'il l'apprend, ça va le rendre fou, il va croire qu'elle le fait exprès, lui à qui on n'a jamais volé son autoradio. Il faut reconnaître qu'elle est gourde. Quand elle s'est garée devant l'hôpital Sainte-Perrine cet après-midi, elle a vu rôder un type à la mine patibulaire autour de sa voiture ; elle a néanmoins, sous les yeux du type, caché son autoradio sous son siège. En sortant de l'hôpital elle a trouvé la voiture forcée. « Ça, il faut être conne ! » Elle éclate d'un charmant rire communicatif. Elle est allée en racheter un aussitôt et elle a fait réparer la portière de la voiture pour qu'il ne remarque rien. Deux mille francs, ce n'est pas une petite dépense, c'est énervant. Mais l'essentiel, c'est qu'il ne l'apprenne pas. Du balcon, elle nous appelle : pour la deuxième fois en moins de dix jours, elle s'est fait voler son portefeuille dans le métro, qui ne contenait pas ses papiers puisqu'elle n'avait pas eu le temps de les faire remplacer, mais la déclaration de perte et la paie mensuelle, en liquide, de la femme de ménage, trois mille francs. Ce n'est pas le montant de la somme qui l'ennuie le plus ; c'est sa réaction quand il saura ce qui s'est passé. Il faut absolument le lui cacher. Il ne s'est jamais fait voler son portefeuille dans le métro ; il va penser qu'elle le fait exprès, il va hurler. Qu'est-ce qu'on lui conseille ? Ne rien dire, hein ? Elle rit. De la cuisine, elle nous appelle, affolée : elle vient de jeter au vide-ordures un sac en plastique qui contenait un maillot de bain à mille francs, une chaîne en or et un petit pendentif en diamant qu'il lui a offerts. C'est le sac qu'elle a rapporté de la piscine hier et qu'elle avait oublié de vider. « Quelle conne ! Mais quelle conne ! » Au retour du bureau tout à l'heure, elle est entrée dans la cuisine, elle a vu le sac en plastique sur le comptoir à côté du vide-ordures, et, pensant aux cris qu'il pousserait, lui qui ne déteste rien comme les sacs en plastique qu'elle laisse

13

traîner, par un réflexe de peur elle l'a fait disparaître aussitôt. Cette fois, elle est trop ennuyée pour rire. Elle s'est rendu compte de son erreur dès qu'elle a refermé le vide-ordures : le sac dévalait déjà la colonne. Croyons-nous qu'il y a moyen de le récupérer ? Que peut-elle faire ? En bas, au premier sous-sol où elle ne descend jamais car elle a atrocement peur des sous-sols à poubelles et des rats qu'ils attirent, la colonne à ordures arrive directement dans une gigantesque benne. On va chercher le gardien, le déranger en dehors de ses heures de travail. Elle a de la chance : avec une échelle le gardien parvient à récupérer le sac qui n'est pas encore recouvert. Elle est infiniment soulagée à l'idée qu'il n'en saura rien. Elle rit à en pleurer : jeter à la poubelle le cadeau qu'il venait de lui faire pour son anniversaire, et cela parce qu'elle pensait à lui, voulait lui faire plaisir ! Il faut vraiment qu'elle ait peur de lui !

Ça commence il y a quarante ans. Ils sont fiancés. Il lui rapporte de Londres un parapluie anglais, splendide, dont elle ne cesse de chanter les louanges, caressant ainsi le cœur de l'attentionné fiancé. Il pleut ce jour-là. Il gare la voiture. Elle ouvre la portière. Avant qu'elle ait mis une jambe hors de la voiture, le parapluie glisse de ses genoux dans le caniveau. Elle le voit s'engouffrer à la même seconde dans une bouche d'égout qui se trouve juste à cet endroit-là. Elle est désolée, se traite d'idiote, se maudit. Il dit que ce n'est pas grave, un peu dommage quand même parce que c'était un beau parapluie, cher, ce n'est pas de chance, elle aurait sans doute dû passer autour de son poignet la petite lanière en cuir accrochée au manche du parapluie juste à cet effet, mais tant pis. Après leur mariage, pour ses vingt-six ans, il lui offre un bracelet en or, un bijou plus beau qu'elle n'en a jamais porté, qui vient de chez un vrai bijoutier, dont le nom s'étale en lettres argentées dans l'écrin tapissé de velours. Heureusement : car il ne lui faut pas plus de deux semaines pour le perdre. Où, comment, elle n'en a aucune idée. C'est une catastrophe. Elle a beaucoup trop peur pour le lui dire. Elle sent que c'est une insulte qu'il ne lui pardonnera pas. Son premier beau cadeau, dans lequel il a mis toutes ses économies de jeune diplômé, il était si fier de le lui offrir, et elle le perd. Elle se rend chez le bijoutier de la place Vendôme. Elle voit le modèle du bracelet sur le catalogue. Elle se fait faire le même, mais en creux : elle n'a pas assez d'argent pour se payer le bracelet d'or plein. On ne voit pas la différence. Il ne la remarque pas avant plusieurs années, quand, un jour, jouant avec le bracelet en le faisant sauter dans sa main, il se rend soudain compte de sa légèreté et s'en étonne. C'est un homme précis. Il se rappelle combien il a payé ce bracelet quelques années plus tôt. Il ne peut pas être si léger. L'explication viendra. Il est stupéfait, ému aussi de son effroi de jeune mariée. Il est bien disposé ce jour-là. Ils en rient.

Il a toujours été la terreur des femmes de ménage. À peine entre-t-il dans une pièce, son œil, telle une antenne télécommandée avec précision, se tourne aussitôt vers le coin de la pièce où reste un mouton de poussière, vers l'objet sur l'étagère qui n'a pas été déplacé quand on a épousseté, ou, pis, vers la plinthe sous un meuble de l'entrée qui a été cognée par l'aspirateur : un peu de peinture est parti. Il crie. En rentrant du bureau, souvent, il passe l'aspirateur ou le chiffon à poussière, car il faut toujours passer l'aspirateur ou le chiffon à poussière après la femme de ménage. Il arrivera souvent qu'il accuse de vol la femme de ménage. Il a toujours soupçonné les employées de maison, surtout portugaises, de conspiration contre lui, et sa femme de faire exprès d'embaucher des femmes de ménage qui ne savaient pas repasser les cols de chemise et qui lui volaient ses torchons. Une jeune femme timide au visage triste, habillée tout en noir, Maria-Rosa, a fait réparer à ses frais le lave-vaisselle, se croyant responsable de la panne : la réparation coûtait au moins la moitié de sa paie et la machine, elle l'ignorait, était sous garantie. On n'a appris ce sacrifice qu'après son départ. Micheline. Rentré de Bretagne à l'improviste au cours du mois d'août, il la trouve vautrée dans leur lit conjugal avec son amant, vêtue des plus élégants habits de sa femme. Il sera longtemps question entre eux, avec des rires, de la communiste Micheline. Il manifeste un formidable racisme contre les Portugaises. Il y a vingt ans, comme elles se succédaient à une trop grande vitesse, rendant leur tablier au bout d'une semaine, elle a imaginé d'embaucher une ravissante Portugaise, espérant que la beauté de la jeune fille, son visage fin avec un grain de beauté sous sa bouche sensuelle et bien dessinée, sa peau aux tons mordorés, sa haute taille et sa chevelure flamboyante amadoueraient l'époux difficile en le rappelant à son devoir de gentleman. La belle employée n'est pas restée longtemps. Puis les choses se sont stabilisées : il y a eu, pendant dix ans, Lorinda, assez rusée, assez maligne pour éviter de l'affronter. Quand la grosse et petite Lorinda, aguerrie, nous a quittés en quittant par la même occasion son mari portugais pour épouser un architecte français, Elena est arrivée chez nous, la petite Elena de vingt ans, qui sait se défendre. « Vous avez demandé à Nicolas, monsieur Tudec ? C'est lui qui est passé en dernier, et c'est possible qu'il ait eu besoin d'un torchon. Voilà ce que c'est, monsieur Tudec, d'avoir des enfants brillants qui ont fait tellement d'études : ils ne savent même pas où on achète les torchons. En tout cas j'ai cherché partout, monsieur Tudec, j'ai même rangé les étagères là-haut, il n'est pas là. » Elle a l'âge de mon frère Nicolas ; elle mène son monde, et lui surtout, à la baguette ; elle n'a pas peur de lui ; elle connaît ses obsessions et ses faiblesses. Si elle avait eu le loisir de faire des études, ne serait-ce qu'un BTS de secrétaire, elle occuperait aujourd'hui un poste de directrice dans une entreprise ; au lieu de quoi, mariée à vingt ans, elle fait des ménages de huit heures du matin à huit heures du soir, week-end compris, pour payer la maison au Portugal qu'il l'accuse d'équiper à ses dépens.

Le torchon, il l'aperçoit ensuite chez moi à New York : « Je reconnais ce torchon ! Il est à moi ! Alors c'est toi qui l'avais pris ! — Peut-être, c'est possible », ai-je répondu d'un air indifférent comme si je me situais bien au-dessus de ces détails vulgaires, alors que j'ai pris exprès ce torchon en me disant que

16

les torchons qu'il achetait, d'excellente qualité, faits d'un mélange de coton et de lin, essuyaient certainement mieux la vaisselle que ceux qu'on trouve en Amérique. « Tu aurais pu demander ! Je l'ai cherché partout. Tu vois, Elvire, je savais bien qu'il y avait quatre torchons comme ça. » Elle jette un coup d'œil faussement intéressé : « Ah oui, effectivement. » Elle témoigne en me regardant : « Ça l'a rendu fou. Il a accusé Elena de l'avoir volé, j'étais très gênée. » Elle ajoute en s'adressant à lui : « C'est Marie tout craché, elle se croit tout permis. » Ils commencent à m'énerver. Ils viennent d'arriver à New York, je ne les ai pas vus depuis six mois, je les attendais avec impatience, on ne va pas passer la soirée à parler de torchons ! « Écoute, reprends-le, ton torchon, et ne me casse pas les pieds. » Lui : « Tu nous voles nos torchons, tu ne vas pas nous insulter en plus ! » En fait, parce que la scène se passe à New York, elle ne dégénère pas. On reste dans le ton du rire léger, elle m'adresse moult clins d'œil en me racontant combien il l'a rasée avec ce torchon qui manquait, elle est d'humeur exquise, elle aime ce décalage horaire qui retarde l'heure d'aller se coucher et qui lui fait cadeau de six heures de plus à vivre, elle aime les lumières, l'énergie de cette ville et les promesses de fêtes qu'elle contient, elle adore New York depuis que Nicolas y habite. Elle hausse les épaules. « Mais non, c'est faux, j'ai toujours adoré New York. »

Le soir dans la cuisine, il crie parce qu'elle le sert trop. Elle réserve pour lui le meilleur morceau, s'impatientant contre nous, les filles, si nous tentons un geste vers le plat avant qu'elle ait fini de le servir. Elle s'empare avant nous, d'un geste sec et possessif, de la cuiller nageant dans la sauce. Nous, on se plaint de ne pas avoir assez. Lui crie parce qu'il a trop. Trop de patates, trop de riz, trop de pâtes, trop de sauce. « Mais non, dit-elle, tu n'as rien mangé, c'est léger comme tout. — Mais je n'ai plus faim ! Tu entends ? Je n'ai plus faim, je te répète que je n'ai plus faim ! Tu comprends ce que ça veut dire ? Et toi, qu'est-ce que tu manges ? Est-ce que tu as pris une seule patate ? — Plein, rétorque-t-elle d'un ton offensé. Tu n'as pas vu : j'en ai mangé trois. J'adore les patates. » Dans son assiette trois miettes de pommes de terre paradent à côté des légumes verts, haricots ou épinards, qu'elle ne fait cuire que pour elle et sur lesquels le regard concupiscent de ses filles l'irrite. « C'est ça que tu appelles plein ? Tu es ridicule. » Il repousse son assiette. Si c'est comme ça, il fait la grève. Consciente de sa mauvaise foi, elle prend, pour l'apaiser, une patate dans la casserole et la dépose dans son assiette à côté des épinards. « Tiens, regarde. » Cette concession le satisfait : il mange. Elle profite de la première occasion où il détourne la tête pour glisser la patate dans son assiette. Il s'en aperçoit aussitôt. « Je ne veux pas de cette patate ! Je n'ai plus faim, je t'ai dit ! Tu te fous du monde ! J'ai encore pris deux kilos cette semaine ! — Mais non, tu es très beau. — Je ne rentre même plus dans mes pantalons et je fais du 56 en veste, enfin ! Mais regarde ! Tu vois bien que j'ai du ventre. — Mais non, tu es très beau, beaucoup plus beau que quand je t'ai épousé. »

Elle est sincère. C'est sa fierté, sa grande revendication que de l'avoir fait grossir, peut-être l'unique succès de sa vie. Sur la photo de mariage, la seule rescapée après l'incendie du studio du photographe, on ne peut s'empêcher de rire en le voyant : un échalas d'un mètre quatre-vingt-deux avec des oreilles décollées. Elle a fait de cette asperge un homme de belle prestance. Sur ce point, ils sont d'accord, et elle rit de bon cœur quand il raconte leur rencontre à une fête en décembre 1957 : « Elle m'a vu tout seul sur un canapé, maigre à point, et elle m'a pris pour cible aussitôt. Elle m'a apporté une assiette pleine de petits-fours. Moi, j'ai pensé : oh, quelle charmante jeune fille, qu'elle est gentille, généreuse. Si j'avais su ! Quarante kilos en quarante ans, un kilo par année de mariage. » Elle proteste seulement quand il ajoute : « Ceux qu'elle n'a pas voulu prendre. Elle ne mange rien. Je dois bouffer pour elle tout ce dont elle se prive. » Elle prétend qu'elle n'a pas entendu ; c'est un sujet dont elle ne veut pas discuter. Oui, elle est mince. À soixante-cinq ans, elle met toujours des jupes et des pantalons de taille 38 ; sa première fille fait du 40, sa deuxième fille du 42, mais aux repas elles n'ont droit qu'aux patates, pas aux épinards. C'est son privilège à elle, de rester svelte. Le reste du monde doit manger pour elle, au nom de tout ce dont elle se prive ou qu'elle grignote en microscopiques quantités. Anorexique ? Pas du tout. On dit n'importe quoi. Elle dévore : il n'y avait qu'à la voir manger du chocolat tout à l'heure avec le café ! Elle a avalé toute une tablette. Ouvrant le casier à beurre du réfrigérateur, on trouve des moitiés, des tiers, des quarts de carrés de chocolat, rongés comme par une fourmi : les restes de ses délices prandiales, laissés pour le lendemain.

Il s'énerve parce qu'elle mange comme un cochon. Elle trempe sa manche dans la sauce, fait tomber du riz sur la table ou sur sa jupe, se retrouve avec des bouts de salade ou d'épinards entre les dents. Il la surveille. Il grimace en montrant sa bouche et aussitôt elle passe un ongle entre ses dents pour ôter les petits bouts de salade. Il lui signale ses fautes par des gestes nerveux qui la ridiculisent, ponctués d'interjections. «Fais attention !» C'est un cri, bref, comme un aboiement, qui la garde en alerte constante. Elle sait toujours qu'elle va faire une bêtise. En sa présence, elle redouble de maladresse. Ça commence il y a quarante ans. Ils se connaissent à peine, se sont vus quatre fois, n'ont pas échangé un baiser. Elle l'invite à dîner chez elle le soir du dimanche de Pâques, alors que ses parents sont sortis. Elle prépare une omelette. Emportée par le feu de la conversation — elle parle, il écoute —, en retournant l'omelette elle la fait glisser dans la lessiveuse juste à côté des plaques de gaz. «Oh, quelle idiote, quelle idiote !» Il n'y a rien d'autre dans le réfrigérateur, il n'est pas assez riche pour l'inviter au restaurant, et le dimanche de Pâques les magasins sont fermés : ils récupèrent les bouts d'omelette dans la lessiveuse. C'est charmant. Ils en rient. Il ne la terrorise pas encore.

Presque à chaque dîner, elle fait tomber sur le carrelage de la cuisine un tabouret ou un couvercle de casserole, dans le silence qui se met soudain non à régner, mais à tout abolir. Il ferme les yeux ; son visage se crispe comme s'il souffrait atrocement d'un coup de genou qu'elle lui aurait assené dans ses parties les plus sensibles. Elle s'est déjà excusée trois fois : « Oh, pardon, je suis désolée, je ne sais pas comment j'ai fait mon compte. » Elle se baisse et ramasse le tabouret ou le couvercle avec d'infinies précautions, comme si ce simple acte était bruyant. Le plus souvent l'objet glisse hors de ses mains et retombe. Il pousse un hurlement, beaucoup plus fort que le bruit du couvercle. « Tu le fais exprès ! — Mais non, mais non, je te jure que je n'ai pas fait exprès. » Elle rit nerveusement. En se rasseyant avec délicatesse pour que les pieds de sa chaise ne raclent pas le carrelage, ce qu'ils font néanmoins sans provoquer de remarque, elle se tourne vers nous et hausse les sourcils avec un air de peur et d'exaspération, quêtant notre complicité. Il ne s'en rend pas compte. Il a recommencé à manger.

En public, dans la rue, au restaurant, au bord de la piscine du Racing, il la reprend, la rappelle à l'ordre. « Parle moins fort ! » L'ordre éclate comme un aboiement. Elle baisse la voix. Il a raison. Elle ne se rend pas compte. Elle n'a aucun tact : elle parle en public, très fort, de choses tout à fait privées, des maîtresses d'un tel, de la fausse amitié d'un autre, des escroqueries de celui-là ; le serveur a jeté un regard prouvant qu'il tendait l'oreille. Maintenant elle passe dans l'excès contraire et n'ose plus dire un seul mot à voix haute par peur de le mettre en colère. Il crie parce qu'elle chuchote et qu'il n'entend pas.

Le pire, c'est la voiture. Elle a dû réapprendre à conduire quand elle a accepté son premier poste hors de Paris. Conduite automatique, évidemment. Elle déteste conduire, surtout quand il décide d'être son moniteur. « Mais avance, avance ! Arrête d'appuyer sur le frein ! Mais double, bordel ! » Derrière elle les conducteurs s'impatientent, font des appels de phare et klaxonnent. Elle s'affole, conduit par à-coups, un pied sur le frein, l'autre sur l'accélérateur, multiplie les bêtises, n'entend plus un mot de ce qu'il dit, le dos raide, les deux mains crispées sur le volant, le regard fixé devant elle. Il jappe sèchement : « Ton rétroviseur, regarde ton rétroviseur ! Enfin, Elvire, arrête de déconner ! Tu m'énerves. » Elle conduit mal, ne sait pas doubler, nous fait honte quand elle se gare. On lui crie en chœur : « Braque, braque, braque ! »

Lui, en revanche, conduit remarquablement bien. Une conduite rapide, efficace, élégante. Il ne peut pas supporter les conducteurs du dimanche et surtout les « bonnes femmes ». Que le conducteur soit un homme ou une femme, il s'exclame : « Mais qu'est-ce qu'elle fout, cette pétasse ! » En voiture, il crie encore plus que dans la cuisine ou la penderie. Si tout le monde conduisait comme lui, il n'y aurait jamais un embouteillage dans les rues de Paris. Il a une telle vigilance, une telle rapidité d'action. Il ne peut pas supporter une seconde de retard. La voiture devant lui ne démarre pas au moment où le feu passe au vert : aussitôt l'avertissent trois petits coups de klaxon secs qui font bondir le conducteur. Une voiture ne respecte pas la file de droite et l'empêche de doubler : il lui envoie un appel de phares bien placé et s'arrange pour la doubler avec virtuosité, la rasant au passage et lui arrachant un déchirant coup de klaxon ainsi qu'un dangereux écart sur la droite. On devient vert. « Eh, attention, tu l'as presque touché ! — Je sais ce que je fais. » Une voiture se traîne devant lui, ne sachant apparemment pas où elle va, cherchant une place de parking ou une rue. Sans indulgence pour ce provincial égaré, il colle son pare-chocs avant contre le pare-chocs arrière de l'autre et lui envoie moult nerveux appels de phare, qu'il accompagne de commentaires appuyés, de plus en plus énervés. « Mais qu'est-ce qu'elle fout, cette connasse ! Elle roule au milieu de la rue, je ne peux pas la doubler ! — Je crois que c'est un connard. — C'est insensé à quel point les gens sont égoïstes ! Ils se foutent de qui est derrière eux, ils s'en contrefoutent comme s'ils étaient tout seuls sur la planète ! » Sur la voie express, sur le périphérique, il se colle à la voiture devant lui, fait un appel de phares. On se renfonce dans son siège. «Qu'est-ce que tu vas vite! Qu'est-ce que tu es près de la voiture de devant! — C'est Paris, ici, pas une banlieue du Connecticut. C'est une distance parfaitement normale. Il n'a qu'à se ranger sur la droite. — Il essaie mais il n'y arrive pas, et puis tu lui fous la trouille. — Tais-toi. Tu m'énerves.» Il a eu quelques accidents : il y a quelques années, l'avant d'un bus qu'il a embouti quand, dans un geste nerveux, il a confondu la marche arrière et la marche avant en appuyant sur l'accélérateur. C'était bien la première fois que ça lui arrivait, il était fatigué. Et un accident beaucoup plus grave, il y a longtemps, sur une nationale quelque part en France : il a vu le camion arriver sur la gauche; il avait la priorité, il a continué; seulement le camion ne s'est pas arrêté non plus : le camion, c'est insensé, a brûlé la priorité; contre un camion sa 4L n'a pas fait le poids. C'est cela qu'il avait oublié : contre un camion le bon droit ne faisait pas le poids. Elle n'a jamais eu d'accident. Elle est beaucoup trop prudente, ne conduit pas assez vite. C'est même pour ça qu'elle est dangereuse, parce qu'elle ne conduit pas assez vite, comme les petits vieux qui prennent la voie express le dimanche et qui y roulent à quarante à l'heure malgré tous les appels de phares qu'il leur envoie. S'il y a un accident, ce sera leur faute.

Dans le silence d'une conférence, elle a des cascades de rots mal déguisés derrière une toux. Ou bien, dans une rue qu'elle croyait déserte, elle pète. Un passant se retourne avec étonnement sur cette dame élégante qui, sans doute possible, vient de laisser s'échapper cette longue pétarade. Là, il rit avec indulgence. Il ne la reprend pas pour ses rots, ses pets. Elle est parvenue à les lui faire accepter. Elle a des problèmes digestifs. Elle ne peut rien y faire. C'est une infirmité. Ce n'est pas sa faute si, petite, les traumatismes de la guerre et la méchanceté de sa grand-mère paternelle l'ont terriblement constipée et que, après la guerre, sa mère a réglé le problème en la bourrant d'idolaxil, un puissant laxatif. Pendant vingt ans, elle n'a pas fait une crotte sans avoir pris son idolaxil.

Quand elle était enceinte d'Anne, elle est allée voir un médecin qui lui a fait une radio : intestins bousillés, idolaxil à arrêter d'urgence. Elle a dû remplacer le médicament par des laxatifs naturels, son, fibres, pruneaux qu'elle prend matin et soir. Nous rendons-nous compte de l'horreur de cette infirmité nous qui, chaque matin, faisons caca sans y penser ? Pour lui arracher un cri d'envie, il suffit de lui dire qu'on a la diarrhée. Elle, après avoir avalé le son et autres matières laxatives, doit faire deux heures d'abdominaux, et le résultat est rien moins que certain. Il est hors de question de la déranger pendant les deux ou trois heures qui suivent le réveil. S'empêcher de prouter lui causerait une aérophagie terriblement douloureuse. C'est une question de santé, presque de vie et de mort. C'est pour ça qu'elle n'a en cette vie aucune liberté : elle est prisonnière de ses intestins. S'il faisait une remarque, il provoquerait une colère qui fuserait en insultes venimeuses. Il y a des terrains minés qu'il ne faut pas toucher. Celui des pets et des rots en est un. Et puis il faut bien reconnaître qu'il lui arrive, à lui aussi, de lâcher des rots et des pets, et non des moindres, non des moins bruyants et des moins odorants. Nous sommes une famille de péteurs, de rotopéteurs — ce néologisme inventé par Patrick pour faire rire ses filles, dignes héritières de leur grand-mère maternelle. Il y a les constipés, elle, Anne et Pierre ; il y a les non-constipés, lui, Nicolas et moi. Mais nous proutons tous les uns autant que les autres. Le geste Tudec par excellence, c'est le corps qui se penche d'un côté et la fesse qui se soulève légèrement pour laisser échapper silencieusement le gaz. « Oh, ça pue. C'est toi ? T'es dégueulasse. Tu pourrais faire ça aux chiottes, quand même. » Gros rire de la part du coupable, qui ne se sent pas plus coupable que ça.

Il n'a pas son mot à dire sur les habits non plus. C'est le deuxième espace sacré délimité par elle. Elle qui méprise le matériel est d'une extrême élégance. À chaque saison, comme un serpent qui mue, elle renouvelle sa garde-robe chez de grands couturiers et relègue dans la penderie les habits défunts. Pour vider les armoires, elle donne les luxueux vêtements à ses filles, à des amies moins riches, à la femme de ménage. D'année en année, elle dépense des sommes faramineuses dont on préfère ne rien savoir. C'est pour ça qu'elle n'a jamais voulu faire compte commun avec lui. «Mais non, dit-elle, on fait compte commun!» Il rit : «Le compte commun, c'est le mien. Et pour son argent elle a un compte à part.» Si elle travaille, c'est pour pouvoir claquer en habits la moitié de son salaire mensuel. C'est sa liberté, son unique folie, sa seule prodigalité. Dans une boutique, elle est une grande dame que les vendeuses traitent avec tous les égards possibles. Son caprice peut brutalement se diriger vers une autre marque et une autre boutique. Elle n'aime que les beaux tissus sans mélange, pure laine, pur cachemire, pur coton, pure soie, pur lin, ou, s'il faut un mélange, ce sera un mélange de soie et cachemire, ou de laine et coton. Elle est d'une élégance sobre, avec une touche jeune, une pointe d'originalité. Elle ne supporte pas ce qui est dépareillé. Ses armoires offrent, tel un tableau moderne et minimaliste, tous les tons, toutes les formes et toutes les matières d'une seule et unique couleur. Une saison le beige, une autre le blanc, une autre le vert, ou le gris foncé, ou le grège, ou le marron, ou le gris, ou, aujourd'hui, le rouge qu'elle a décidé de porter jusqu'à sa mort parce que le rouge est la couleur de la vie, de la jeunesse et de la passion et que, derrière le rouge si éclatant qu'on ne voit que lui, on ne remarque pas le corps qui subit les outrages des ans. Elle est entrée en rouge comme on entre en religion. Les commerçants du quartier qui la voient, chaque jour, faire ses courses à toute allure l'ont surnommée «la flèche rouge». Elle a un grain; c'est pour ce grain-là qu'il est amoureux d'elle, et pour cette silhouette jeune aux jambes minces, à la taille fine, aux petites épaules moulées dans des vestes parfaitement coupées. Il a même accepté qu'elle lui achète un costume rouge qu'il porte comme, au moyen âge, le chevalier les couleurs de sa dame.

Une liste à établir. Le monde se met en ordre. Il a toujours à disposition un petit carnet et un stylo, posés dans un endroit commode, sur une étagère ou près du téléphone. Liste de choses à faire ou à acheter, de gens à qui écrire, à qui téléphoner, à inviter. Il aime organiser ; pas des choses très importantes, pas révolutionner le monde, mais organiser. Indiquer les choses une par une, en une longue colonne verticale. Rayer les éléments un par un, au rythme de leur accomplissement. Le crayon disparaît, il hurle : «Qui a pris mon crayon ? Il était là ! Sur l'étagère ! Quand vous empruntez quelque chose, vous le remettez en place, merde, y en a marre ! » Il s'assied et fait la liste des courses. Comme c'est elle qui prépare les repas, elle est supposée la dicter. Elle la dicte dans le plus grand désordre. Il s'énerve. «Combien de kilos de patates ? — Inutile, il en reste. — Elles ont germé. — Non, elles seront parfaites pour ce soir, on ne va pas les jeter.» Nous : «Prends des Yoplait aux fruits. — Des yaourts nature iront très bien, dit-elle, vous n'avez qu'à mettre de la confiture, tous ces yaourts aux fruits sont pleins de colorants. — Ma liste, crie-t-il, vous vous taisez un peu, bordel ! Je ne vais pas passer toute ma journée à faire les courses ! Un rôti de porc ? » Elle nous jette un regard furieux. «Oui. Et un poulet pour demain. » Il écrit les mots les uns après les autres, de sa toute petite écriture régulière et droite aux lettres séparées, une écriture nette, bien ordonnée, si différente de son écriture à elle, de grosses boucles à peine déchiffrables qui courent sur les dizaines de pages de ses arrêts, de ses lettres, de son journal intime.

Nos mariages sont de grands moments. Il y a tellement de listes à faire. Elle lui reconnaît cela, qu'il est un organisateur formidable. C'est aussi une manière pour elle d'annoncer qu'elle ne s'occupera de rien. Qu'on se le dise. À l'organisateur d'organiser. Il est content. Il crie beaucoup, mais on ne peut pas organiser sans crier. Il conçoit lui-même un formulaire. Il est tellement intelligent, ce formulaire, que Nicole, la sœur de sa femme, lui en piquera l'idée pour le mariage de sa fille. Il envoie le formulaire à tous les invités. Il faut cocher ou remplir les cases. Viendra-t-on ? À combien ? Quel jour ? Par quel moyen de transport ? Combien de places libres a-t-on dans sa voiture ? Souhaite-t-on être attendu à l'aéroport de Guipavas à midi, ou à l'arrivée du TGV à Brest, à midi vingt, quatorze heures quarante-deux ou dix-huit heures cinquante-six ? Quel hôtel ? Entre cent et deux cents francs, deux cents et trois cents francs, trois cents et quatre cent cinquante francs ? Avec cabinet de toilette, douche ou salle de bains ? Combien de nuits ? RSVP avant le 15 avril. On le trouve un peu administratif, ce formulaire, un peu sec par rapport à l'événement qui se prépare, mais on ne peut rien dire : il va hurler.

Les seules choses dont elle s'occupe, elle, c'est de sa robe — il ne faut surtout pas qu'elle ait l'air d'une belle-mère — et de la question de savoir si, oui ou non, elle portera un chapeau. Il est extrêmement fier de son formulaire ; sans l'avoir regardé, elle s'extasie et s'exclame qu'on devrait le breveter. Il ne la soupçonne pas d'ironie ni d'exagération marseillaise ; l'idée de la fête à venir la met dans une humeur exquise qui la plonge dans une admiration sincère pour le talent de son mari ; quant à lui, il pense qu'il y a de nombreuses inventions pour lesquelles on aurait pu le breveter. Il est ingénieux.

Il se met en colère contre ceux qui n'ont pas renvoyé le questionnaire. Ce sont seulement nos amis, bien sûr. Il nous charge de leur téléphoner et de leur transmettre sa façon de penser. Ils ne lui facilitent pas la tâche, nos amis. On voit que ces petits irresponsables ne se rendent pas compte de la difficulté d'organiser un mariage et de leur chance d'être invités. Ils se croient seuls au monde, sans doute. Ils pensent qu'un mariage se fait comme ça, tout seul, servi sur un plateau d'argent. Ils ne pensent qu'à s'amuser. Ce sont de petits égoïstes. Ce ne sont pas leurs amis à eux qui oseraient se comporter avec une pareille désinvolture. On appelle nos amis. « Tu as reçu le formulaire ? Tu peux le renvoyer ? Non, c'est mieux si tu le coches toi-même et si tu le renvoies, tu comprends, s'il a fait ce formulaire, ce n'est pas pour les cochons. »

On est fières, Anne et moi, de faire notre entrée à son bras dans la chapelle bretonne. Il a de la prestance, splendide dans son costume, seul homme en blanc de toute la noce. Pour mon mariage, dont il est l'unique organisateur puisque les parents d'Alex habitent à New York, il a composé un long discours bilingue qu'il prononce en alternant les phrases en français et celles dans son élégant anglais british, avec même des plaisanteries, et des pensées pour les absents. Les menus distribués à chaque convive portent sur le dessus une photographie de deux mains qui se joignent. C'est une photo qu'il a prise il y a trente-huit ans lors d'un voyage en Égypte, et qui trône chez eux, encadrée, dans le salon. À l'intérieur du menu, sur la page de gauche, laissée en blanc, est écrit en bas à droite en tout petits caractères imprimés, exactement comme dans les livres : « Photo Philippe Tudec ».

Il est l'homme sur qui on peut compter. Fiable à cent pour cent, dit-elle. Quand on lui demande quelque chose, on est sûr qu'il va le faire. Il crie, mais il va le faire. Il crie, donc il va le faire. Il crie, parce qu'il sait déjà qu'il va le faire, malgré le dérangement que cela lui cause ; il le fait pour s'excuser d'avoir crié si fort. Il a toujours fait ce qu'on attendait de lui. Il assure. Quand on rentre à la maison, tard le soir, après un dimanche passé à la campagne et qu'on s'est profondément endormi dans la voiture, il nous prend dans ses bras et nous porte dans la chambre où elle nous réveille pour qu'on se déshabille et mette notre pyjama. Si on est très malade pendant la nuit, c'est lui qui nous emmène à l'hôpital. Sur la route de la Bretagne, l'été, il arrête la voiture au bord de la route et il sort pour nous soutenir pendant qu'on fait pipi ou qu'on vomit, et il nous essuie, après, la bouche ou les fesses. Quand Anne s'évanouit au lycée avant une piqûre et qu'on l'envoie en ambulance aux urgences parce qu'elle ne reprend pas conscience, il arrive à toute allure du bureau et suit l'ambulance jusqu'à l'hôpital. Lorsque j'ai mon accident de vélo à quinze ans, il rentre du bureau pour me conduire chez le docteur. Quand Pierre plonge la tête la première sur les petits cailloux autour du manège, il se précipite, ramasse son enfant ensanglanté et court vers l'infirmerie du Racing en laissant derrière lui un sillon de sang qui tache sa veste en peau de mouton. Le soir, il entre dans notre chambre, nous lit la Bible illustrée et nous fait réciter le Notre Père avant qu'elle ne vienne nous dire bonsoir. Le samedi soir ou le dimanche matin, il nous accompagne à la messe. Le samedi midi, il va nous chercher à l'école et nous emmène prendre l'air au Bois ou au pré Catelan. C'est avec lui qu'on ramasse les marrons, les feuilles qu'on fera sécher. C'est lui qui prend les photos, qui les développe et qui compose, année par année, les albums témoins de nos sourires, de nos exploits, de nos vacances, de nos voyages, soigneusement rangés sur les étagères du salon, et que chacun de nous a consultés avec délices en y dérobant occasionnellement un portrait de l'adorable bébé qu'il a été pour le donner à son bien-aimé. Elle, elle n'aime pas les photos, ces clichés qui figent le présent, le dérobent et le tuent, ces images idylliques sans aucune trace de vie.

Il s'occupe de toutes les tâches matérielles et administratives. Aux alentours de Noël, il passe des heures à écrire des cartes de vœux en cherchant la formule un peu originale et en rayant les noms sur sa liste. Elle n'a jamais écrit une seule carte de vœux, elle n'en voit pas l'intérêt. Il fait les courses et le ménage, il achète les ustensiles ménagers, il meuble nos chambres : armoire, commode, étagères, bureau, chaise de bureau, lampe de bureau, il veille à ce que rien ne manque pour notre confort. C'est lui qui achète les voitures, l'appartement de Levallois, la maison de Ploumor. Il fait construire des placards et des bibliothèques et changer la moquette ; il achète de nouveaux coussins, de nouvelles couvertures, un nouvel aspirateur. Il arrose les plantes et les fleurs dans les bacs. C'est grâce à lui qu'on a des balcons fleuris, des couteaux qui coupent, des assiettes non ébréchées, un sèche-linge, une friteuse, un four à micro-ondes, un répondeur téléphonique, un fax, une télévision, un magnétoscope, une chaîne stéréo, un ordinateur. Elle, elle ne sait même pas allumer la télévision. Dès qu'elle appuie sur un bouton, une catastrophe se produit. En général, elle ne voit pas le bouton, même quand il lui en indique l'emplacement avec précision : «En haut à gauche, le bouton rouge. ROUGE ! Ouvre les yeux, bordel ! »

Il est toujours là quand on a besoin de lui. Il nous rend service. Depuis que nous sommes éparpillés aux quatre coins du monde, il nous sert de secrétaire. Il gère nos comptes en banque, comble les découverts, paie nos factures, investit notre argent. Dans le tiroir de la commode, dans l'ancienne chambre de Nicolas devenue son bureau, il a d'épais dossiers qui portent nos prénoms : ceux de ses quatre enfants, celui de sa femme, celui de sa belle-mère quand elle est à l'hôpital et qu'il s'occupe de ses affaires, celui de son frère aîné du temps où il a sa tutelle. C'est lui qui met dans une enveloppe et qui porte à la poste, pour être sûr de payer le tarif exact, les longues lettres qu'elle nous écrit : elle ne connaît pas nos adresses et sait à peine ce qu'est un timbre-poste. Il fait le taxi même quand ça l'ennuie. Il nous conduit aux gares et aux aéroports, il vient nous chercher, il conduit sa femme au tribunal, il va la chercher. Il rouspète, mais on sait qu'il va le faire. Nous sommes sans cesse en déplacement : Anne arrive de Brest, Pierre va à la montagne, Nicolas débarque du Mexique, je repars pour New York. Quand on franchit la douane et que s'ouvre la porte coulissante, c'est lui qu'on voit de l'autre côté, son visage qui nous sourit, sa haute stature, ses larges épaules, son visage encadré de cheveux lisses et d'un collier de barbe maintenant devenu blanc, son blaser élégant. Elle ne l'accompagne pas : les heures du matin sont sacrées, il n'est pas question qu'elle se dérange. «Bonjour, ma grande. Pas trop crevée ? — Non, ça va ; j'ai réussi à dormir trois heures ; tiens, tu te laisses pousser les cheveux ? — Ta mère ne veut pas que je les coupe, elle dit que ça me rajeunit. Mais on m'a dit que ça faisait sale. Qu'est-ce que tu en penses ? — Qui t'a dit que ça faisait sale ? — Monique. — Ah, si c'est Monique... ! » Petit rire complice.

C'est lui qui nous mène aux épreuves d'examen et de concours, et il y en a eu, pendant vingt ans, des baccalauréats, des concours généraux, des examens. Il les connaît, ces maisons des examens situées dans les banlieues est et nord de Paris. Réveillé à six heures et demie du matin pour conduire sa fille ou son fils. Quand il y a des embouteillages, on angoisse de l'entendre pester. Il nous rassure : « Mais non, on y sera, je te jure. » Il ne nous a jamais fait rater un train ou arriver en retard à un examen. Si on est en avance, il se gare devant le bâtiment où a lieu le concours, et nous restons un quart d'heure dans la voiture à écouter de la musique classique, sans parler, main dans la main ; les gens qui passent dans la rue à cette heure matinale regardent par la vitre ce couple d'âge disproportionné. Il aime bien que l'on croie que ses filles sont ses maîtresses, surtout sa fille aînée. Sa main est chaude et solide. Dès qu'il entre dans un magasin, sa présence — sa haute stature, son élégance — inspire le respect, et le vendeur s'occupe aussitôt de lui. Il est aimable, pose des questions précises et adéquates, n'hésite pas à glisser une plaisanterie galante qui fait rougir ou rire la jeune vendeuse. Au restaurant, lorsqu'il commande le vin, on voit qu'il s'y connaît. « C'est ta faute, dit Anne, si je suis toujours déçue ; tu nous as beaucoup trop gâtées, je ne trouverai jamais un homme comme toi. » Il ronronne. Ces paroles sont du miel, des caresses dans le sens du poil. Sous la peau du tigre qui rugit, il y a un chiot très doux, assoiffé de caresses.

Nous tenons tous de lui les cris et l'impatience. Je suis celle qui lui ressemble le plus. J'ai hérité, non le sens de l'ordre même si me prennent parfois des frénésies de nettoyage, mais le goût des petites tâches bien faites sur lesquelles on invite amis et membres de la famille à se récrier d'admiration, le besoin d'entendre des compliments, le goût de corriger les autres et la propension à soupçonner les amis d'avoir dérobé chez moi lors du dernier dîner l'ouvre-bouteille ou l'épluche-légumes qui ne peut quand même pas avoir disparu tout seul. Comme lui j'explose pour rien et me calme aussi vite, sans conscience d'avoir hurlé. J'ai la même écriture petite et minutieuse, le même style sec et précis, la même signature. Nous sommes très français, lui et moi. Nous avons une grande peur de nous faire duper, surtout pour les petites sommes, que nous vérifions avec une précision maniaque. Nous sommes gênés par ce qui est excessif et ridicule : elle. Comme lui j'ai le goût des listes. Comme lui j'aime organiser, planifier, arranger une maison, acheter de la vaisselle, parler à table du prix des objets, des bonnes affaires que j'ai faites.

Les listes et les objets nous protègent contre l'angoisse. Nous sommes du côté de la matière. De ce qu'elle appelle la matière. Elle dit que nous avons de la chance, beaucoup de chance. Comme ont de la chance ceux qui croient en Dieu. Il a tout cela : Dieu, les objets, les fleurs sur son balcon, toutes ces choses qui le contentent. Le soir, il sombre en deux minutes à peine et ronfle, tandis qu'elle traque le sommeil en vain. Il est bienheureux. Elle dit cela avec une admiration exagérée qui contient une subtile pointe de mépris atteignant en plein cœur, comme une flèche venimeuse, sa cible inconsciente. Content-légume.

Elle, rien ne la contente.

II

Maman

Rien ne la contente, sauf une bonne note. «J'ai eu dix sur dix à ma rédac. — Ah, c'est bien.» Pas de quoi s'extasier : c'est sans histoire, normal. Elle s'informe : «On t'a rendu l'interro d'histoire?» Pas moyen de le lui cacher si on a eu une note moyenne qu'on préférerait ne pas mentionner. Elle, si inexacte pour tous les détails matériels, fait preuve sur ce point d'une mémoire d'éléphant. Ni les notes moyennes, ni les mauvaises, ni les bonnes ne provoquent de grands commentaires : un regard déçu, une question visant à comprendre ce qui s'est passé. La bonne note fait partie du cours normal des choses et produit un hochement de tête approbateur accompagné de ces mots : «Y a-t-il eu une meilleure note?»

Elle instille en nous le désir de répondre en classe le premier, de montrer qu'on a bien appris sa leçon, d'avoir la meilleure note, de s'attirer le sourire complice et bienveillant de la maîtresse à qui on apporte en offrande pour Noël une grande boîte de chocolats achetée par elle qui, en nulle autre occasion, ne gaspillerait un sou pour quelque chose d'aussi frivole et mauvais pour les dents. Elle ne surveille pas nos devoirs; quand on rentre de l'école à quatre heures, elle n'est pas à la maison : elle travaille. On est de bons élèves, même Anne, même Pierre. Il ne sera jamais question que l'un de nous redouble. Redoubler, ce mot honteux, qui me fait rougir, frémir de compassion pour les familles que le risque frôle, atteint comme un mortel accident. Une petite fille qui m'irrite parce qu'elle est toujours première sanglote à la sortie de l'école ; je lui demande pourquoi : sa mère va la gifler parce qu'elle est deuxième au classement de cette semaine-là. Je me dis que sa mère est folle. La nôtre ne nous gifle pas, ne nous menace pas, ne nous parle jamais méchamment, ne nous donne pas d'ordre. Elle nous fait confiance. Elle a un sixième sens qui, le jour où on a décidé de pas apprendre la récitation pour le lendemain parce qu'on a été interrogé en classe le jour même et qu'on a eu dix sur dix, la conduit à nous demander : «Tu as fait tes devoirs pour demain ? — Oui. — Tu as appris le poème ? » On rougit. «Pas encore. — Bon. Tu l'apprendras dès qu'on rentre, hein ? » Ce n'est pas une question mais un constat. Il y a dans sa voix une tonalité grave qui transforme la négligence en lourde faute. À la maison, elle ne nous interrogera pas. Elle sait qu'on va l'apprendre.

Lui, on n'a jamais vraiment su ce qu'il faisait, à quoi il occupait ses journées. On sait juste qu'il travaille chez Esso, pompiste peut-être ?, et qu'il voyage parfois dans des pays lointains où il va voir des plates-formes pétrolières. Plus tard, on apprendra qu'il est un ancien énarque détaché dans le privé et qu'il s'occupe d'assurances. Elle, c'est simple : «juge». D'avocate, elle est devenue juge peu après la naissance de Nicolas, afin d'avoir des horaires plus réguliers ; il était alors beaucoup plus rare qu'aujourd'hui qu'une femme exerce ce métier. «Juge ! Tu dois avoir un surmoi très fort», me dit un camarade quand j'ai dix-sept ans. J'ai quelques notions floues de Freud apprises en classe de philo, mais je ne vois pas comment un concept abstrait peut s'appliquer à cette réalité vivante, ma mère. C'est donc ça, le surmoi ? Une mère juge ? On voit le juge dans sa robe rouge, terrible, présidant la séance du haut de sa chaire, et envoyant le criminel à l'échafaud. Surmoi très fort. Elle nous inculque le sens du devoir, le respect de la loi et de l'autorité. La maîtresse a dit qu'il fallait faire ça ? Il faut le faire à tout prix, exactement comme la maîtresse a dit. Il manque des crayons de couleur pour colorier cette carte de géographie ? Il faut de toute urgence aller en acheter. Il est trop tard ? Il faut absolument trouver quelqu'un à qui en emprunter.

Mais elle n'est pas un juge dur, froid, implacable comme la loi. Elle est un juge tourmenté, inquiet, humain. C'est beaucoup plus puissant, un juge qui vous prend par la douceur, qui vous force à admettre vous-même la raison de la loi, et ne vous laisse pas la possibilité de vous rebeller. Un juge qui s'adresse d'une voix triste et solennelle à son enfant qui a commis une grosse bêtise : « Tu te rends compte de ce que tu as fait ? Tu sais où on envoie les enfants voleurs ? Tu sais ce qu'est un centre de rééducation ? Comment peux-tu me faire ça, à moi qui suis juge ? »

Avant de rendre un jugement, elle en discute pendant des heures avec lui au dîner du soir ; si la décision est difficile, elle ne dort pas de la nuit. Elle lit toutes les pièces du dossier sans une exception. Elle écoute les avocats. Elle interroge les inculpés et tous ceux qui comparaissent devant elle. Elle est juge des tutelles, juge de la famille, juge pénal, pas juge en cour d'assises. Elle est juge du destin des familles, pas des criminels. Elle ne peut pas envoyer quelqu'un en prison pour dix ou quinze ans. Trois ans, c'est la limite. Ce qui l'intéresse, c'est l'humain, la psychologie. Elle est un juge clément, un « juge rouge », dira quelqu'un pour l'insulter. Elle trouve des excuses aux malfaiteurs, elle les comprend. De pauvres types à qui elle souhaiterait donner une seconde chance — sauf quand elle tombe sur cet hurluberlu récidiviste qui a le culot de lui affirmer, à elle qui, s'étant fait voler trois autoradios, est experte en la matière, que c'était juste pour prendre le paquet de cigarettes sur le siège arrière, pas l'autoradio, ça non, m'dame le juge, qu'il s'est retrouvé surpris par les flics en train de forcer une voiture. Elle entre dans le tribunal, une petite salle carrée qui ressemble à une salle de classe. Devant elle les hommes les plus musclés, les plus grands, les plus forts bredouillent. Elle doit leur demander de répéter. Ils ne comprennent pas ce qu'elle dit, ils baissent la tête, ils lui coupent la parole. Le greffier les rappelle à l'ordre : on n'interrompt pas madame le juge. Un jeune couple comparaît. Ils ont conduit leur bébé à l'hôpital, la petite avait les deux bras cassés. Trop secouée par le père. Pourquoi ? «Elle voulait pas marcher, m'dame le juge. — Mais elle a six mois. Vous vous rendez compte qu'un bébé de six mois ne peut pas marcher ?» Elle a sa voix douce, grave. Le père baisse la tête, dit qu'il se rend compte. Un autre couple arrive : l'homme a brûlé le vagin de la petite fille en dirigeant le jet brûlant de la douche contre son bas-ventre. Brûlures au second degré, dit le rapport médical. Elle a cinq ans. Elle criait, dit-il, elle hurlait, ils n'en pouvaient plus, ils n'arrivaient pas à la faire taire, ils lui ont donné une douche pour la calmer, il n'a pas remarqué que l'eau était brûlante. Ils promettent qu'ils ne la brutaliseront plus. Ils ont l'air d'avoir des remords. Ils ont peur. Elle les condamne à ouvrir un livret de caisse d'épargne au nom de la petite fille et à verser cinq mille francs pour elle en dommages et intérêts. Ils écoutent, hochent humblement la tête. Cinq mille francs, ce n'est pas grand-chose, mais elle sait que c'est énorme pour eux, et qu'il ne sert à rien de les condamner à verser plus puisqu'ils ne le pourront pas. Maintenant c'est un type de vingt-cinq ans accusé d'attouchements sexuels sur un petit garçon de onze ans. Il était l'ami du père, un jeune homme doux, gentil, on ne lui connaissait aucune histoire. Il a frôlé les assises, car il y a eu pénétration orale. Aux assises, il ne s'en sortait pas avec moins de six ans de prison. Il se défend, il a l'air de ne pas comprendre ce qui lui arrive. Ils se sont juste donné un peu de plaisir, c'est interdit ? Elle lui parle d'une voix solennelle qui contient toute la douceur et tout le tragique du monde : «Vous voyez ce petit garçon frêle, et regardez-vous à côté de lui : vous vous rendez compte de la différence de taille ? Vous dites qu'il a consenti. Mais vous ne croyez pas que vous avez dû impressionner cet enfant et qu'il a dû avoir peur de dire non, surtout si vous étiez son ami ?»

Vingt fois sur le métier remettez votre ouvrage. C'est de Boi-

36

leau. Elle est insupportable, cette sentence, quand on s'arrache les cheveux sur un devoir difficile. On n'y arrive pas. On a envie de pleurer, de tout laisser tomber. C'est trop dur. On n'en peut plus. Tout ce qu'on voudrait, ce sont des bras tendres qui vous enlacent et une voix douce qui vous dise : «Ne t'inquiète pas, ce n'est pas grave si tu ne le fais pas, une mauvaise note ce n'est qu'une mauvaise note, ce n'est pas la fin du monde. L'important, c'est que tu es ma petite fille chérie et que je suis ta maman qui t'aime. Tiens, que dirais-tu maintenant d'un bon petit pain au chocolat tout chaud et d'oublier ce devoir insupportable?» Au lieu de quoi on entend : «Vingt fois sur le métier remettez votre ouvrage. C'est Boileau qui l'a dit. On n'y arrive pas comme ça. Il faut travailler pour parvenir au but. Personne n'a dit que c'était facile. Tu recommences. Fais un petit effort. Concentre-toi. Les autres y arrivent bien ; il n'y a pas de raison que toi tu n'y arrives pas. »

Elle ne cède pas aux larmoyantes demandes de douceur. Elle nous aiguillonne comme un laboureur son bœuf paresseux. Elle nous stimule à coups de petites phrases, nous encourage à donner le meilleur de nous-mêmes, nous incite à la compétition. On veut réussir, pour lui faire plaisir, pour faire mieux que les autres, mieux qu'Anne si on est Marie, mieux que Marie si on est Nicolas, mieux que Nicolas si on est Pierre. Vingt fois sur le métier remettez votre ouvrage. De Boileau on ne saura rien d'autre. Il est normal de tout défaire et de tout recommencer. C'est un «classique» qui l'a écrit. C'est comme ça depuis des centaines d'années. Ils ont tous éprouvé ce découragement que je sens maintenant. Cette conviction que je suis nulle fait partie du travail. Ce sont les vingt fois qui indiquent la valeur d'un travail. Il n'y a pas de premier jet qui vaille. Seul compte le courage de recommencer. L'inspiration venue du ciel, ça n'existe pas. Il n'y a que le travail. Vingt fois sur le métier. Ce n'est pas une simple loi : c'est le feu sacré d'une religion. Elle travaille, elle, énormément. On entre dans sa chambre. On la voit dès l'entrée, assise face à son bureau, nous montrant son dos. Elle ne se retourne pas. «Qu'est-ce que tu veux? Je travaille.» Parole plus efficace qu'une porte qui nous claque au nez. Formule sacrée qui oblige à battre en retraite.

Elle ne nous embrasse pas facilement; elle ne nous prend guère dans ses bras, sauf peut-être son troisième, son Fils, son amour; elle manifeste peu son affection : un baiser le soir et c'est tout. C'est parce qu'elle ne montre guère de douceur que sa douceur est vertigineuse. Sa douceur, c'est celle d'une chair où tous les mots, les siens et ceux des autres, laissent une marque. Elle peut être méchante mais se rend aussitôt compte de sa méchanceté. Elle est la première à qui sa méchanceté fait peur. Sous son habit de juge, sa douceur est terrible. On y tombe comme dans un puits très profond. C'est une douceur qui donne envie de pleurer, de s'abandonner entre ses bras. Sa douceur quand elle vient m'embrasser le soir au lit après une violente dispute avec Anne qui a dégénéré et des coups distribués au hasard par lui, dont Anne écope pour la plupart, car, dès le premier, je crie comme un cochon qu'on égorge; sa douceur quand elle écoute mes déclarations de haine (de lui, d'Anne) et tente de les modérer. Sa douceur quand, chaque soir, Pierre endormi, elle passe une demi-heure dans la chambre de Nicolas pour ce rituel qu'il est interdit d'interrompre ou de surprendre. Nicolas a cinq ans, sept ans, douze ans et le rituel se répète chaque soir. Il a inventé des formules qu'elle respecte au mot près et un enchaînement complexe de baisers, du baiser africain au baiser eskimo. C'est ainsi, dans la douceur, qu'elle livre au sommeil son fils chéri qui ne peut pas dormir, celui qui, comme elle, a peur de l'immobilité de la nuit, son insomniaque. Sa douceur quand on s'est disputé avec elle et qu'elle ne nous laisse pas nous endormir avec ce chagrin mais vient nous trouver au chevet de notre lit à la dernière minute, comme on s'y attendait, aussi troublée et chagrinée que nous par notre désaccord. Elle ne supporte pas la tension d'une dispute. Elle revient toujours se faire pardonner. Elle sait exactement quand elle nous a blessés ; on sait exactement quand et comment on lui a fait de la peine.

Elle hait la famille et ne cesse de le clamer. Elle se demande encore comment elle a pu faire quatre enfants. Elle déteste le bruit, le nombre, les querelles, les fêtes, les dîners familiaux, les repas à préparer, les six sandwiches à tartiner avant chaque départ en vacances, cette fête abominablement commerciale et triste qu'est Noël, les vacances qui n'en sont pas pour elle puisqu'on se retrouve tous ensemble et les anniversaires, ces anniversaires qui reviennent sans cesse, qui se multiplient, septembre, novembre, février, mars, mai, et pour lesquels il faut chaque fois préparer le gâteau et inviter les amis. Elle invite les amis, prépare le gâteau. Elle ne se montre pas coupable d'une négligence. C'est toujours le même, un grand favori : un gâteau au chocolat cuit dans un moule circulaire et vide en son centre. Quand le gâteau n'est pas assez cuit, il s'effondre sur ses bords intérieurs comme une mousse chaude. On adore. Elle nous appelle pour lécher le plat. On se précipite en espérant que les autres n'auront pas entendu. Pour la Chandeleur, elle fait des crêpes. C'est ainsi qu'on sait que c'est la Chandeleur. On entre dans la cuisine et on voit le grand saladier plein de pâte à crêpes sur le comptoir, ou bien, un peu plus tard, on sent l'odeur exquise de la première crêpe, juste avant qu'elle ne nous appelle à table. Soir de joie. Pendant des heures, inlassablement, devant le fourneau, un tablier par-dessus sa petite robe Ted Lapidus, elle prépare des crêpes et les retourne en les faisant sauter. Car elle les fait sauter, sans en rater une, et si elle rate, c'est l'occasion d'un grand rire. Il n'y a rien de meilleur que ses crêpes à elle qui n'aime pas la Bretagne et qui déteste les crêpes. Nous sommes insatiables. Il y a toujours de la place pour une crêpe supplémentaire, au sucre, au chocolat, à la confiture ou au citron. « Pour qui la prochaine ? — Pour moi ! » On peut en manger dix, douze, quatorze. Elle aurait pu se faciliter la tâche en achetant des paquets de crêpes toutes faites et les réchauffer.

Mais elle connaît la différence entre les crêpes achetées et les crêpes maison.

Elle qui déteste ces repas à préparer pour six qui reviennent trois fois par jour avec une infernale régularité tous les jours que Dieu fait, vacances comprises, sans un jour de repos, elle est une nourricière, une louve à deux mamelles. Une cuiller dans la main droite et un biberon dans la main gauche, Pierre bébé sur les genoux et Nicolas, quatre ans et demi, assis sur une chaise en face d'elle, elle nourrit ses poussins, elle leur donne la becquée. « Mais Nicolas est assez grand, laisse-le manger tout seul ! » Non. C'est entre eux. Ils se regardent. Elle ne le trahira pas. Elle le nourrira jusqu'au bout. Le mets préféré de Nicolas, c'est le hachis Parmentier avec de la purée Mousline. La vraie purée faite avec des patates épluchées par l'employée de maison, il la reconnaît aussitôt et refuse de la manger. Sur le comptoir de la cuisine, il y a la machine à hacher la viande. Nous sommes condamnés à la purée Mousline pour des années. Purée Mousline jambon, purée Mousline viande hachée. Le dimanche soir est une diversion bénie. Elle a inventé ce rituel qui lui facilite la vie et qui nous ravit, le petit déjeuner du dimanche soir ; rien de plus délicieux que de dîner de tartines au beurre et au miel trempées dans une tasse de chocolat au lait. Elle s'y connaît en petits déjeuners. Elle prépare ceux de ses trois hommes. Pour l'époux, une demi-baguette de pain beurrée et tartinée de miel. Pour Nicolas, un damier de tartines au miel et à la confiture, avec une épaisse couche de beurre comme il aime. Elle fait ça vite, avec la main experte d'une ouvrière. Elle l'appelle quand c'est prêt. À vingt ans, Nicolas ne sait toujours pas préparer son petit déjeuner. Pierre, lui, ne mange pas beaucoup, pas de tartines, pas de gâteaux ; depuis qu'il est tout petit Pierre n'aime pas les choses douces, mais des mets étranges et forts comme les petits oignons frais ou les rollmops. Pierre est plus difficile à nourrir que Nicolas. Si on ne met pas la nourriture sous son nez, il se passe de manger, par inertie. Aux repas, Anne et moi nous disputons les morceaux. Elle nous surveille pour qu'on n'ôte pas la nourriture de la bouche de ses hommes.

Dans la cuisine, elle ne nous permet de toucher à rien. Elle surgit dès qu'elle nous entend ouvrir le réfrigérateur, inquiète que quelque chose échappe à son contrôle. « Qu'est-ce que tu veux ? » Elle nous ôte des mains la cuiller, la casserole, le paquet de café. « Laisse-moi faire. » Il n'y a qu'elle qui connaisse la mesure exacte. On la laisse faire. On devient de grands paresseux. On sait à peine débarrasser la table après le dîner. On discute, assis sur nos tabourets, tandis qu'elle se déplace entre la table et le vide-ordures et se penche au-dessus du lave-vaisselle. Lui non plus ne bouge pas de sa chaise. Ranger après dîner ne fait pas partie de ses attributions, mais il conserve le droit de l'inspection. « Elvire, là, par terre, tu as fait tomber de la sauce. Là, sous ton nez ! Non, n'avance pas, tu vas mettre le pied dedans ! Recule ! Tu m'écoutes ! » Avec un rire nerveux, elle avance, recule, danse au son du tambour.

Parfois elle se plaint d'être la seule à s'occuper de tout. Il s'emporte et répond qu'il en fait quand même bien assez ! Les courses, le ménage derrière la femme de ménage qui ne sait pas passer un aspirateur, qui les fait ? « Oui, c'est vrai, je n'ai pas dit le contraire ; je ne te reprochais rien, à toi. » Nous, on se tait. Ou alors on se lève, vite, alors qu'il ne reste plus rien à manger. « Mais maman, on va t'aider ! » La seule à l'aider spontanément, c'est Anne, qui s'indigne de notre égoïsme. Chez Jean-Marie, elle a vu comment fonctionnait une vraie famille avec un esprit de solidarité, où tout le monde participe à l'effort. Les petites critiques d'Anne nous horripilent. Toujours à comparer notre famille avec d'autres et à nous rabaisser. Elle n'a rien compris à l'esprit de notre famille. Elle n'a pas compris que nos études ardues et nos exploits intellectuels nous donnaient le droit d'aller travailler au lieu de ranger la cuisine. Anne est tout juste bonne à mettre les assiettes dans la machine. On lui laisse cette fonction de bon gré.

Il y a la voix douce et grave, celle du juge. Mais il y a aussi

41

son rire. Il éclate en découvrant ses grandes dents blanches qui lui coûtent si cher quand, jeune encore et atteinte d'une maladie héréditaire, elle doit les faire remplacer. À quarante ans, elle ne va quand même pas porter un dentier. Elle se fait faire des implants. Des heures de charcutage chez le dentiste et le prix de deux voitures pour avoir encore le droit à un vrai rire. Mais il est beau, son rire. Il emporte l'adhésion. Son enthousiasme se communique à tout le monde. Il a la force de la foi, ou de la loi. Impossible d'y résister. Devant les invités, elle me fait réciter mes poèmes à sept ans, fait décliner à Nicolas les capitales du monde et les préfectures de France, chanter à Pierre la chanson de Gavroche dans *Les Misérables* ou toute autre qu'ils souhaitent entendre puisque Pierre connaît le disque par cœur. Les invités applaudissent avec feu, s'extasient. C'est Marie qui l'a écrit, vraiment? Mais elle sera un grand poète! Comme Pierre a une belle voix, comme il chante juste, quelle mémoire pour un enfant de huit ans! Comment, il n'a jamais suivi de cours de musique? Certes, cette passion de Nicolas pour la géographie n'est pas banale chez un garçon de cinq ans! Comme nous sommes doués! Nous n'en doutons pas. Pas à cause de leurs chaudes félicitations. Notre certitude nous vient de son rire à elle, de son étonnement pur devant ce miracle qu'elle a produit : nous. Rien de plus valorisant que son enthousiasme. Tout ce que nous faisons qui peut se raconter devient un exploit public. Le petit journal que crée Nicolas au lycée, elle le fait acheter par toutes ses connaissances. Quand il fonde une agence de presse à New York à vingt et un ans, elle invite ses amis à y investir de l'argent, elle qui n'aime pourtant pas les risques et l'aventure. Un soir pluvieux d'hiver, elle réussit à déplacer le Tout-Paris bourgeois de ses proches, et même de beaucoup moins proches, des collègues de travail, de graves procureurs, des présidents de tribunal, des partenaires de tennis, les vendeuses des boutiques où elle achète ses habits, sa coiffeuse, les clientes rencontrées chez sa coiffeuse, et à leur faire traverser Paris à l'heure de pointe pour remplir une sinistre et glaciale salle des fêtes en banlieue nord-est où Pierre joue avec sa petite amie et un copain une pièce d'un auteur dont personne de ces spectateurs racolés par elle n'a entendu parler. C'est elle qui a fait acheter ou qui a offert les cinq cents exemplaires vendus de mon premier roman. Elle est notre meilleure attachée de presse, notre meilleur agent de relations publiques.

Au-dessus du lit de l'accouchée se penchent les visages familiers : « Elvire, c'est encore une fille. » À l'instant elle m'adopte dans son cœur. Je suis celle qu'elle devrait ne pas vouloir, donc elle me veut. Comment, ma pauvre ? Elle est ravie d'avoir une seconde fille. Quand elle a été enceinte pour la première fois, quatre ans plus tôt, elle a frémi de joie au plus profond d'elle en apprenant ce bouleversement que la nature avait produit dans son corps. Elle est féconde, elle est normale, elle qui avait si peur de ne pas l'être. Mais ensuite, avec les premières nausées qui l'ont dérangée dans son travail, les nuits d'insomnie ont commencé : elle est normale, beaucoup trop normale, elle va avoir un bébé comme tout le monde, comme toutes les jeunes femmes de son âge, elle vient de renoncer à sa vie, elle est tombée dans le piège de la nature, c'est trop tard. Elle qui avait lu Simone de Beauvoir et Jean-Paul Sartre, elle qui avait une vie si riche devant elle, tant d'engagements secrètement pris envers elle-même dans ce bateau qui la ramenait d'Amérique, elle va, tout simplement, reproduire. Il y a de joyeux moments, certes, tels ces déjeuners avec son amie Nicole Suquet, également avocate et enceinte jusqu'aux dents, dans un bistrot près du Palais où le garçon les salue chaque fois d'un grand rire : « Alors, mesdemoiselles, pour vous ce sera encore sans sel aujourd'hui ? » Mais la joie de son jeune mari qui touche son ventre et clame qu'il sent le petit pied cogner contre la paroi, la sollicitude de sa mère, elle se prend parfois à les détester. Elle se désintéresse de ce premier bébé. Elle le cède à l'institution : le père-qui-aime-sa-première-fille, la grand-mère-qui-adore-sa-première-petite-fille. Bien sûr que c'est un bébé magnifique, une petite fille à la beauté radieuse avec un visage pas du tout fripé deux jours après sa naissance, ce sont tous des bébés splendides. Elle n'est pas dupe. Elle a plaidé jusqu'aux premières contractions et reprend le travail d'arrache-pied quelques jours après l'accouchement. Cet enfant ne l'empêchera pas de devenir une grande avocate.

Mais moi qui ne suis ni le premier enfant ni le garçon attendu, moi dont la place n'est pas prévue, elle m'en donne aussitôt une immense. Je suis la plus belle. Presque aussi belle que ce miracle qui surviendra six ans plus tard et dont elle n'a pas encore le soupçon le jour de ma naissance, Nicolas. Nicolas et moi nous ressemblons physiquement : petits yeux vifs, nez pointu, fossettes, menton fuyant. Nous sommes mignons. Aux deux extrémités il y a Anne et Pierre, d'une beauté à la fois classique et rayonnante. Pierre enfant, on aimait le montrer juste pour faire admirer les lignes pures, la symétrie, la grâce de son visage, le contraste entre sa blondeur et sa peau mate nourrie aux carottes. Anne apparaît et on la remarque aussitôt. À quarante comme à vingt ans, son sourire illumine les lieux où elle passe ; elle porte, dans ses yeux, l'éclat méditerranéen d'Alger où elle fut conçue. Je grandis dans la conviction que c'est moi qui suis belle, pas ma sœur qui est grosse, mal coiffée, et qui s'habille mal. Un vrai conte de fées. Moi, la chérie de la marâtre, je suis convaincue d'être Cendrillon ou la Belle au Bois dormant. Je me crois irrésistible. Je suis belle, puisqu'elle dit que je suis belle. Je ne pense jamais que je suis un peu trop grosse, sauf quand j'entends soudain ce commentaire derrière moi : « Quel cul ! Surveille-toi un peu. » C'est lui. Mais elle dit que je suis mince. Je suis mince puisqu'elle le dit. Si je ne peux pas entrer dans ses pantalons de taille 38, c'est simplement parce que nous ne sommes pas fabriquées pareil. Elle adorerait être faite comme moi : j'ai de vraies hanches, une vraie taille. Dans le miroir, je ne vois que l'image que son enthousiasme me donne de moi. Je suis sa chose. Quand j'ai dix ans, douze ans, elle m'habille avec les vêtements qu'elle ne met plus, des jupes de chez

44

Courrèges et des chemisiers Ted Lapidus, et des petits foulards en soie assortis. Elle s'exclame que je suis belle, extrêmement chic. Je la crois. J'aimerais bien avoir un jean mais je n'ose pas le dire. C'est ma sœur qui a des jeans, et le cas de ma sœur, elle s'en désintéresse : Anne l'a déçue une fois pour toutes. Anne ne lit rien, n'écrit pas de rédactions inspirées, n'est pas la première en français, s'habille comme un garçon, excelle dans les sports et les activités de groupe. Je me sens autrement plus spéciale, autrement plus précieuse que ma sœur dont j'ai conscience, très tôt, qu'elle est une sorte de dégénérée de l'humanité, un être vulgaire dont ma mère et moi pouvons rire. Mais je ne réussis pas à l'entraîner complètement dans mon camp. Quand j'ai neuf ans, je lui dis confidentiellement après une dispute avec ma sœur d'une habituelle et extrême violence : «Je hais Anne, n'est-ce pas qu'elle est haïssable, hein, maman?» Je n'obtiens pas de réponse positive. Je suis déçue par sa lâcheté ; elle n'ose pas dire la vérité. Mais je me rattrape grâce aux lectures. Marie lit, ça veut presque dire la même chose qu'Anne est haïssable.

Son enthousiasme est une loupe grossissante et déformante. Le monde vu à travers cette loupe est plus enchanteur, plus convaincant que le monde réel. Il se pare de nouvelles couleurs, de nuances inédites. On a dix ans, vingt ans, trente ans. On se rengorge quand elle nous complimente. On aime qu'elle approuve nos habits, nos amis, nos bébés, nos femmes, nos maris : «Ah, on peut dire que tu es bien tombée, il est charmant, et beau, je ne connais personne de plus beau que lui, tout le monde le dit! Et tellement gentil! Il est adorable. Tu as une chance folle. — Et moi, alors, je ne suis pas gentil peut-être? — Mais si, papa.» Il n'y a personne avec qui on aime parler comme avec elle de nos amis ; elle pose toujours les bonnes questions, elle a pour eux un vrai intérêt, une vraie curiosité. Elle, qui n'aime pas la famille, a toujours accueilli à bras ouverts nos amis intimes. À des années de distance, elle se rappelle tous les détails même quand elle n'a rencontré nos amis qu'une fois, celle qui est psychologue et que son mari a quittée, celui qui a raté Normale sup trois fois, celle qui n'arrive pas à se caser, celle qui essaie d'avoir un bébé par insémination artificielle, celui qui a tant de mal à finir sa thèse, celle qui a ouvert une boutique de fringues, celui dont l'ami a le sida, ceux qui sont partis pour le Canada, ceux qui font du tango... Sa solidarité envers nos amis est immense. Elle leur donne généreusement les conseils juridiques dont ils ont besoin. Elle rassemble des foules pour les amener dans le petit restaurant ouvert par l'ami de Pierre. Elle va voir jouer au théâtre les amis de Nicolas. Ce qui l'intéresse le plus, c'est leur vie privée, leur relation avec leur partenaire, et elle pose des questions comme si elle les connaissait intimement; elle comprend immédiatement ce qu'il y a de dramatique ou de drôle dans leur situation, elle compatit, elle s'horrifie, elle rit.

Il n'écoute pas, ou pas de la même manière, pas avec la même attention. « Qu'est-ce que tu dis? Tiens, regarde cette plante, elle a bien poussé, hein, en un an? » Alors qu'on parle, à table, d'un ami atteint d'un cancer, il demande d'un ton brusque pourquoi on n'a pas de serviette de table. Il n'a pas d'enthousiasme. « Pas mal » sera le plus grand compliment qu'on pourra entendre de lui, ce compliment qu'elle quête en préparant ou faisant préparer par Elena de nouveaux plats. Pas mal, ce poulet au whisky. Pas mal, ce tiramisu. « Ah, je suis bien contente que tu aimes, j'avais peur! Alors on pourra le refaire? » Il n'hésite pas à exprimer ses critiques : « Il était meilleur la dernière fois, ce tiramisu; je ne sais pas ce que tu as fait cette fois-ci mais tu l'as raté, il est trop sec, il ne sent pas le café. — Oh, zut alors, je ne comprends pas, j'ai pourtant eu l'impression de faire exactement la même chose, j'ai respecté les proportions, je suis désolée. » Il trouve toujours la petite bête. « Pas assez frais. » La maîtresse de maison propose de mettre la bouteille dans de la glace. C'est un peu tard. Il se rend compte que son commentaire a déçu l'hôtesse et cassé la bonne humeur générale; il rajoute avec une pointe d'humeur : « On me demande mon avis. Vous auriez voulu que je mente ? Ce vin n'est pas assez frais, c'est un fait, je n'y peux rien. »

Son enthousiasme à elle n'a aucun rapport avec la réalité, ne calcule pas, se donne en bloc, se mesure au plaisir qu'elle veut donner et qu'elle ressent, à son subit engouement pour l'hôtesse, à son bien-être inattendu, à sa joie de vivre, transforme une masure en palace : il est totalement partial. « C'est frais, c'est délicieux, c'est original. J'adore les concombres. Les petites herbes, c'est quoi ? Ça donne un goût exquis. Vous les battez avec le yoghourt ? Surtout vous me donnerez la recette, Monique. Pour l'été c'est génial ! On a envie de ne rien manger d'autre ! » Elle est excessive dans le négatif comme dans le positif. « Nul, nul, nul, c'est nul ! Je suis furieuse de m'y être laissé prendre. Quelle conne ! » s'exclame-t-elle avec fureur si le boucher lui a refilé un morceau de viande beaucoup plus gras que ceux qu'il achète d'habitude, comme il vient de le lui faire remarquer.

Elle ne cache pas ses préjugés : elle livre ses vérités avec des couleurs si fortes et si extravagantes qu'elles apparaissent aussitôt comme des contes fantastiques qui séduisent ou blessent en tant que tels. Après une mauvaise nuit, New York où elle nous rend visite devient une ville sale et bruyante comme elle n'en a jamais vu, et tellement chère pour une qualité si médiocre ! Ce bruit, ces foules, cette chaleur, cette civilisation de la consommation, ce manque de culture ! C'est l'Amérique dans toute son horreur. On ne l'y reverra pas. Heureuse, à Harvard en 56 ? Pas du tout ! Elle s'y morfondait. Chaque parole entre comme une petite pointe acérée, il est impossible d'y rester indifférent. C'est nous qu'elle attaque, à nous qui souhaitions tant sa venue qu'elle crie son dégoût d'être là. Mais il suffit d'un bon repas dans un restaurant où l'on danse le tango, d'une platée d'épinards frais et d'une assiette de cole slow qu'elle adore, d'une marche de quatre ou cinq heures par un temps ensoleillé, frais et sec, de l'hommage que lui rend un beau Noir qui brandit le pouce vers elle en s'exclamant d'admiration devant son élégance et son harmonie

47

de rouges, et comme New York est belle, soudain! La plus belle ville du monde, riche, gaie, animée grâce à ces foules qui la peuplent même la nuit, et comme ils sont sympathiques, ces Américains, généreux, attentifs à l'autre! Elle oublie la mauvaise nuit, le décalage horaire, la constipation, les prix excessifs, l'inconfort de l'hôtel, les cris de Philippe. Son enthousiasme a une irrésistible force de contagion. On est heureux, soulagé, infiniment léger.

Impossible de la décevoir. Impossible de ne pas désirer entendre ses exclamations positives. Elle déteste tout ce qui risque de nous abêtir. La seule distraction qu'elle conçoive, en dehors du sport qui est bon pour la santé — *mens sana in corpore sano* —, de la lecture et des jeux d'enfants — mais des jeux intelligents, constructifs —, c'est le théâtre. Pas la Comédie-Française où vont les enfants de bonne famille et où nous accompagnons parfois, le mercredi après-midi, les enfants de son amie Françoise, qui a pris un abonnement supplémentaire pour en faire profiter une petite camarade. Non : elle trouve, pour nous, les pièces les plus nouvelles, les plus créatives, les plus originales, les plus audacieuses, Brecht, Sartre, Shakespeare, Beckett, Eschyle, Dostoïevski mis en scène par Robert Hossein, Ariane Mnouchkine ; elle n'hésite pas à traverser tout Paris, à se rendre dans des quartiers où elle n'irait jamais autrement, pour nous donner accès à ces créations susceptibles de nous ouvrir davantage l'esprit.

À la maison, il n'y a ni télévision ni bandes dessinées. Il parvient à lui faire accepter le principe des bandes dessinées éducatives : nous avons le droit de lire *Astérix et Obélix*, parfois *Tintin* et, quand les garçons grandissent, *L'histoire de France en bandes dessinées* publiée par Larousse. Elle a le plus grand mépris pour les bandes dessinées et les joies qu'elles nous procurent : il est impossible de lui faire partager notre hilarité. Elle se crispe aussitôt, déjà de mauvaise humeur, et refuse d'écouter la phrase qu'on lui lit en lui montrant le dessin. «Je suis iconoclaste. Quand il y a des images, je ne comprends rien.» Mickey, Picsou, Pif, elle ne sait même pas ce que c'est.

Impossible d'en avoir à la maison. Il ne serait guère difficile de se les procurer, mais elle serait trop déçue si elle nous voyait nous régaler en train de les lire. Trahie. On ne peut pas lui faire ce coup-là. On les lit chez des amis. On grandit frustrés de bandes dessinées.

La télé arrive chez nous quand j'ai onze ans, après la mort de notre grand-mère bretonne. C'est le seul souvenir qu'il rapporte de la maison de sa mère. Ils l'installent dans leur chambre. Elle n'est jamais allumée pour nous. Le premier film qu'elle nous autorise à regarder, en noir et blanc, m'ennuie terriblement : *Hiroshima mon amour*. Pour voir le feuilleton que j'adore, *La petite maison dans la prairie*, je descends chaque soir à sept heures chez une amie au quatrième étage. Le dimanche, on déjeune chez grand-maman à Meudon : les meilleurs dimanches sont ceux où grand-maman accepte de nous raccompagner le soir, et où, après le départ de nos parents ravis d'être débarrassés de leur progéniture, on passe l'après-midi à regarder la télé. Je m'assieds à côté de grand-maman dans son grand fauteuil tapissé de velours jaune ; on prend les deux garçons sur nos genoux. Les garçons et moi nous serrons les mains et crions de peur pendant les scènes de suspense.

Quand on déménage et que grand-maman habite Levallois au même étage que nous, pour regarder la télé il suffit de traverser le palier. Vers neuf heures du soir retentissent les coups de sonnerie désordonnés, drriiiing driiiiiiiing dring driiiiin driing, dont on connaît l'auteur. On va ouvrir. Elle vient dire bonsoir à grand-maman qui baisse le son de la télé. Il n'y a pas moyen de montrer son impatience. Il suffit de voir l'expression maussade sur son visage. Elle jette un coup d'œil à l'écran. «Qu'est-ce que c'est? — Un film idiot», répond grand-maman qui préfère de beaucoup les visites de sa fille à ces films américains qu'elle regarde pour passer le temps et que seule agrémente notre compagnie. «Ah», dit maman, et cette brève interjection contient un mépris, une attente déçue, au plus haut point irritants. «Tu n'as rien d'autre à faire ? » On ne répond pas. On sait qu'on ne devrait pas être en train de regarder la télé à neuf heures du soir. On devrait être en train de lire, d'écrire une dissert, d'apprendre des mots d'anglais, de latin ou de grec, ou encore de l'aider à préparer le dîner. Elle n'a pas besoin de le préciser. Elle sait qu'on sait. « On dîne dans un quart heure », annonce-t-elle. Grand-maman répond, pour nous, qu'on a dîné avec elle. Là, il n'y a rien à ajouter : on l'a trahie complètement, elle n'a même plus le prétexte du dîner familial pour nous arracher au démon. On n'a qu'une envie : qu'elle sorte et nous laisse goûter notre plaisir.

Combien de fois elle entre dans une pièce où nous sommes en train de regarder la télé. Quand nous sommes petits, la télé reste sous son contrôle parce qu'elle est dans sa chambre. On a le droit de voir *Apostrophe* tous les vendredis soir, la série *Holocauste* et la série d'Ingmar Bergman, *Scènes de la vie conjugale,* dont elle ne veut surtout pas rater un épisode. Mais bientôt une deuxième télé fait son apparition, une petite télé en noir et blanc héritée de grand-maman qui a remplacé la sienne et qui, installée dans le salon, permet aux garçons de suivre les matchs de tennis sans la déranger puisqu'elle travaille dans la chambre où se trouve la télé. Les garçons ont conquis le droit de regarder les matchs de tennis : c'est bon pour eux, cela fait partie de leur entraînement. Souvent, pendant un match, ou après, ils dévient subrepticement sur un film. Papa et moi les rejoignons. Soudain une ombre se dessine dans l'embrasure de la porte. Familière silhouette en robe de chambre. « Qu'est-ce que vous faites ? » Cette question, c'est la mauvaise foi par excellence : ce qu'on fait est évident. « C'est bien ? » demande-t-elle avec tout le doute possible et une pointe de mépris dans la voix. Elle reste trois minutes debout sur le seuil avant d'annoncer à la cantonade d'une voix rêche : « Je vais me coucher. » Nous sommes trop nombreux pour qu'elle lutte maintenant contre nous. C'est à lui qu'elle s'en prend ensuite : des films idiots, qui ne servent qu'à ramollir le cerveau. Il suffit de son passage dans la pièce pour changer l'ambiance. Notre joie simple est teintée de mauvaise conscience. Au bout de quelques minutes il se lève. «Je vais me coucher.» S'il ne le fait pas de lui-même, on entend bientôt la voix traverser tout l'appartement en un cri strident : «Philiiiiiippe! Il est minuit! Je m'endors, tu vas me réveiller!»

Il n'a pas le droit de voir les films qu'il aimait avant tout, les westerns. Occasionnellement, dans les bonnes périodes, il en verra un à la télé, et elle l'acceptera comme une faiblesse qui peut se pardonner. Mais il n'ira certainement pas les voir au cinéma : ce serait de l'argent gaspillé. Il n'en aurait même pas le désir. Elle n'a pas besoin de nous mettre des menottes ni de nous bâillonner. Ce n'est pas une loi qu'elle nous impose de l'extérieur. On ne peut rien y faire, on perçoit sans cesse la voix en soi qui martèle la même vérité. Cette vérité, c'est que tout ce qui est facile est mauvais. À des milliers de kilomètres d'elle et de son visage maussade, si je passe une soirée à regarder la télé je me réveille le lendemain de mauvaise humeur. «C'est ta faute, dis-je à Alex qui s'est endormi au milieu du film, c'est toi qui as allumé la télé à dix heures et c'est moi qui ai regardé ces conneries jusqu'au bout. — Ce n'est pas grave, dit Alex, puisque tu en avais envie. — Je n'en avais aucune envie! — Tu en avais envie, sinon tu l'aurais éteinte. — Mais non, c'est pas parce que j'en avais envie, c'est seulement parce que la télé était allumée, c'est de la passivité.»

Vingt fois sur le métier remettez votre ouvrage. Elle réussit à nous inculquer le sens du devoir, non pas de ce qu'on doit aux autres mais de ce qu'on se doit à soi-même. Anne lui échappe. Anne, c'est l'échec du surmoi. Ou bien, avec Anne ça ne marchera que beaucoup plus tard, quand, à trente-cinq ans et mère de quatre enfants, elle décide soudain de devenir médecin et se donne les moyens de réussir le très difficile concours de première année alors que, de l'avis unanime, ce défi qu'elle s'est jeté est une pure folie : mais là, on ne sait plus si c'est le surmoi qui fait son effet ou le grain hérité de sa mère. Enfant, tout ce que veut Anne, c'est se fondre dans un groupe, minauder auprès des petits garçons, se faire aimer. Quand elle a dix ans, sa mère l'envoie en colonie de vacances et met trois livres dans sa valise : « Tu me les résumeras à ton retour. » Anne, heureuse dès qu'elle est loin de la maison, en groupe et dans la nature au lieu de rester enfermée dans sa chambre à lire et faire ses devoirs, passe dix jours à s'amuser ; la veille de son retour elle se souvient avec terreur des trois livres dans sa valise. Elle en ouvre un, comprend qu'il lui faudra des jours pour en venir à bout. Anne a peur de sa mère ; la nuit, elle rêve parfois que sa mère est morte, la tête coupée. Au dîner, le même soir, elle interroge tout le monde : Tu as lu *Le petit Chose* ? Tu as lu *Les orphelins de Simitra* ? Tu as lu *Le petit Trott* ? Elle finit par trouver trois enfants qui les lui résument. Anne culpabilise mais finalement n'en fait qu'à sa tête. Elle réussit mais dans un domaine auquel sa mère ne s'intéresse pas du tout quand Anne est petite : le sport. Avec les scouts, elle part en grande randonnée. Sur les photos elle rit, éclatante et heureuse ; ici, elle se lave les cheveux dehors, en plein air, avec un pot en aluminium ; là, elle chante dans une veillée à la guitare autour d'un grand feu ; là, elle descend une gorge escarpée en portant un canoë. Anne est intrépide et vaillante, casse-cou. À Paris, on ne la voit pas : elle passe les week-ends et plusieurs soirs de la semaine chez les scouts. Parfois Anne ramène à la maison ses amis scouts et je vais me plaindre à qui de droit : « Maman, ça sent pas bon dans la chambre. » Elle se précipite aussitôt dans la chambre des filles, ouvre en grand la fenêtre et crie après Anne. La bonne ambiance est gâchée, les amis s'en vont. « Salope, garce », me dit Anne. Je souris, j'ai le bon droit pour moi : il est très malsain de fumer dans la chambre, cette chambre qu'on partage et où je vais dormir.

L'été, Anne fait de la voile ; elle est rapide et efficace, excelle au trapèze comme à la barre, gagne les régates. Sa mère reste indifférente à des victoires qu'elle ne voit pas comme des victoires sur soi, mais sur les éléments de la nature.

Victoire du corps et de la force physique, pas de la tête. Il n'y a qu'au ski, parce que sa mère aime le ski, que les exploits d'Anne peuvent espérer gagner quelque reconnaissance. Moi qui suis nulle dans tous les sports, que la prof de gym choisit comme contre-exemple, qui pleurniche pour ne pas aller à la gymnastique ni m'initier à la voile, qui refuse d'apprendre à faire du vélo sans petites roues à sept ans après une chute de rien du tout, j'ai son approbation. Je suis comme elle : à mon âge aussi elle détestait le sport, elle détestait son corps, elle était toujours la plus nulle, tout le monde se moquait d'elle. Ma pusillanimité agace papa. Plus il crie, plus je pleurniche et plus je récolte son appui à elle. «Mais fiche-lui la paix, elle a peur, je la comprends.» À la neige, je me traîne sur les pentes glacées derrière les autres enfants en gémissant «maman». Ma peur et mon incapacité physique sont auprès d'elle des titres de noblesse. C'est comme ça qu'on voit que je suis intelligente. Le sens du ridicule que cherchent à m'imposer mon père ou ma sœur demeure totalement impuissant. Ils ne peuvent rien contre moi. J'aime lire. C'est l'essentiel.

Entre elle et moi, il y a une communauté sacrée, celle des livres. Elle m'a offert mon premier livre pour mes six ans : *Oui-Oui à l'école*. Je le lis à voix haute. Ensuite je lis tous les *Oui-Oui* l'un après l'autre, puis tous les livres de la comtesse de Ségur, tous les livres de contes, japonais, russes, chinois, grecs, indiens, puis tous les *Alice* et les *Club des Cinq*. Je ne cesse pas de lire. Je lis, par collection, tous les livres de la maison et de la bibliothèque du quartier à laquelle elle est allée m'inscrire : la Bibliothèque rose, la collection Rouge et Or, la Bibliothèque verte, les Contes et légendes à la tranche blanche rayée de fines lignes dorées. Je suis la chouchoute des bibliothécaires. Au lycée, je lis auteur après auteur tous les romanciers rangés sur les rayons. Je ne lis pas pour lui faire plaisir mais parce que lire me passionne. À peine ai-je commencé un livre choisi par elle qu'elle me pose aussitôt la question : «Alors? ça te plaît?» Il est rare qu'il ne me plaise pas. Nous avons les mêmes goûts, la même sensibilité. Je connais l'effort qu'il faut faire pour entrer dans un livre : ce n'est pas donné dès les premières lignes, il faut parfois traverser d'ennuyeuses descriptions, franchir vingt, trente, cinquante pages pour qu'une histoire s'empare de vous; ensuite elle ne vous lâche plus; on est récompensé de son effort au centuple. Ainsi, les romans de Balzac : je les lis les uns après les autres, désolée d'en achever un puisque je connais l'effort qu'il faudra faire pour apprivoiser le prochain, pour lier connaissance avec un nouveau livre qui est encore un étranger, froid et distant, alors que le précédent m'a laissée pantelante, exsangue, s'est tellement emparé de moi qu'il m'a vidée de tout autre désir que de celui de le dévorer. Pearl Buck, Mauriac, Balzac, Gide, Sartre, Dostoïevski, Flaubert, Aragon, Tolstoï, Proust, Heinrich Böll, Salinger, Fitzgerald et tant d'autres, des classiques et des moins connus, des français et des étrangers : je me régale. C'est plus qu'un plaisir : une délectation, une raison de vivre, l'unique. Il n'y a pas de plus grand bonheur que de retrouver chaque soir le livre qui vous attend, le plus présent, le plus prenant, le plus fidèle des amis. Rien ne compte à côté de ça. Elle le sait.

Si elle aime me voir lire, ce n'est pas seulement parce que ma passion pour la lecture et ma précocité indiquent que je suis une élève douée. C'est une passion bien au-delà des résultats scolaires. Il suffit d'un livre et d'entrer dedans. Ce qui se passe dans les livres est tellement plus beau, plus grand, plus juste et plus désintéressé que ce qui se passe dans la vie. Je lis, allongée sur mon lit, dès que je suis rentrée de l'école, puis du lycée, tout en mangeant du chocolat volé au supermarché. Lire, manger du chocolat, mes deux passions se complètent et s'harmonisent, elles me remplissent de tous côtés, le corps, l'esprit. Je savoure les romans comme les chocolats dont j'essaie tour à tour toutes les marques, Nestlé au riz, Suchard praliné, Lindt truffé, Lindt au lait, Lindt aux fraises, Côte d'Or aux noisettes, Côte d'Or au lait, Côte d'Or praliné en forme d'éléphant, Mars, Nuts. Ma gourmandise est un vice qui ne recueillerait certainement pas son approbation et que je dois

lui cacher, mais je m'y sais autorisée par cette autre gourmandise qui m'a conquis à jamais en son cœur tous les privilèges. Je suis une élue. Elle rentre à la maison et me voit sur
mon lit, ou sur le canapé du salon, absorbée dans un livre,
prise par le style, passionnée par l'histoire, le regard absent,
indifférente au reste du monde, ailleurs — dans un pays où
les sentiments sont ciselés au marteau du sculpteur, le pays du
mot juste, le pays de la forme. Je ne lui dis même pas bonsoir,
je ne l'aide pas à mettre la table, je la laisse me servir, je
demande à quitter la table avant le fromage. Elle est heureuse
et soulagée comme si je faisais honneur à son œuvre. Elle comprend que je n'ai pas envie de sortir prendre l'air, pas envie
de faire du sport, pas envie de rester assise tout au long du
repas familial qui n'en finit pas, pas envie d'aller à la messe,
pas envie de me laver, pas envie d'éteindre le soir.

Lorsqu'il est en voyage d'affaires, je me relève alors
qu'Anne dort, et je vais lire à ses pieds tandis qu'elle travaille
à son bureau. Quand il rentre de voyage, il m'envoie me coucher avec un coup de pied au cul. Je le déteste. Il me gronde
en découvrant que pour lire j'ai rallumé en cachette. Elle me
défend. Il l'accuse de saper son autorité. Je souris. Elle et moi
sommes d'ailleurs, de ce pays-là où l'idée et l'assemblage des
mots qui l'exprime vous emplissent d'un bonheur qui n'a rien
à voir avec les petites convoitises et déceptions de la vie quotidienne. Les règles d'éducation pour enfants normaux et sou-
mis ne s'appliquent pas à nous. Quand on connaît la joie de
s'oublier dans un roman, on ne peut que plaindre les malheureux qui ignorent cette félicité, les pauvres qui se soucient
de mesquines choses réelles, les exclus du royaume de la
phrase, papa, Anne.

Comme Anne n'a pas de vocation particulière, on l'oriente
vers la section scientifique, alors même qu'elle est nulle en
maths. Pendant longtemps, Anne restera celle qui n'a pas fait
d'études, qui n'a fait que des enfants par réaction à sa mère.
Son doctorat de biochimie de troisième cycle ne compte pas
puisqu'elle l'a soutenu à Brest et entre deux enfants, qu'il n'a

pas conduit à une vraie carrière et, surtout, que sa mère ne comprend rien à la biochimie. Anne aura juste cédé à cet instinct organique, le désir de bébés, auquel sa mère n'a pas cédé du tout, mais que pouvait-on faire à l'époque où il n'y avait pas la pilule, avec un mari catholique par-dessus le marché? Rien, sinon se laisser piéger par la nature.

Être littéraire : il n'y a rien d'aussi bien. Si elle avait su s'émanciper de ses parents, elle aurait choisi la littérature ou la psychologie, certainement pas le droit. Elle ne cherche pas à me pousser dans la section scientifique où tous les parents veulent voir leurs enfants. Je suis nulle en maths : c'est parfaitement acceptable. Je suis bonne en français. Les professeurs me sélectionnent pour le concours général de français, de philo. Elle le dit à tout le monde, juste un peu déçue que je ne gagne pas de prix. Papa rappelle que lui aussi, autrefois, on l'a envoyé au concours général. Sans commentaire. Elle et moi savons que ce n'est pas pareil : il n'est pas un littéraire ; qu'il ait été le meilleur élève dans sa classe de province bretonne n'est pas un titre de gloire. D'ailleurs, je n'ai rien d'une bonne élève. Je m'ennuie en cours, je bavarde, je suis insupportable. Elle me le permet, même si son respect naturel de l'autorité imprime sur son front un pli désapprobateur ; ce qui compte, c'est que j'obtienne quand même la meilleure note en français et en philo. Je n'ai jamais pensé qu'on apprenait quelque chose en cours. Le seul lieu d'apprentissage, ce sont les romans.

Cette liberté que me donnait la passion de lire, je la perds après le bac. Un mot étrange fait son entrée chez nous : hypokhâgne. C'est le corridor plein d'obstacles et de chausse-trapes qui conduit à l'École normale supérieure. Normale sup. Elle en parle avec vénération. L'école de Sartre et de Pompidou. La Mecque des écrivains et des grands hommes.

En hypokhâgne, aimer lire ne suffit plus à prouver son intelligence. Au contraire : toute passion devient un signe de bêtise. Le pis, c'est l'identification narcissique aux personnages. Je suis coupable de cette terrible faute. Je ne comprends pas comment on acquiert le recul qui permet de les examiner à distance comme des « effets de réel » et de distinguer subtilement l'auteur du narrateur. Il est évident que je n'entrerai jamais à Normale sup même si j'ai atterri par hasard dans une antichambre de luxe, Louis-le-Grand. Je ne suis pas assez forte. Il y a erreur. La preuve, ce sont mes déplorables résultats au bac dans mes meilleures matières, philo et français. Tous mes condisciples à Louis-le-Grand ont obtenu des prix au concours général et mention très bien au bac, scientifique ou littéraire ; ce sont tous des génies. J'ai terriblement peur. Pour Noël je demande seulement des livres de grec, de philo, d'histoire, de critique formaliste, les plus techniques et les plus arides : il me faut me châtier pour ces années d'identification narcissique. Au pied du sapin je vois des paquets mous qui ne ressemblent pas à des emballages de livres. J'ouvre : ce sont des vêtements choisis par elle chez Benetton. « C'est le bleu de tes yeux, dit-elle, tu vas être ravissante. » J'éclate en sanglots. « Où sont les livres ? J'avais fait une liste ! — Tu iras les acheter avec ton père, ce n'est pas urgent. — Mais si, c'est urgent, tu ne vois pas que je ne vais jamais y arriver ? Tu veux me voir échouer, c'est ça ? Tu comprends que je vais échouer ? » Je hurle. Elle est traumatisée.

Pendant trois ans elle vit avec mon hystérie. À coups de crises de larmes, j'impose ma loi. « Je travaille ! Silence ! » Ils doivent se taire quand je l'exige, ne pas me déranger. Même les garçons qui ont douze et neuf ans doivent apprendre à jouer en silence. Elle est de tout cœur avec moi. J'ai choisi la voie la plus dure. Je lis des livres comme il n'y en a jamais eu à la maison, secs, savants, pas le genre de livres qu'elle lit, elle qui, je m'en aperçois maintenant, n'est pas une vraie intellectuelle. J'ai dix-sept ans. Je me force à les lire en fumant cigarette sur cigarette. Elle ne supporte pas la fumée depuis qu'elle a arrêté de fumer quelques années plus tôt après une grave bronchite, mais elle est obligée d'accepter cette cigarette nécessaire à mes études. L'été, j'apprends par cœur des dictionnaires de grec et de latin que j'oblige mes petits frères à me faire réciter sur la plage en leur criant après s'ils n'arrivent pas à déchiffrer l'alphabet grec, c'est pourtant facile, nom de Dieu. J'ai trop peur. C'est une épreuve de force impossible. C'est impossible mais je n'ai pas le choix. Elle a été claire sur ce point. Au moment de mes crises de découragement, elle me le dit fermement : si je n'y arrive pas, je deviendrai secrétaire. Être littéraire, ça ne conduit à rien. Tout le monde a une licence de lettres. C'est ce que les jeunes obtiennent quand ils ne savent pas quoi faire de leur vie. Ensuite ils ne trouvent aucun travail. Ils deviennent secrétaires ou balayeurs. L'université, c'est le dépotoir. Ce sera Normale sup ou rien.

Pour finir, j'y entre. Mon nom est sur la liste, celle des admis. Le matin qui suit les résultats, je me réveille dans la stupeur. Ma joie est telle que je ne sais pas si j'en reviendrai jamais. J'ai gagné le paradis. J'entends chanter les anges. Je suis de l'autre côté ; hors d'atteinte ; parmi eux ; je porte la marque ; normalienne. Elle n'en a jamais douté. Elle me prédit le plus bel avenir, un lit de roses, des lauriers sans fin. Elle est fière. Normalienne, comme était normalien le premier ami de sa mère, mort d'un accident de montagne à la fin des années vingt. Le passé mythique dont lui a parlé sa mère, les turnes de la rue d'Ulm où les filles se glissaient la nuit, les cafés de l'Odéon où les génies volaient des cendriers et des chaises, toute cette jeunesse brillante et libre entre dans sa vie par sa progéniture. C'est sa première grande victoire. Cet été-là, elle parle de moi à tous ses amis. « Marie est entrée à Normale sup ; ah oui, c'est bien, c'est drôlement difficile. »

Nicolas n'est pas un littéraire. Il n'aime pas les livres qu'elle a adorés, que j'ai adorés. Elle me charge de le raisonner : j'ai sur lui une si bonne influence. C'est moi qui lui ai appris à lire quand il avait quatre ans. Je jouais à être sa maîtresse, je le notais. Vient un moment où il ne m'écoute plus. Il a dix ans. Il se révolte contre moi. Lire l'ennuie. Il commence un livre et ne le finit pas. Elle le lui pardonne. Même s'il ne lit pas, on peut sans peine envisager pour Nicolas un avenir brillant. À peine né ses yeux jettent des éclairs de malice. Pas d'enfant plus vif et futé ; il comprend tout à demi-mot.

Il n'est pas littéraire, qu'à cela ne tienne : il deviendra ministre. Car la politique l'intéresse. À dix-sept ans, dix-huit ans, il distribue des tracts trotskistes à la sortie du lycée. Il participe à tous les mouvements d'étudiants des années Mitterrand. Elle est fière d'avoir un fils politiquement engagé — du moment que ça ne compromet pas ses études. Une voie naturelle s'ouvre devant lui : Sciences-Po, qu'elle et Philippe ont fait aussi, et qui conduit à toutes les grandes portes qu'il devra ensuite franchir. L'ENA, bien sûr. Juste après le bac il passe l'examen d'entrée à Sciences-Po sans avoir ouvert un livre pendant l'été. On l'a pourtant rappelé à l'ordre : « Nicolas, tu devrais quand même réviser, ce n'est pas donné, cet examen. » Mais Nicolas sait que l'été n'est pas fait pour bûcher quand le soleil de Bretagne est si éclatant, sa pluie si poétique, si paresseuses ses immenses plages de sable, sa lande si enchanteresse, si nécessaires les nuits passées à danser et boire, si réjouissant le plaisir de jouer avec Matthieu et Charlotte bébés, si merveilleuse la glande sous toutes ses formes. Qu'on ne l'emmerde pas. Que je ne l'emmerde pas, moi la polarde, la moralisatrice.

En attendant les résultats de l'examen il entre en hypokhâgne à Henri-IV. En octobre, il est reçu à Sciences-Po. Mais voilà, il a goûté à l'hypokhâgne et découvert qu'il y nageait comme un poisson dans l'eau. Il n'est pas du tout nécessaire d'avoir lu tous les livres. Il suffit de jongler avec les concepts. Elle fait une démarche pour lui. Elle prend rendez-vous avec le directeur de l'Institut d'études politiques, qu'elle connaît vaguement car il fut autrefois son condisciple dans ce même établissement : son fils qui souhaite parfaire sa formation générale avant de se spécialiser peut-il être autorisé à reculer d'un an son entrée à l'Institut ? Non : le brillant rejeton doit choisir. Il choisit l'hypokhâgne sans hésitation. Chaque soir au dîner il lui explique tout ce dont on parle, ces courants de critique littéraire et de philosophie auxquels elle ne comprend rien : Derrida, Wittgenstein, le poststructuralisme, le postmodernisme. Elle est ravie. Je ne lui ai jamais ouvert les portes du savoir, moi qui étais retranchée dans mes livres comme dans une forteresse entourée de fossés et de piques. Nicolas entre brillamment à Normale sup à dix-neuf ans, les doigts dans le nez. «Nicolas, lui, a réussi dès son premier concours», me disent-ils avec un petit sourire. Je rétorque : «Il a passé Fontenay-Saint-Cloud, pas Ulm-Sèvres qui est beaucoup plus difficile.» Elle me l'accorde. Elle me reconnaît cela, que je suis plus sérieuse, plus travailleuse que lui. À peine à Normale sup, Nicolas passe l'examen d'entrée à Sciences-Po en deuxième année et le réussit. Cette fois-ci il n'y a plus de doute : il sera ministre de la Culture.

Reste Pierre. C'est pour lui qu'il est le plus difficile de conquérir l'amour et l'estime de sa mère. Il part mal dans la vie. À quatre ans, il fait encore caca dans sa culotte; il n'ouvre pas la bouche, n'esquisse pas un sourire, ne joue pas. À la maison ou à l'école, il reste assis, inerte, seul dans son coin. Elle sait ce qu'il ne lui pardonne pas : de l'avoir enfanté sans l'avoir désiré. C'est un bébé sérieux et sombre, la bouche boudeuse, le regard d'une sévérité qu'accentue un strabisme dont on l'opérera à quatre ans, qui l'oblige à regarder les gens par-dessus son nez et qui lui vaut, à deux ans, d'être baptisé par les puéricultrices «Monsieur le ministre». Quand il a quatre ans, son silence est tel qu'un mot fait son apparition chez nous : autisme. C'est son œuvre, sans doute; elle n'hésite pas à le reconnaître : elle avait si peur que la naissance de ce petit dernier ne traumatise Nicolas. Elle emmène Pierre deux fois par semaine chez une psychologue. À la maison, dès qu'il fait une crotte, on se précipite tous aux cabinets selon les instructions de la psychologue et on applaudit pendant qu'il tire la chasse d'eau : «Bravo! Elle va faire pousser de jolies fleurs, ta crotte!» Rien ne déride Pierre. «Qu'est-ce que tu as fait à l'école? — Rien. — Qu'est-ce que tu as mangé à midi à la cantine? — Rien. — Qu'est-ce que tu veux faire maintenant? — Rien.» Quand il pose une question en retour, elle ne témoigne guère de sa joie de vivre : « Est-ce qu'il y aura toute la vie école et cantine ? »

La psychologue conseille à sa mère de lui trouver des activités collectives qui, surtout, ne le mettent pas en compétition avec ce frère de trois ans son aîné, si doué. Mais elle n'a pas le temps de conduire l'un au tennis, l'autre au judo. Le tennis pour les deux, ce sera plus simple. Très tôt elle met Pierre au tennis. Pierre se bat. Pierre devient, à neuf ou dix ans, le meilleur joueur de la famille. À treize ans, il est classé. Avant un match important, il arrive qu'il vomisse toute la nuit. Sur le court, quand il rate une balle, il s'insulte et hurle plus fort que son père dans la voiture ou dans la penderie ; il lui arrive de casser ses raquettes et d'être réprimandé, exclu par les arbitres. Elle a peur d'aller le voir jouer, c'est une trop grande épreuve pour ses nerfs, mais elle ne peut pas ne pas y aller : elle le blesserait. Il est si susceptible et fragile. Elle est surprise de constater qu'il est quand même bon élève, et que les professeurs disent aussi de lui que c'est un enfant intelligent, renfermé mais très intelligent, qui pourrait avoir d'excellents résultats s'il n'était pas aussi étourdi. Il est terriblement distrait, il oublie ses cahiers, ses livres, les exercices à faire, ses clefs, ses papiers. Pierre rigide et grognon, elle le voit inscrit à la fac de droit. Juge : voilà une profession qui lui irait comme un gant.

Pierre n'est pas un littéraire. Il lit, mais des livres que ni elle ni moi n'avons lus, des histoires étranges et fantastiques qui nous ennuieraient. Pierre veut faire une hypokhâgne. Elle ne l'y pousse pas, ne s'y oppose pas. Il serait préférable qu'il se différencie de Marie et de Nicolas mais après tout pourquoi pas, c'est une bonne préparation qui laisse ouvert l'éventail des carrières. Pierre, par inertie et anticipation de l'échec, laisse traîner les choses, n'envoie pas son dossier, ne demande pas d'aide à son professeur de français : il n'entre pas à Louis-le-Grand ni à Henri-IV, mais à Molière, qui n'est pas la voie royale conduisant au succès. De Pierre elle n'attend pas le succès. Mais Pierre se bat ; après une khâgne à Molière, il est accepté à Henri-IV pour une deuxième khâgne, il rattrape son retard. Il y a maintenant de fortes chances qu'il soit reçu : il est content de son écrit ; à la maison l'excitation monte, elle commence à y croire, elle l'incite à préparer son oral. Quelle est sa douleur, le jour où elle apprend que Pierre n'est même pas admissible. Elle est indignée par l'injustice du système car si l'un de ses enfants méritait de réussir, c'était Pierre, classé troisième au concours blanc à Henri-IV. Elle a beau savoir que sa déception ne fera qu'accroître la blessure de Pierre qui ne supporte pas de la décevoir, elle ne peut s'empêcher d'être déçue et de le montrer. Pourquoi faut-il qu'échouent ceux qui n'ont pas la force d'endurer l'échec, les plus faibles et les plus fragiles ? Elle a, pour Pierre, une peur terrible : où le conduira son inévitable révolte contre le système ? Elle ne veut pas qu'il recommence, elle est d'accord avec Philippe : un troisième échec démolirait Pierre à jamais, alors qu'il peut maintenant penser à une autre carrière : le droit.

Mais Pierre s'entête. Il a réfléchi : il est conscient de la destruction que l'échec peut causer. Elle ne cherche guère à le dissuader. Peut-être a-t-il raison. Vingt fois sur le métier. Elle aime cette persévérance. Pierre est brillantissime en philosophie. Le jury le lui dit quand elle se rend rue d'Ulm, deux années de suite, après les résultats, pour s'informer de la qualité des performances de son rejeton, afin de savoir à quoi s'en tenir. S'il a échoué, c'est parce qu'il est un vrai philosophe : l'anglais et le grec l'ont recalé, il n'a pas la discipline de Marie, il ne fait pas assez attention aux matières techniques. En philo, il a eu une note excellente : elle le répète avec une admiration non feinte car elle se demande comment elle, qui ne comprend rien à la philosophie, a pu engendrer un philosophe. Pierre aux ongles rongés jusqu'au sang, Pierre le distrait, Pierre l'autiste, Pierre le petit garçon pas propre à quatre ans, entre à vingt et un ans à Normale sup Ulm. Premier à l'écrit. Elle en pleure, elle en rit. Ce soir-là, on dîne à L'Entrecôte, Nicolas, Pierre et sa petite amie, Lola, qui est aussi normalienne, les parents de Lola, nos parents et moi. D'un côté les parents, les vieux schnocks; de l'autre, les fumeurs, les jeunes, ou, comme nous le clamons avec de grands rires en levant nos nez, les normaliens. Même si les normaliens sont des péteux, ça fait du bien d'avoir réussi, hein, Pierre?

Elle vit au rythme de nos épreuves scolaires. Ce sont ses périodes d'angoisse et de bonheur les plus intenses. Rien n'a d'importance que ce qui favorise nos études ou leur fait obstacle. Je suis déprimée, j'ai perdu confiance en moi, je connais ma médiocrité; d'un mot elle stabilise le terrain qui s'effondre sous mes pieds : «Tu vas avoir tes règles.» Elle participe à nos amours avec une angoisse qui fait écho à la nôtre. Mon amour pour Martin l'enchante : un khâgneux remarquablement brillant, qui ne peut que me pousser à la réussite. Mais les choses ne prennent pas le tour qu'elle espérait. Je suis une amoureuse hystérique, passionnée, tremblant d'être abandonnée. Quand, incapable de faire face à mon exigence, Martin me demande de le laisser seul «jusqu'au concours» et que je passe mes journées à pleurer, ayant perdu le goût de vivre et de travailler, elle s'insurge : «Tu dois lui téléphoner; il n'a pas le droit de te mettre dans des états pareils, pas le droit de te faire échouer, c'est ton avenir qui est en jeu!» Je bois ses paroles, non que je croie à un droit quelconque, moi qui sais qu'en amour il n'y a pas de droit : mais elle m'y autorise, elle, la raison incarnée! Quand Nicolas tombe amoureux de Cécile, sa camarade de khâgne qui travaille avec lui chaque jour, elle vit cet amour de tout cœur avec lui en espérant que Cécile rendra heureux son fils chéri au chagrin pudique dont toutes les fibres vibrent en elle. Pierre, dès l'âge de quinze ans, a une petite amie. Elle en est très contente, ne se demandant guère à quelle activité se livrent ces tourtereaux mais se réjouissant que Pierre, si fragile, trouve à l'extérieur de la famille le support affectif et moral qu'elle n'a pas su lui donner. On l'aurait stupéfaite en lui apprenant que Pierre, à dix-sept ans, a failli se retrouver père, affrontant seul le désir de sa petite amie de garder le bébé. Quand, trois ans plus tard, Pierre rompt avec son amie, elle est enchantée qu'il rencontre

Lola presque aussitôt : une bosseuse, une intellectuelle, et une chaude présence affective — exactement ce dont Pierre a besoin pour ces années de concours.

Elle nous porte dans notre effort vers un seul but : le concours. Elle ne s'inquiète de nous que par rapport à ce but. Le reste n'a pas d'importance. Quelle peur Pierre lui inflige quand il se retrouve soudain avec sa main droite paralysée le jour du concours blanc : si ça se passait le jour du concours, ce serait la catastrophe. Elle l'envoie d'urgence consulter un neurologue, et c'est ainsi qu'on décèle des irrégularités dans son encéphalogramme. « N'oublie pas tes médicaments », lui rappelle-t-elle matin et soir ; elle qui ne s'est jamais souciée beaucoup de nos petits maux s'inquiète de ses malaises, s'informe de sa santé. Les matins de concours, elle prie ce Dieu auquel elle ne croit pas de faire qu'une crampe ne bloque pas la main de Pierre à qui elle a acheté, pour lui donner l'énergie qui lui permettra de résister au mal, des barres d'Ovomaltine. Passant par la maison, je m'exclame : « De l'Ovomaltine ! » J'en ai rêvé toute mon enfance. « N'y touche pas, dit-elle d'un ton brusque : c'est pour Pierre. » Et, craignant qu'à trente ans je ne respecte pas son autorité, elle profite du moment où je vais aux toilettes pour cacher les barres chocolatées destinées au succès de son dernier fils.

Personne ne tremble plus qu'elle les jours de résultats, ne dort plus mal les nuits les précédant et ne fait plus partager sa peur à ceux qui l'entourent. Quand Anne passe son bac français, Pierre a trois ans. Il en a vingt-trois quand il passe l'agrégation. Vingt ans d'examens, de concours et de concours blancs : de quoi voir tous ses cheveux blanchir. Elle tient le coup en exprimant sa peur haut et fort. « Oh, mon Dieu, j'ai tellement peur, le pauvre Pierre a les résultats de l'agrégation demain, oh, je tremble, que va-t-il faire s'il n'est pas reçu, une autre année comme ça ce serait terrible, je ne peux plus supporter ces angoisses ! Et le malheureux, à vingt-trois ans il n'a fait que ça, passer des concours, qu'est-ce qu'il travaille, vous ne pouvez pas savoir ! » Sa voisine de table est mère d'une fille droguée qui se traîne d'hôpital psychiatrique en cure de désintoxication, et qui n'a fait aucune étude, et d'un garçon de l'âge de Pierre, au chômage. Elle le sait. Ce n'est pas par cruauté, insensibilité, égoïsme forcené qu'elle décrit en long et en large l'inquiétude maternelle que lui inspire le dernier de ses surdoués. Elle ne dormira pas de la nuit, comme si l'insomnie et sa pensée intensément tournée vers Pierre renforçaient ses chances de réussir. Elle donne de telles couleurs à son angoisse, elle en fait un objet de récit si palpitant qu'il est impossible de s'en désintéresser. C'est de tout cœur que la voisine de table participe à son angoisse communicative. Si elle a des enfants brillants, c'est comme ça, c'est un fait, on ne peut pas en être jaloux, on peut seulement le constater et l'admirer. Elle ne soupçonne pas un instant que l'envie est possible. Le lendemain, la voisine de table téléphone pour avoir des nouvelles, ravie, même soulagée d'apprendre que Pierre a été brillamment reçu neuvième et qu'il n'y a plus aucun souci à se faire pour son avenir ; elle adresse à Elvire de chaleureuses félicitations. « Oh, mais je n'y suis pour rien, je ne sais pas d'où il tire son don pour la philosophie, moi, je n'y comprends rien, c'est drôlement difficile ce qu'il fait. »

Nos succès scolaires lui donnent ses moments de gloire. « Ah oui, ils sont doués. Ce que j'ai fait de mieux, ce sont mes enfants. Ma seule réussite. Sans eux ma vie est ratée. Je vis grâce à eux par procuration. » Elle ne se lasse pas de le dire. Car c'est cela qui importe : parler de nos succès lors d'un dîner mondain, à la maison ou chez d'autres gens. Recevoir des coups de fil de félicitations, des témoignages d'admiration. Elle irradie le contentement maternel, le succès.

Elle ne peut pas se consoler de ne pas avoir ce qu'elle appelle une vraie vie sociale. Elle rêve d'une vie où elle ne fréquenterait que des gens brillants. Sa vie professionnelle, certes, lui donne de nombreuses satisfactions ; mais c'est une vie solitaire en dehors des audiences, moments sans gloire et sans paillettes. Rares sont les événements comme sa nomination dans l'ordre du Mérite : pour la première fois elle reçoit des dizaines de lettres de félicitations. Elle y répond, attentive à respecter les usages, tout au plaisir de cette reconnaissance sociale. Elle organise une fête de célébration. Elle a choisi pour marraine Françoise qu'elle admire, Françoise ancienne énarque qui est une femme de pouvoir, qui côtoie les grands de ce monde, et qui est en même temps si simple et si modeste. Françoise compose en son honneur un petit discours qu'Elvire ne peut écouter sans rosir, incapable de résister à la séduction des éloges : après tout, elle a mérité par son travail et ses accomplissements d'être, pour un jour, l'héroïne de la fête. Elle fait scrupuleusement coudre par Elena le petit ruban bleu sur tous ses élégants tailleurs. Mais ce jour d'éclat est un apogée d'où elle retombe vite dans sa misérable réalité.

Quand elle donne un dîner, Philippe rend l'atmosphère tendue à craquer en menaçant à chaque instant de se mettre à crier parce qu'elle n'a pas sorti les bonnes cuillers ou les bons verres et que ce n'est pas cette salière-là qu'il fallait mettre sur la table. « Enfin, Elvire ! Tu vois bien que c'est la salière de la cuisine ! » Le couteau à découper le gigot ne coupe pas bien ; il crie dans la cuisine. Elle tremble. Elle a peur de lui, de ses cris, de leurs invités : le cocktail va rater, ils n'auront rien à se dire. Il est si rare que la conversation ne soit pas décevante. Elle passe à la cuisine la moitié du temps et perd le fil de la discussion. Quand enfin elle s'absorbe dans un débat un peu animé sur la guerre ou sur la justice, il la rappelle à l'ordre : « Le fromage, Elvire ! Tu vas nous laisser longtemps avec ces assiettes sales ? »

Elle rêve de dîners harmonieux et passionnants qui n'existent pas en ce monde, dans son monde : car ils existent certainement ailleurs, chez les gens de pouvoir, les grands de ce monde. De toute façon, Philippe et elle n'ont aucune vie sociale. Ils ne reçoivent plus parce que chaque dîner est une trop grande épreuve et le résultat trop décevant pour le mal qu'elle s'est donné ; par conséquent ils ne sont plus invités nulle part. D'ailleurs, pourquoi seraient-ils invités quelque part puisqu'ils ne sont rien, n'ont aucun pouvoir, n'intéressent personne. Et puis ça vaut mieux, les dîners épuisent Philippe, il rentre chaque fois avec la migraine, le lendemain il est d'humeur massacrante, quand il ne s'est pas endormi carrément dans son fauteuil après le dîner. « C'était rasoir, dit-il. J'étais mal placé, je n'avais rien à dire à ma voisine de table, et puis moi, tu comprends quand on commence à parler de *Simone*, de *Jacques*, d'*Edmond*, ça m'énerve. » La vie sociale et les grands de ce monde ne l'ont jamais impressionné, lui, même s'il s'énerve un peu de ne pas avoir reçu la croix du Mérite ou la Légion d'honneur quand tous ses anciens camarades de promotion l'ont, prouvant encore une fois qu'il est le seul exclu. « Évidemment, dit-elle, ce n'est pas nous qui fréquentons ces gens-là. De toute façon, ne t'inquiète pas, ils ne nous réinviteront pas, on pourra moisir dans notre coin. »

Elle est maussade mais ne peut pas le contredire ; au fond d'elle-même, elle aussi trouve que les gens de pouvoir sont snobs et n'ont pas grand-chose à dire. Elle n'est pas dupe de son désir : la haute société, ses préjugés, ses codes et ses bonnes manières l'ennuient. Elle a, pour Françoise, une vraie admiration, celle qu'inspirent la réussite, le contrôle de sa propre vie, et l'abnégation qu'implique un tel contrôle. Sans doute elle aurait aimé être Françoise, femme de pouvoir dont la photo se trouve dans les journaux, épouse apparemment heureuse, mère accomplie de quatre beaux enfants qui n'ont rien à envier aux siens, femme au sourire aimable, au calme inaltérable, à la curiosité toujours bienveillante, à la mémoire jamais défaillante. Certes, elle est flattée par une invitation de Françoise, mais vite elle sent des limites : dans cette société, il faut rester sur les rails de la normalité ; on ne raconte pas les rêves ni les pensées étranges ; les envolées lyriques et les poussées d'enthousiasme détonnent. Rien n'échappe au contrôle, les enfants sont tous remarquablement éduqués et bien sûr ce ne sont pas des littéraires, ils font l'ENA ou des écoles de commerce. Dans ce monde on ne peut parler que de choses officielles, et Françoise ne lit que les livres dont on trouve la critique dans *Le Figaro*; c'est de la grande bourgeoisie de droite, voilà tout, qui va à l'église tous les dimanches. Seule les humanise la toute petite part d'échec et de malchance qui vient déranger un contrôle si parfait : l'orage qui, après une semaine d'un ciel bleu sans nuages, éclate au beau milieu du mariage à quatre cents invités organisé dans les jardins de la propriété à la campagne et qui permet de rigoler un peu en voyant les ministres patauger dans la gadoue, ou le divorce du fils aîné qui n'était pas prévu dans une famille où, sous le toit des parents, on ne couche pas dans la même chambre avant le mariage, divorce qui la fait compatir de tout cœur au malheur de ce fils blessé, mais dont elle tire toutefois bénéfice puisqu'il lui permet d'aborder enfin un sujet dont Françoise ne peut plus nier la réalité : l'échec conjugal.

Il y a d'autres cercles sociaux que celui de Françoise. Son ami Jacques l'invite avec des écrivains : à sa grande déception elle découvre que ce n'est guère mieux. Les écrivains ne s'intéressent qu'à eux-mêmes et trouvent tout naturel qu'en vue de ce dîner on ait acheté leur dernier livre et qu'on l'ait lu. Il n'est pas question de dire ce qu'elle en a vraiment pensé ; elle sent, face à elle, un amour-propre frémissant, aux aguets, dissimulant sa peur sous une carapace plus vernie et plus craquelée que l'hypocrisie de la bourgeoisie bien-pensante ; et les écrivains sont finalement moins polis que les grands bourgeois. Quant aux juristes, ils ne parlent que droit, mais c'est encore eux qu'elle préfère ; ils sont moins snobs et parmi eux elle n'a pas de complexe d'infériorité. Il y a les universitaires, dont le niveau intellectuel est sans doute plus élevé, mais ils sont tellement spécialisés : on dirait qu'ils n'ont jamais le temps d'aller au cinéma ou de lire un livre d'intérêt général. Il semble qu'il n'y ait plus de conversation digne de ce nom en ce monde. Les seuls grands moments sont finalement ceux où elle parle de nous après l'un de nos succès. Normale sup lettres. Les intellectuels tirent leur chapeau, les grands bourgeois aussi. On s'étonne, on s'exclame, on admire ; elle règne, modeste et superbe, en mère de trois génies.

Trois enfants normaliens. Ce n'est pas banal, certes. Mais nous y sommes arrivés : Normale sup n'est plus La Mecque. Ensuite, l'agrégation, la thèse font partie du cours normal des choses. Il n'y a que Nicolas pour dévier, mais Nicolas est un petit farceur, on ne peut pas compter sur lui. Nicolas refuse de préparer l'ENA. Non, il ne deviendra pas ministre de la Culture, en tout cas pas par la voie administrative. Étudier le droit, l'économie, apprendre des statistiques, devenir un bureaucrate comme son père ? Nicolas, le plus doué, n'aime finalement rien tant que faire la fête. Elle se demande comment elle a échoué à lui donner le goût de l'obstacle à vaincre. Elle souhaiterait que je lui parle, que je lui inculque le sens des responsabilités. « Il est un peu tard, dis-je ; ça vous apprendra à lui avoir toujours tout cédé. » Nicolas accumule les dettes, qu'ils épongent. La banque appelle chaque mois : votre fils a un découvert... Les reproches glissent sur Nicolas sans l'atteindre. Il promet : mais oui, bien sûr ; rien ne l'ennuie comme la morale ; il sait qu'il faut jouir de la vie, cueillir le moment, s'amuser en prenant l'argent et la voiture là où ils se trouvent. Irresponsable ? Mais non, qu'on ne le fasse pas chier, il le rendra cet argent, et s'il a dû déchirer le toit ouvrant en toile de la R5 de sa mère, ce n'est vraiment pas sa faute, il avait oublié la clef à l'intérieur, et qu'on ne l'emmerde pas pour un petit rétroviseur de rien du tout qui a volé en éclats alors qu'il a eu la peur de sa vie, il a vraiment cru mourir quand ce type est arrivé à toute allure et l'a rasé dans le sens unique qu'il avait pris à rebours parce que c'est un raccourci et qu'il n'y a jamais personne dans cette rue d'habitude à quatre heures du matin, et si le changement de vitesse est bousillé, c'est à cause de cet absurde rond-point invisible dans le brouillard, il ne roulait pas vite mais il n'a rien vu et s'est retrouvé sur le terre-plein, non, il n'avait pas bu, non, il n'était pas fatigué à six heures du matin, le terre-plein était simplement invisible, il aurait aimé nous y voir ; et après, il a fallu qu'il attende les dépanneurs pendant trois heures dans le froid, il a gelé, il craint d'avoir attrapé une bronchite, alors qu'on ne l'emmerde pas.

Ils le convoquent dans leur chambre, le dimanche soir, pour une discussion sérieuse concernant l'avenir. Pendant quelques jours Nicolas est angoissé, dort mal, réussit à s'inscrire au concours de l'agrégation alors que la date limite est passée. Puis sa nature reprend le dessus : il s'en sortira, il s'en sort toujours, il y a toujours moyen de se débrouiller autrement. C'est monsieur Chance. On ne peut pas avoir peur pour lui. On sait à l'avance que c'est lui qui obtiendra le poste pour lequel il y a vingt-cinq autres candidats mieux qualifiés que lui. Il séduit tous ceux à qui il parle cinq minutes ; la vie donne raison à sa joie de vivre, à son goût de la fête, du pétard du soir, de la virée des bars jusqu'au petit matin, des croissants chauds dégustés à l'aube sur un quai de la Seine après une nuit blanche.

Quand Pierre, à seize ans, a formulé son désir de devenir comédien, elle n'a eu de cesse de le dissuader. Pour être comédien il faut se battre, se vendre, se prostituer : Pierre est pour cela trop fier et trop fragile. Qu'il entre en hypokhâgne ou fasse du droit : on verra après. Pierre s'est plié à la raison. Il a continué le théâtre en amateur. Elle ne m'a jamais encouragée dans ma vocation première, écrire. Elle a été enchantée de lire les histoires que j'ai composées à quinze ans et recopiées dans de jolis cahiers chinois noirs à reliure rouge, mais dès qu'il s'est agi de choses sérieuses, il n'a plus été question de romans. Elle n'a pas la tête dans les nuages. C'est formidable d'être littéraire mais encore faut-il assurer l'avenir : gagner sa vie, conquérir dans la société une place sans laquelle on ne saurait vivre.

Pierre et moi sommes devenus professeurs. Comme elle, on passe nos matinées, nos soirées penchés sur nos bureaux, sur nos bouquins, incapables de céder à la désinvolture, de ne pas répondre à cette lettre professionnelle, de ne pas écrire le chapitre attendu. On ne se sentira bien que quand on l'aura fait, Pierre en rouspétant plus que moi. Quand on lui donne à lire nos savants travaux, elle ne peut pas aller au-delà de la dixième page. Elle met cette incapacité sur le compte de son ignorance : « C'est drôlement spécialisé, je n'arrive pas à comprendre. » Pierre est déçu, il espérait épater sa mère, gagner sa reconnaissance : sa critique de Lyotard, il le sait, est osée et subtile. Mais elle n'a pas lu Lyotard. Elle s'échauffe : « C'est du jargon, c'est beaucoup trop lourd. » Elle fait la moue. Elle nous vante le style de Sartre, si simple et si clair. Elle a de l'humeur contre nous. Elle ne se fait aucun souci pour notre avenir. On aura des carrières brillantes. Mais l'essentiel est ailleurs.

L'essentiel, c'est ce cri d'enthousiasme qu'elle pousse après avoir lu d'une traite le texte d'un de mes amis. Elle m'appelle sur le balcon. « C'est génial ! s'exclame-t-elle avec un grand rire. Gé-nial ! » Moi aussi je l'ai trouvé génial, ce texte : c'est pour ça que je le lui ai passé. Son cri d'enthousiasme m'atteint comme un coup de poignard. Jamais, me lisant, elle n'a poussé un tel cri.

Il y a eu mon premier roman. Je n'ai révélé son existence qu'après l'avoir fini car elle aurait, sinon, exigé de le voir aussitôt. Elle l'a lu. Elle a été passionnée. Stupéfaite que je réussisse à écrire un livre dont elle tourne une à une les pages sans s'ennuyer un instant, où elle sente que tout est vrai — pas au niveau des faits mais de l'émotion. Ravie, et aucunement étonnée qu'il soit publié par Gallimard, accepté dans le saint des saints. Elle a immédiatement vu la gloire, l'apothéose, *Apostrophe*. Elle n'a pas de mots pour dire son enthousiasme : le *Bonjour tristesse* des années quatre-vingt-dix, le désenchantement de l'amour, la passion transcontinentale. Elle me prédit un immense succès. Excessivement déçue par l'échec de sa prédiction, elle en veut à tous les incapables de la maison d'édition qui ne savent pas promouvoir leur meilleur roman et, pour finir, à moi qui ne lui ai donné les plus grands espoirs que pour mieux les briser.

Quand paraît une critique d'un de mes romans, un article

de Nicolas dans un journal à grande diffusion ou un essai de Pierre dans une revue spécialisée, elle achète aussitôt le journal, la revue ou le magazine, fière dès qu'un de ses amis la félicite pour l'article sur lequel il est tombé par hasard. Mais c'est une joie sans excès. Il y a tant de journaux et tant de livres : que ses fils intellectuels publient des articles, que sa fille romancière écrive des romans et que l'on en parle n'a rien d'extraordinaire. De toute façon il n'y a plus de littérature digne de ce nom. On dit que le roman est mort et c'est vrai. Les miens ne l'ennuient pas, mais c'est parce qu'elle m'y reconnaît. J'y parle un peu trop de choses sexuelles : des amis lui en ont fait la remarque. Et puis qui a encore le temps de lire ? Elle a beaucoup trop de travail. Elle apprend davantage en regardant une émission culturelle à la télévision ou en écoutant France Culture. En vieillissant, les intérêts se rétrécissent et se concentrent. On va à l'essentiel, surtout après un cancer. Seuls la passionnent les livres sur les juifs et la Seconde Guerre mondiale. Peut-être un jour Pierre apportera-t-il sa petite contribution à ce débat. En attendant, Nicolas satisfait sa curiosité en lui rapportant de multiples anecdotes sur les écrivains et intellectuels qu'il fréquente de par son métier. La littérature n'est plus un château en Espagne. Il suffisait de la bonne clef pour y entrer comme dans un moulin. À l'intérieur, rien de bien impressionnant.

Elle est une constructrice de mythes sans lesquels elle ne pourrait pas vivre : la Littérature, l'Amérique, le Fils. Elle n'a jamais eu de scrupules à dire que Nicolas était son enfant préféré. Nous ne lui en voulons pas de reconnaître publiquement une préférence qui pourrait sembler monstrueuse. « Ma mère, dit-elle, n'avait fait que des filles, et c'était la première fois que je me distinguais d'elle. » Son amie Nicole Suquet, avocate et mère de deux filles comme elle, et l'autre Nicole, Nicole-ma-sœur, avaient toutes deux eu un fils l'année précédente. Elle est à nouveau enceinte, elle a un fils, elle le nomme Nicolas. C'est pour lui qu'elle quitte la profession d'avocat qui lui prenait tout son temps. Son amour. À cinq ans elle le balade encore en poussette, se moquant de tout ce qu'on peut dire puisque Nicolas aime la poussette et qu'elle aime le pousser. Dès que quelqu'un s'extasie sur la beauté du dernier-né, le bébé aux yeux noirs, aux cheveux couleur paille et à la peau orange, elle met aussitôt Nicolas en avant : «Regardez comme il est beau, comme il a l'air intelligent!» Quand j'ai épousé un Américain, elle s'est montrée enchantée : elle aurait, grâce à moi, un pied-à-terre sur le continent où, jeune fille, elle avait failli se marier. Lorsque Nicolas est parti pour New York à vingt et un ans, elle s'est insurgée : «Tous mes enfants sont en Amérique!» Elle l'a dit devant Pierre. Il hausse les épaules, il a l'habitude : «De toute façon, moi, je n'existe pas.» Pierre ne fait pas seulement de la philosophie, il est devenu philosophe.

C'est par Nicolas qu'elle a connu ses plus grandes douleurs comme ses plus grandes joies. Un passage de Nicolas à Paris, ou plutôt l'attente de ce passage, lui procure des instants d'intense bonheur. Lui seul, avec son rire irrésistible, a le pouvoir de la dérider, de la rendre légère, de lui faire oublier le vide de sa vie. Pour lui seul elle décommandera un important dîner avec un président de tribunal ou toute autre personnalité, et elle n'hésitera pas à dire la vérité : «Mon fils, vous comprenez...» À peine Nicolas est-il arrivé que le téléphone sonne en permanence pour lui. Il passe des heures assis sur la moquette de l'entrée, au téléphone, puis il avale à toute allure le hachis Parmentier qu'elle lui a préparé; il a déjà une demi-heure de retard pour son premier rendez-vous de la soirée. Il lui demande les clefs de sa voiture. Avant de partir, il trouve quand même le temps de l'embrasser, d'enserrer ses fines épaules, de lui prendre la taille, de déposer sur son front ou son nez un baiser eskimo qui rappelle les rituels nocturnes de l'enfance, et de s'exclamer avec un joyeux rire qui creuse des fossettes dans ses joues : «Du hachis Parmentier! Maman, tu es la meilleure des petites mamans, c'est incroyable, j'ai l'impression d'avoir cinq ans, quel bonheur, j'espère que tu vas me le donner à la cuiller!» Elle éclate de rire, communie avec lui dans un rire éclatant de fraîcheur, momentanément heureuse, oublieuse des mesquineries de cette terre, des cris, des conflits. Que n'est-elle pas prête à payer pour cette seconde de bonheur absolu.

Ce qu'elle paie, c'est Nicolas. Le divin nectar est son poison. Certes, il n'y a pas de souci à se faire pour lui. Malgré son goût pour la fête, lui aussi a hérité du sens du devoir. Il ne sera pas ministre de la Culture mais on sait que professionnellement il rebondira toujours. Mais il faut l'accepter comme il est : de passage, en coup de vent, en retard d'une heure malgré sa promesse, avec un quart d'heure devant lui au lieu des deux heures promises. Et qu'est-il allé faire en Amérique, dans cette Amérique qui, elle le clame maintenant, n'a rien d'un pays enchanteur ? De son année à Harvard elle se rappelle soudain le terrible ennui de l'Amérique puritaine et les heures dans la pesante bibliothèque en attendant que l'amant sérieux et responsable condescende enfin à se distraire un moment. Oh, elle hait l'Amérique, cette Amérique qui lui a volé ses enfants, et où Nicolas est allé chercher femme.

Nous avons nos vies qui ne sont pas la sienne et qui n'ont aucun rapport avec la sienne. Nous débarquons, nous repartons. Anne dans sa Bretagne, Marie et Nicolas à New York. Le plus fidèle est Pierre, resté parisien, qui vient déjeuner avec eux le dimanche, Pierre qui joue encore au tennis au club de son enfance. Mais il est le plus taciturne ; ce n'est pas lui qui la sortira de son ennui. De toute façon, ce n'est pas sur ses enfants qu'elle peut compter pour remplir sa vie, même si le plaisir des lettres est intense et qu'en découvrant dans la pile de courrier l'écriture familière, elle déchire aussitôt l'enveloppe avec une joie qui rend ce jour béni entre tous. Elle prend le temps de nous écrire, longuement, de nous décrire la grisaille de ses jours, la monotonie de son quotidien et les cris de Philippe, avec un humour qu'elle déploie plus rarement dans la vie et qui, lorsqu'on arrive à déchiffrer les illisibles boucles qui parcourent les pages en longues phrases d'une précision et d'une rigueur classiques, peut nous faire pleurer de rire. Elle écrit comme elle respire. Elle a le sens de la formule, de la phrase qui s'envole avec lyrisme pour retomber sur ses pieds avec une frappe pleine de dérision, celle de la distance avec laquelle elle contemple le spectacle du monde sans jamais s'y laisser engluer. Elle est Mme de Sévigné et ne le sait pas, sur ce point d'une totale modestie. «Comme tu écris bien, maman! — Penses-tu! N'importe quoi. Je n'ai rien à dire, je ne fais que répéter la même chose, décrire ma petite vie grise où rien ne se passe jamais. Ce n'est pas comme vous qui courez le monde! Comment ai-je pu fabriquer des enfants si libres?» Elle n'aura écrit que des journaux intimes à elle-même destinés et des lettres, à ses amants autrefois, aujourd'hui à ses amis, à ses enfants. Nicolas, toujours pressé, lui envoie des fax. Un fax de lui, une phrase d'amour, vaut vingt pages de lettre. Il lui téléphone pour son anniversaire, il a encore cette fidélité. Elle grappille ces miettes de bonheur, ces pauvres restes d'un festin de vingt ans. Elle s'est, depuis longtemps, fait une raison. Les enfants ne peuvent vous donner que des gratifications éphémères. Être mère, c'est un métier d'une terrible ingratitude.

Reste cette source vive à laquelle elle étanche du matin au soir son inextinguible soif de savoir sans risquer de la voir se tarir : France Culture. Reste aussi le travail. Tout le reste est rêve illusoire ou plaisir éphémère qui contient déjà l'avant-goût amer de sa disparition.

L'âge de la retraite approche. Elle ne veut pas y penser. Elle prend toutes les prolongations possibles : les trois ans supplémentaires, et cette année octroyée de surcroît parce qu'elle a eu quatre enfants. Voilà, pour une fois, une raison de se réjouir d'être mère. À soixante-trois ans, elle devient président intérimaire de son tribunal. Elle n'a pas demandé cette nomination qu'elle ne doit qu'à son âge, étant, eh oui, la doyenne. Saura-t-elle assurer la responsabilité de tout un tribunal, elle qui a toujours eu si peur d'exercer une autorité? La terrorise la perspective de ce discours qu'elle doit rédiger pour introniser le nouveau président qui la détrônera, elle espère, le plus tôt possible. Mais, finalement, elle prend goût au pouvoir — d'autant qu'elle n'a guère de décisions à prendre, son gouvernement n'étant qu'intérimaire. Elle prolongerait volontiers son règne et les privilèges qu'il assure, les invitations, la vie mondaine, la voiture et le chauffeur — même si elle découvre qu'il est pénible de devoir faire la conversation au chauffeur quand elle ne désire rien d'autre qu'allumer la radio pour écouter France Culture et ose à peine le lui demander, certaine qu'il va la prendre pour une folle, et qu'elle cherche en conséquence tous les prétextes possibles qui lui permettront d'échapper à sa voiture de fonction pour se réfugier, anonyme, dans la foule du RER avec son petit poste contre l'oreille. L'anonymat, elle le retrouve beaucoup trop vite. Plus de voiture, plus de chauffeur, plus de cocktails, plus de mains de ministres à serrer, plus de discours, plus de félicitations, plus de Madame le président.

À soixante-quatre ans, elle décide de retourner sur les bancs de l'apprentissage. Elle se fait nommer conseiller à la cour d'appel pour le droit du travail, parce qu'elle ne connaît rien au droit du travail et que c'est forcément intéressant en ces temps où le travail est devenu si précaire. Mais la vraie raison de ce changement, avoue-t-elle en riant, c'est que la robe qu'on porte à la cour d'appel est rouge : assortie à ses habits, de cette couleur qu'elle a choisie pour la fin de sa vie ! C'est la frivolité qui l'emporte, qui la sauve ou la perd. Le travail et la couleur rouge, il n'y a que cela de vrai. Et ce dernier discours qu'elle est si flattée qu'on lui ait demandé de composer pour la rentrée solennelle de la cour d'appel, et auquel elle consacre la moitié d'une année, doutant profondément d'elle, de ses mots et de ses idées jusqu'au dernier instant, et n'éprouvant de plaisir qu'en entendant les premiers compliments, tout en sachant déjà que le temps de la gloire sera bien trop court. Pas dupe un seul instant du gouffre de vanité qui l'aspire.

La retraite continue de profiler sa menace, cataclysme inenvisageable quand on ne peut vivre que protégée par la muraille des dossiers qui s'empilent sur son bureau et qui procurent une saine, rassurante angoisse — celle du retard qui s'accumule. À soixante-sept ans, elle trouve une ultime ressource, une commission instituée par le gouvernement pour décider des cas de restitution de biens spoliés aux juifs pendant la guerre. Elle joue tous ses atouts pour s'y faire nommer, plus effrayée avant les résultats qu'une étudiante qui passe son premier examen. Son nom est sur la liste. Elle a réussi ! Elle va procéder à l'investigation de ce passé qui l'obsède. L'avenir est assuré.

III

Ploumor I

«Il est dur d'être une mère, dit-elle. Le pire, c'est la rétribution qui vous vient de vos propres enfants.» Je pressens ce qui va venir. Elle s'adresse au cercle familial dans ce restaurant de Ploumor où nous célébrons, ce soir, nos exceptionnelles retrouvailles de la famille au complet. «Par exemple, le regard de Marie…» Elle ne me regarde pas. Elle parle de moi à la troisième personne comme si je n'étais pas là, en prenant le reste de la famille à témoin. C'est ainsi qu'elle lance ses attaques. «Le regard de Marie est un miroir qui me renvoie de moi l'image la pire qui soit, l'image qu'aucune mère ne peut supporter de voir.» Je ne cille pas. Je me force à sourire.

Quand j'ai débarqué d'Amérique il y a dix jours, elle m'attendait avec une folle impatience. Je ne les avais pas vus depuis un an. Pour le soir de mon arrivée, elle avait préparé un poulet avec des patates sautées : elle a insisté pour me donner la plus grosse cuisse et les patates les plus grillées. Elle m'a même accordé une part de ses épinards. Au dessert, elle m'a servi un reste de kouign-amann réchauffé : «Je l'ai gardé précieusement pour toi; Pierre voulait le manger en rentrant de la plage, j'ai dû l'en empêcher.» Je n'aime plus tant ce gâteau de pur beurre fait de beurre, de beurre et de beurre, et la part, qui n'est pas exactement fraîche, sent un peu le beurre rance, mais je la mange et remercie maman de tout cœur, sensible à ce privilège d'hôte de marque qu'elle m'accorde.

Toute la semaine se passe sur ce ton. Elle n'a que des gracieusetés à me dire : elle dépérissait avant mon arrivée, m'attendait avec une extrême impatience parce qu'il n'y a qu'avec moi qu'elle a des conversations intéressantes, que moi qui comprenne et partage ses goûts en littérature. Elle insiste pour que je vienne avec eux lors des longues promenades matinales sur les sentiers côtiers, et, pendant les trois premiers jours, me fait l'honneur de ne pas emporter sa radio. Que ferait-elle sans moi ? Si je n'étais pas là, avec qui irait-elle danser le soir du 13 juillet ? Ce n'est pas sur Philippe qu'elle peut compter pour compenser l'immense frustration de sa jeunesse envolée sans danser. Le lendemain de mon arrivée, à dix heures et demie du soir, on descend à pied sur le port en parlant gaiement, main dans la main. Elle est excitée comme une petite fille à qui on a promis une glace. La musique est abominable ; la moyenne d'âge ne dépasse pas quinze ans ; la place de l'église à moitié déserte est à peine éclairée par quelques lampions qui vacillent ; on trébuche sur des bouteilles de bière ; des gamins ivres la bousculent ; des pétards éclatent tout près de nos jambes ; mais elle a décidé qu'elle n'avait jamais eu d'aussi bon cavalier que moi, et, après trois ou quatre valses musettes qu'on a dansées n'importe comment et qui m'ont épuisée, elle s'est lancée avec ardeur dans une farandole, sautant et cabriolant trois heures de suite sur ses sandales rouges à hauts talons entre deux gamins de quatorze ans, riant comme une folle, increvable, ravie de ma présence qui autorise ce plaisir.

Le matin, vers dix heures, quand je prends mon petit déjeuner au comptoir de la petite maison, elle bavarde avec moi entre une séance de gymnastique et un passage aux cabinets, et baisse même le son de la radio. Elle me trouve belle, mincie ; elle remarque que j'ai un nouveau short et me demande où je l'ai acheté : il est très joli, bien coupé, de bonne qualité, ça se voit ; dix dollars en solde chez Gap ? Ça, j'ai fait une bonne affaire. Elle trouve mes jambes superbes quand je les critique : « Mais non, pas des mollets de cycliste, je ne comprends pas pourquoi tu es complexée comme ça, elles sont très fines, tes jambes, superbes. » Contrairement à elle je suis faite pour la Bretagne : on le voit à mes cheveux qui ondulent, on sent qu'ils sont heureux sur cette terre alors que les siens ne supportent pas le climat breton. Comme elle aimerait être moi, avoir des cheveux comme les miens, avoir passé ici toutes ses vacances d'enfance et avoir des racines qui l'attachent à cette terre par toutes les fibres de sa chair.

Soudain, comme le vent breton, son humeur tourne. Elle me retire sa faveur. Dès qu'elle me voit se déclenche en elle une très perceptible irritation. Elle monte ostensiblement le son de la radio, claque la porte des cabinets pour manifester son agacement de m'avoir toujours dans les jambes quand elle a une activité si importante à accomplir. Elle se met à me contredire à longueur de journée. Je prends un pamplemousse. « Prends plutôt du fromage blanc. — Je préfère un fruit, je suis un régime. — Le pamplemousse fait beaucoup plus grossir que le fromage blanc. — Mais c'est du fromage blanc avec 40 % de matière grasse ! — Le pamplemousse, ce n'est que du sucre et de l'eau. » Il crie : « Où est *Le Monde* ? » De loin elle lui répond : « C'est Marie qui a dû le prendre, elle se comporte comme si tout lui appartenait. » Il demande : « Qu'est-ce que c'est ce pull qui traîne ? » Elle dit : « Ça doit être à Marie, elle ne range jamais rien, elle attend que tu fasses le ménage. » Comme on déjeune en plein soleil à deux heures, je constate : « Qu'est-ce qu'il fait chaud ! — C'est ça le beau soleil breton, dit-il, tu ne vas pas te plaindre, quand même. » Elle renchérit : « Elle n'est jamais contente de rien, il faut tout le temps qu'elle se plaigne. » Ses petites généralisations acérées sont dures à supporter, même à trente-deux ans, quand la fin des vacances approche et que je vais bientôt repartir pour les États-Unis et ne pas les revoir avant un an. Je le lui dis. Elle rétorque que ce départ n'est pas une mauvaise chose : quand on est les uns sur les autres, on finit par ne plus pouvoir respirer ; les familles, c'est fait pour vivre séparées. Je lui demande : « Pourquoi est-ce que tu ne me supportes plus, qu'est-ce que je t'ai fait ? » Elle ricane : je raconte n'importe quoi, c'est encore ma susceptibilité extrême, ma paranoïa ; je suis bien la fille de mon père : dès qu'on me fait une remarque, j'en conclus qu'on ne me supporte plus.

Je me tais. Je cherche à comprendre d'où vient son agressivité, par où j'atteins ma mère, pourquoi elle m'a prise comme bouc émissaire. C'est ma naïveté, sans doute, de croire qu'il est possible, par l'analyse, de dissoudre les ressentiments. Mais cette naïveté, je l'hérite d'elle. Elle a une confiance extrême dans le pouvoir des mots. On peut tout lui dire. Elle peut tout entendre. C'est cela que j'aime chez elle : cette intelligence pénétrante qui file à la rencontre des mots et les saisit avant même qu'on les ait prononcés. On ne peut rien lui apprendre sur elle : elle a une extrême clairvoyance. Mais, parce que des mots elle connaît le pouvoir, elle sait les utiliser comme de petits poignards qu'elle lance sur sa cible avec une habileté redoutable. Mon père cherche sa serviette de bain, qu'il ne retrouve pas après l'avoir laissée sécher dehors. « Demande à Marie, crie-t-elle par le vasistas de sa chambre, c'est elle qui a dû te la prendre, elle prend tout ! » J'explose, je crie que ce n'est pas moi et qu'ils me font chier. Il en est tout étonné, ça ne lui rend pas sa serviette et il se met à crier qu'il n'en peut plus de cette maison où on lui pique tout et où en plus on l'insulte. De loin je l'entends maugréer, elle : « Marie est odieuse, odieuse », et ce jugement me semble d'une injustice à pleurer. Je vais dans ma chambre et je pleure, comme à quinze ans, comme à dix ans.

« Le regard de Marie est un miroir qui me renvoie de moi l'image la pire qui soit, l'image qu'aucune mère ne peut supporter de voir. » C'est toujours en Bretagne que ça se passe puisque, maintenant que nous vivons aux quatre coins du monde, c'est là que nous nous retrouvons l'été. Ploumor qu'elle déteste et que nous adorons.

On est allés ailleurs ; on a voyagé sur d'autres continents, on a connu d'autres plages, d'autres sables, d'autres rivages, des climats plus chauds, mais c'est à Ploumor qu'on revient.

On ne supporte pas de passer une année sans y aller. C'est là qu'on se ressource. Aucun autre lieu ne nous donnera cela : les falaises, les bois de pins, les sentiers dans les landes avec, de tous côtés, la vue sur l'océan, la couleur des ajoncs et de la bruyère, l'odeur des fougères, des pins brûlés et de la terre humide, l'eau turquoise et lisse du côté de la baie, les rochers déchiquetés, les blockhaus laissés par les Allemands, les vastes plages et la mer déchaînée du côté de l'Atlantique, les rouleaux dont, du haut de la dune, on évalue la taille à la largeur de l'écume, les bains nus dans l'eau glacée, énergisante et requinquante malgré les panneaux indiquant qu'il est interdit de se baigner là par arrêté municipal du 11 juillet 1975, interdiction que justifient chaque année les nouveaux noyés et la peur éprouvée par chacun de nous en sentant les courants violents nous entraîner avant qu'un miracle ne nous sauve, les nuits de dix heures sans se retourner dans le lit, la plage immense à marée basse où l'on reste jusqu'à dix heures pour voir le coucher du soleil en espérant que les autres couples vont partir et nous laisser seuls avec notre chéri dont le corps salé est si bon au goût et au toucher, les galets où les pieds attrapent des taches de coaltar, le vent, le crachin, l'odeur des crêpes le soir quand on est affamé, la première bolée de cidre avec une cigarette, le crabe à la mayonnaise que l'on dépiaute pendant des heures avec une concentration qui requiert un silence absolu, le bois de pins où nous avons marché seuls, pleuré nos amours et retrouvé dans les nuances infinies de gris la force de vivre, le manège où génération après génération les petits attrapent le pompon, la glace qu'on suce en se promenant sur la digue qui a ensablé le port, le premier moment où apparaît la mer dans la descente vers Ploumor quand on arrive de Paris, la grosse araignée dans les cabinets, la joie dès qu'on met le pied, petits, sur le béton de la courette devant la maison de notre grand-mère en descendant de voiture, l'excitation, plus vive même que le matin de Noël, qui nous réveille à six heures et la joie d'entendre passer le camion-poubelle qui annonce le matin, le bonheur toute la journée sur la plage même quand il pleut, surtout quand il pleut parce que c'est rigolo de se baigner sous la pluie alors que tout le monde court pour chercher un abri, les mares chaudes où on fait pipi, les coquillages qu'on ramasse, la foire des mercredis impairs où l'on achète les disques de chansons bretonnes, les pots de miel artisanaux et les bonnets marins, la lumière, vers dix heures, quand le soleil refuse de se coucher. Ploumor. Nous sommes tous les quatre unis, d'un bloc : nous adorons Ploumor, nous y sommes attachés par tous les fils de notre corps et de notre mémoire, Ploumor est le lieu que nos aimés sont forcés d'aimer s'ils nous aiment, nous ne cesserons jamais de venir à Ploumor, Ploumor est en nous, dans l'éclat de nos yeux, qu'ils soient bleus, verts ou bruns. Il n'y aura jamais d'ailleurs. C'est notre mer, notre sable, nos rochers, nos ajoncs, notre ciel. Nous possédons l'infini. Un infini de bonheur en nous. Il nous a transmis cela, l'appel de la Bretagne.

Pour elle non plus il n'y a pas d'ailleurs. Elle a bien fait quelques tentatives : Beaulieu avec sa mer jaune et immobile où elle a emmené Nicolas et moi et qu'elle a trouvé trop peuplé, la Corse où ils sont allés avec les garçons et qui s'est révélée trop chaude pour lui, lui donnant des migraines et le rendant de mauvaise humeur. Elle s'est résignée à Ploumor, sans pour autant cesser de le critiquer. Elle nous envie notre attachement à cette terre, nos amours d'adolescent, nos mélancolies, nos joies simples. Elle sait les gâcher. Non, elle n'ira pas aux crêpes, elle a horreur de ça, il n'est pas question qu'elle en mange. Les dîners de crêpes en famille se font toujours sans elle. Elle déteste le vent qui la décoiffe, la pluie qui frise ses cheveux et défait tout le travail du coiffeur, le bateau qui lui donne mal au cœur. Elle veut toujours avoir un pied sur terre. Pas intéressée par nos exploits surtout s'ils se passent sur mer. Écoutant avec un pli maussade nos récits enthousiastes. Elle déteste la grande plage sauvage où les vagues sont trop grosses pour qu'on puisse nager ; elle ne voit pas l'intérêt de se baigner si ce n'est pas pour nager. Elle a horreur de nager dans cette mer glacée mais elle le fait deux fois par jour, un bon exercice pour évacuer ce trop-plein d'énergie dans son corps et pouvoir ensuite espérer dormir, que ça lui serve au moins à quelque chose d'être ici.

Elle en a, aussi, des bonheurs, qu'elle reconnaît du bout des lèvres : les parties de tennis en famille, cette famille recomposée autour des garçons ; mais les cris de papa, puis ceux de Pierre, gâtent la fête. Les longues balades jamais assez longues où elle dépense un peu de son énergie d'increvable. Les plateaux de fruits de mer au restaurant, les huîtres, le homard grillé, lorsqu'elle est invitée. Le soleil, quand il se montre. Mais rien à voir avec nos épousailles lyriques avec ce coin de terre et les promesses de vie qu'il nous tient.

C'est à Ploumor, donc, que ça se passe.

Elle parle du temps, du temps qui file sans répit, de l'abominable vieillesse, de la pensée insupportable du temps, de tout ce qu'elle fait pour éviter de penser au temps, pour oublier, pour anesthésier sa pensée et sa peur. Elle rencontre mon regard. Elle nous force à dîner dans un silence absolu comme si nous étions au couvent parce qu'il faut impérativement qu'elle écoute un spécialiste de Montaigne ou de Pascal. Je lui demande : « Pourquoi tu ne lis pas plutôt Montaigne ou Pascal ? — Parce que, rétorque-t-elle avec colère ; tais-toi : je veux écouter cette émission. » Elle clame en public, devant notre père, qu'elle l'a épousé uniquement par peur de rester vieille fille, parce qu'elle avait vingt-cinq ans et que les candidats ne se bousculaient pas, et qu'il est le seul sur lequel elle ait réussi à mettre le grappin. Elle rencontre mon regard. Elle parle de sa nullité intellectuelle, du vide de sa vie, de ce vide dans lequel elle s'enfonce jour après jour et qu'elle ne peut oublier qu'en se réfugiant dans les dossiers qu'elle rédige ; si elle écoute France Culture toute la journée, c'est seulement pour entendre des voix lui parler, la remplir, lui donner l'illusion d'échapper un instant au vide de cette vie qui s'achemine vers son crépuscule et qu'elle a complètement ratée. « Elle n'est pas vide, ta vie, dis-je. Tu connais beaucoup de femmes qui ont éduqué quatre enfants, qui ont un métier qui les passionne, une vie culturelle aussi intense que la tienne, autant d'énergie ? — Comment peux-tu en juger, puisque moi je ne sens qu'un vide et que je sais exactement ce que je ressens ? Je sais que je suis nulle et que je l'ai ratée, ma vie. — Si tu ne sens rien d'autre que le vide de ta vie, c'est maladif et tu devrais te soigner. — Me soigner ! Mais c'est trop tard ! Elle est derrière moi, ma vie ! Sans doute devrais-je me soigner mais ce n'est pas ça qui me permettra de la recommencer ! C'est fini ! J'ai vécu ! Je suis sur la pente descendante, tout près de la fin ! — Ce n'est pas pour recommencer ta vie que tu devrais te soigner, c'est pour modifier ta perception, afin que tu te rendes compte que ta vie n'est pas vide et que tu ne l'as pas ratée, et que tu n'as pas le droit de répéter ça à longueur de journée quand c'est outrageusement faux et que des vies ratées ça existe, crois-moi. — C'est Marie qui décide maintenant de ce qu'on a le droit de dire et de ne pas dire », réplique-t-elle d'une voix sifflante.

Elle déclare que sa vie est un désert, qu'elle n'a aucun ami, que personne ne s'intéresse à elle, que les humeurs de Philippe ont réussi à éloigner tout le monde, que de toute façon l'amitié ça n'existe pas, qu'il n'y a que des relations d'intérêt. Elle rencontre mon regard. « Et Geneviève ? dis-je. Et Albert ? Et Jacques ? » Pour ne nommer que ses plus proches amis, des amitiés qu'elle est parvenue à créer à l'âge adulte, durables, intenses : ce sont les amis qu'elle voit presque toutes les semaines, des âmes sœurs, comme elle passionnément, congénitalement insatisfaites, avec qui elle parle des heures au téléphone et a des discussions passionnées, de vraies discussions, sur tout, les films, les livres, la politique, le couple, la sexualité, la vie, la mort. Elle hausse les épaules. Elle ne supporte pas que je réduise la tragédie de sa vie à des exagérations. « De toute façon, Marie m'a toujours jugée. Elle est comme son père : toujours sûre d'avoir raison, encore plus dure et plus critique que lui. »

Elle parle de son corps, de ce corps qui n'a jamais fonctionné, de ce corps qui a toujours été sa prison, sa punition, de ce corps lourd et maladroit qu'elle n'a jamais aimé et qui sera bientôt un corps de vieillard, à juste titre un objet de rebut qu'elle ne pourra plus exposer en maillot sur la plage. Elle rencontre mon regard. « Écoute, dis-je, n'exagère pas, j'aimerais bien avoir un corps comme le tien, des jambes comme les tiennes, être mince comme toi. » Elle dit qu'elle aurait voulu naître à notre époque, jouir de cette liberté dont on a profité ; elle a grandi au dix-neuvième siècle, son corps lui fait honte, ce à quoi elle s'identifie le plus dans l'écriture de Sartre, c'est au dégoût du corps ; c'est la raison pour laquelle elle s'habille avec tant d'élégance, elle veut cacher son corps, le faire disparaître sous les belles étoffes et les coupes raffinées. « Cacher son corps sous de beaux tailleurs, dis-je, n'est pas la preuve d'une telle haine. » Quant au dix-neuvième siècle, là non plus il ne faut pas exagérer. Il n'y a pas beaucoup de jeunes filles du dix-neuvième siècle qui ont eu autant d'amants qu'elle avant leur mariage. « Amants ? s'écrie-t-elle. Quels amants ? » Gérard, par exemple, que nous nommons entre nous, d'après son métier qu'elle aime à nous rappeler, l'ambassadeur : quarante ans plus tard, dès qu'il est de passage à Paris, il lui téléphone en cachette de sa femme et l'invite à déjeuner tête à tête. « Mais rien ne s'est passé, absolument rien, j'étais beaucoup trop idiote, beaucoup trop timide ! » Il rit : il semble qu'il ait entendu autrefois d'autres versions de l'affaire. « Rien, vraiment ? » demande-t-il d'une petite voix maligne. Elle rougit. « Mais non, rien, enfin, réplique-t-elle d'un ton offensé ; je le sais, quand même ! Il n'était pas mon type. » On laisse tomber l'ambassadeur pour se tourner du côté sûr, l'amant américain, celui qu'elle a failli épouser et dont elle garde les lettres au fond du tiroir de son bureau, l'amant mythique. « Je n'ai rien senti, proteste-t-elle ; j'étais empotée et bloquée. » On éclate de rire et notre rire familial entraîne le sien ; pour une fois elle ne remarque pas que c'est encore moi qui ai rectifié ses emportements.

Devant Françoise qui est à la fois haut fonctionnaire et

grand-mère modèle, elle se lance dans un de ses grands discours sur la famille et déclare qu'elle déteste les bébés; les seuls qu'elle ait jamais aimés étaient les siens, mais tous les autres l'insupportent avec leur odeur de caca, leurs cris, le radotage qui les entoure et remplace la conversation. Tous les bébés se ressemblent, ce sont évidemment des chefs-d'œuvre pour leur mère; elle n'a aucune envie de voir ses petits-enfants, les enfants d'Anne, tant qu'ils ne seront pas des êtres raisonnables avec qui elle pourra discuter; elle n'a, s'écrie-t-elle, aucun, mais aucun instinct de grand-mère! Elle n'a pas l'abnégation chevillée au corps et refuse la chaîne des générations, l'engrenage biologique de cette machine à vivre sans penser qui soulage de la difficulté de vivre. Tout ce qu'elle espère, c'est que ses autres enfants ne vont pas se dépêcher de fabriquer des enfants.

Françoise a beau connaître notre mère, elle rit avec un peu de gêne étant donné qu'elle passe ses vacances d'été à langer et nourrir ses petits-enfants, qui, d'ailleurs, n'ont pas été conviés à ce pot familial. Je pense à Anne et à ses enfants. Je pense à ce bébé que j'aimerais avoir et qui ne vient pas. Elle rencontre mon regard. Elle redouble aussitôt sa déclaration de désintérêt à l'égard des bébés : rien de plus ennuyeux, de plus monotone, un attendrissement tout juste bon pour les gâteux. Françoise, plus aimable et polie que notre mère, se contente de commenter : «Ah ça, je comprends très bien qu'on puisse ne pas aimer les bébés des autres, il faut reconnaître qu'avec tous nos petits on ne s'entend plus parler chez nous, c'est devenu une maison de fous, tu n'y serais pas heureuse, Elvire. — C'est certain; je préférais avant, quand vous n'aviez pas tous ces petits-enfants!» Je ne peux pas m'empêcher d'intervenir. «Tu connais maman, elle exagère toujours, en fait elle a beau dire, elle est une très bonne grand-mère, la preuve c'est que les enfants d'Anne l'adorent.» Elle prononce un hum dubitatif.

Anne a appris à ses enfants à respecter les excentricités de leur grand-mère parisienne qu'ils voient seulement en Bretagne, l'été, et qui exige de se faire appeler par son prénom. Ils savent qu'il ne faut pas approcher Elvire quand elle est toute seule sur la terrasse, qu'il ne faut pas parler fort quand elle écoute la radio, qu'il ne faut pas déranger le soir quand leur mère dîne dans la maison de leurs grand-parents. Car il y a deux maisons, deux petits chalets modernes en bois et ardoises. C'est à cette seule condition, quand on n'y croyait plus, après quinze années pendant lesquelles, à la suite de la mort de sa mère et de la vente de la villa face à la plage, il a chaque mois d'août loué une maison à Ploumor et prospecté utopiquement à la recherche d'un terrain à vendre, qu'elle a accepté qu'il réalise son rêve, avoir sa maison à Ploumor : une maison pour les enfants, une petite maison où l'on peut coucher sept personnes, et une autre plus petite encore pour eux tout seuls, avec une chambre supplémentaire où ils acceptent de loger un de leurs enfants. Deux cuisines séparées. Surtout, pas de porte entre les deux maisons. Le résultat, c'est que les jours de pluie, assez fréquents en Bretagne, on se fait arroser en passant d'une maison à l'autre, seul moyen de communiquer puisque la ligne téléphonique est la même. Quand on dîne tous ensemble — ce qui arrive très souvent puisqu'elle a beau clamer sa haine de la famille, elle a produit une famille qui n'aime rien tant que les dîners en famille autour d'elle qui est l'esprit, le principe d'énergie, le sel de la famille —, on court sans cesse entre les deux maisons, de la maison des enfants qui est la seule assez grande pour qu'on puisse y manger à six ou huit, à celle des parents où elle a préparé les plats. Elle déteste la Bretagne, l'idée de s'encombrer d'une résidence secondaire lui fait horreur : il est miraculeux qu'elle ait cédé. L'autre condition, c'était qu'elle ne s'occuperait de rien. C'est lui qui a tout acheté, les vaisselles différentes pour les deux maisons, les deux réfrigérateurs, les deux lave-vaisselle, les assortiments de casseroles, les deux aspirateurs, les deux canapés, les dix lits, les deux tables, les serpillières, les housses de couette, les draps et les serviettes dont un tel nombre a déjà disparu qu'il soupçonne fortement Anne de s'être équipée à ses dépens. Elle est arrivée juste pour profiter de la maison. Après tout, ce n'est pas si désagréable d'avoir une résidence secondaire dès lors qu'un autre s'occupe de tout, l'avantage c'est qu'on peut y laisser des vêtements en partant et que ça libère de la place dans les placards de Paris, et puis la Bretagne n'est pas si haïssable lorsque le soleil y brille, ce qui arrive malgré tout assez souvent.

Au nom de la fidélité. Au nom du sacrement du mariage. Au nom de l'engagement qu'on a pris. Au nom de ce qu'on se doit à soi-même, de ce qu'on doit à ses enfants. Ma sœur est une adultère. Sa mère prend, contre elle, le parti de son gendre breton. Elle n'a jamais eu des principes aussi solides que depuis qu'elle les assène à Anne comme autant de vérités. Une mère qui est juge, ancien avocat, refuse d'aider sa fille et de la conseiller. « C'est ton divorce, tu te débrouilles ; moi, de toute façon, je suis contre le divorce. Quand on a des enfants, on apprend à se sacrifier. » L'audience a lieu, à laquelle Anne n'assiste pas parce que son employeur refuse de la libérer ce jour-là : elle perd son procès. Elle perd la garde de ses enfants. Le 14 février 1987 au matin, cinq ans jour pour jour après la mort de son premier enfant, un huissier vient frapper à sa porte et lui enlève ses deux petits, Matthieu qui a trois ans et demi, Charlotte qui en a deux et demi.

« Il n'y a certainement pas eu de conspiration, déclare maman d'une voix péremptoire ; ce n'est pas parce que l'avocate de Jean-Marie est la femme du maire. C'est encore Patrick qui met ces idées dans la tête de ta sœur. Il vaut mieux que les enfants soient avec leur père : ils seront mieux éduqués. Avec Anne, leur vie est trop irrégulière. — Mais maman, quand les enfants sont si petits on les confie toujours à la mère, à moins qu'elle ait montré son incapacité. — Absolument pas. Quand le père a une situation plus stable, il est légitime de les lui confier. Il est temps d'en finir avec les préjugés. Je suis plus progressiste que vous, on dirait. Les enfants ont autant besoin d'un père, alors pourquoi les confierait-on à la mère ? — Mais les enfants sont très bien avec Anne, il n'y a aucune raison de les lui enlever. Elle vient de passer un an avec eux après la décision provisoire du premier juge qui avait vu les parents et pas les avocats, et qui avait constaté qu'Anne était moins passionnée que Jean-Marie, et donc meilleure pour la santé mentale des enfants. Tu disais qu'elle ne s'en sortirait jamais : elle s'en est très bien sortie, même sans Patrick. — Sans Patrick, tu le dis ! Sa vie est beaucoup trop instable. Elle quitte Jean-Marie pour Patrick et six mois plus tard elle n'est plus avec Patrick, je comprends que ça inquiète le juge ! — Mais il n'est pas question de ça, maman, ce n'est pas le problème. Tu trouves ça normal, toi, que Jean-Marie ait fait suivre Anne par un détective pour prouver que sa femme recevait des amants et avait une vie contraire aux bonnes mœurs ? — C'est de bonne guerre : il voulait récupérer les enfants, il pensait à leur bien. — En quoi le fait qu'Anne ait des amants nuisait-il à leur bien ? Elle a vingt-cinq ans, elle a un corps, ce n'est pas parce qu'elle a deux enfants qu'elle n'a plus le droit de faire l'amour, non ? Ce n'est pas sa faute si ça n'a pas marché avec Patrick. Elle aime Patrick comme elle n'a pas aimé Jean-Marie. Elle a souffert. Elle ne sait même pas pourquoi Patrick a rompu, sinon qu'il voulait avant tout protéger sa fille. — Tu vois, même Patrick a eu peur, pour sa fille, de la légèreté d'Anne. — Elle est légère peut-être, elle fait des erreurs comme tout le monde, elle est égoïste comme tout le monde, mais ce n'est pas une raison pour lui enlever ses enfants alors qu'elle s'occupe parfaitement d'eux ! — Pour elle aussi c'est préférable, elle ne va pas tarder à le reconnaître. Anne est belle, elle attire les hommes, mais deux petits enfants ça suffit à faire fuir n'importe qui. Comme ça elle pourra sortir le soir et se coucher à n'importe quelle heure sans que les enfants en pâtissent. — Mais maman, elle ne peut pas vivre sans ses enfants ; elle ne peut pas vivre ! — En ce cas, il ne fallait pas divorcer, qu'est-ce que tu veux. Elle divorce, elle paie les conséquences. Dans le jugement de divorce ce n'est pas à son intérêt qu'on doit penser, c'est à celui des enfants avant tout. — Mais maman, tu penses que c'est dans leur intérêt d'être avec un père qui hait leur mère, qui interdit aux petits de prononcer son nom et qui les empêche de lui parler quand elle téléphone ? — Tout ça est un peu exagéré. C'est Anne qui dit ça ; elle n'est pas objective. Elle se laisse influencer par n'importe qui, tu sais bien, et surtout par Patrick qui déteste Jean-Marie. Jean-Marie est parfaitement correct. — Mais maman, il y a les faits ! Le dimanche, si elle n'a pas reconduit les enfants à sept heures pile, à sept heures quatre Jean-Marie appelle les gendarmes pour le faire constater. Une fois elle a rencontré la nouvelle femme de Jean-Marie avec les enfants dans un supermarché, et quand elle a voulu embrasser ses enfants, cette femme a appelé le service de sécurité pour la jeter dehors ! — Hum, hum, dit-elle en secouant la tête, tout ça c'est la version d'Anne. — Mais maman, ce n'est pas sa version, c'est sa vie ! »

Maman ne parvient pas à comprendre comment elle a pu faire une fille aussi irresponsable. « La haine de Jean-Marie, dit-elle, se comprend quand on pense à ce qu'Anne lui a fait subir. Elle lui a donné une fille pour lui révéler trois ans plus tard que ce n'était pas la sienne mais celle de l'homme qu'il hait le plus, Patrick ! — Mais maman, dis-je, Anne ne voulait pas en venir là. Face à la haine de Jean-Marie, elle n'a pas eu d'autre choix que la contestation en paternité. »

Je prends le parti de ma sœur. J'étais là le jour où son premier enfant est mort. Elle avait vingt-deux ans. Je dis : rien n'est sa faute, rien ; et quant à la haine de son ex-mari, cette haine peut se comprendre puisqu'elle est l'envers de l'amour, mais ce qui est inadmissible, c'est l'usage de l'autorité au service de la haine. Elle n'aurait pas dû épouser Jean-Marie, sans doute. Mais lui non plus n'aurait pas dû l'épouser. Il savait qu'elle ne l'aimait plus. Ils n'étaient pas mariés et ils allaient se séparer quand ils ont découvert qu'elle était enceinte de cinq mois. Elle ne s'en était pas rendu compte : elle avait toujours eu des règles irrégulières et le test qu'elle avait fait parce qu'elle grossissait malgré son régime avait été négatif. Lui non plus, pourtant étudiant en médecine, ne s'en était pas rendu compte. Ils restent ensemble pour le bébé. Anne a un amant : un homme marié à Paris. Elle me le révèle un jour d'hiver en Bretagne, alors que nous marchons le long de la mer et que je porte dans le kangourou, tout chaud contre mon ventre, mon neveu âgé de cinq mois. Cette nouvelle me terrorise. Je pense à Jean-Marie, au bébé. Je dis à Anne qu'à vingt-deux ans il est temps de cesser d'attendre le prince charmant. « Oui, dit Anne en faisant la moue, tu as raison, j'attends trop, je ne suis pas réaliste. » Le lendemain le bébé meurt. Je suis allée le lever pour lui donner son biberon, pendant qu'Anne étudiait en bas. J'ai caressé doucement ses menottes et sa joue, puis je l'ai pris dans mes bras ; un filet de vomi a coulé de sa bouche, sa tête est tombée sur son épaule. J'ai appelé ma sœur. « Anne ! » Je me rappelle son hurlement quand elle est arrivée dans la chambre après avoir monté l'escalier en trois sauts, avertie par ma voix : « Il est mort ! — Tu es folle, il ne peut pas être mort, on ne meurt pas comme ça ! » Quand Jean-Marie est rentré, pendant une heure il s'est tapé la tête contre le mur.

Sans doute aurait-il fallu voir cette mort comme une libération. Sans doute auraient-ils dû partir chacun de son côté après l'enterrement, puisque aucun lien ne les rattachait plus l'un à l'autre. Ils n'ont pas pu. Il est insoutenable, le silence qui remplace les gazouillis et les cris de Thomas. Ils se sont mariés. Anne était malade. Elle avait perdu ses cheveux, ses cils. Ses règles ne voulaient pas revenir. Choc traumatique, a dit le gynécologue. Elle a suivi un traitement hormonal. « Il y a une grande chance que vous ayez des jumeaux ou des triplés. — Oh, des quadruplés ; des bébés. » Matthieu est né. C'est quelques mois plus tard qu'a commencé la liaison d'Anne avec son directeur de recherches, un homme marié, père d'une petite Charlotte : Patrick.

Elle l'avait croisé pour la première fois trois ans plus tôt dans une rue de Brest. Il marchait en tenant la main d'une petite fille. Jamais elle ne s'était sentie aussi exclue par la présence d'un enfant. Quand, enceinte de huit mois de son premier bébé, elle était entrée dans le laboratoire où on venait de lui proposer une bourse de recherche, elle était tombée sur l'inconnu à la petite fille, en blouse blanche. Coup du destin. Elle travaille à ses côtés. Elle le voit tous les jours. Il est là quand l'enfant naît. Il est là quand l'enfant meurt. Il assiste au mariage d'Anne et de Jean-Marie. Il se réjouit quand Anne est enceinte et quand Matthieu naît. Trois ans après avoir vu Patrick pour la première fois, Anne ne peut plus résister : un après-midi où, transportant des éprouvettes d'un laboratoire à l'autre, ils marchent seuls dans un couloir de l'université, elle lui prend la main.

Patrick veut sauver son mariage. Il avait fait une demande de bourse. Il l'obtient. Il part pour l'Amérique avec sa femme et sa fille, Charlotte. Deux mois plus tard Anne donne le jour à une fille. Elle l'appelle Charlotte, avec l'approbation de Jean-Marie qui trouve le prénom très joli. Elle écrit une lettre à celui dont elle est sans nouvelles : « Une petite Charlotte est née aujourd'hui, qui te ressemble. » Il ne répond pas. Charlotte, c'est Matthieu en fille, mêmes yeux, même bouche, mêmes cheveux, même peau. « Non, dira Anne plus tard, après le jugement qui la prive de ses enfants : Charlotte est différente ; elle a des os plus lourds que ceux de Matthieu, et un grain de beauté au bas de la colonne vertébrale, comme Patrick ; c'est la fille de Patrick, pas de Jean-Marie. — Tu es folle, disais-je ; on ne peut pas ressembler plus à Matthieu : tu prends tes désirs pour des réalités. » Puis, prise de soupçon : « Tu sais avec qui tu l'as conçue ? — Je ne suis pas certaine : ce pourrait être l'un ou l'autre. » Elle éclate de rire. Inconcevable, insoutenable légèreté. L'un ou l'autre. Du moment qu'elle avait un bébé de plus. Elle n'aimait plus Jean-Marie. Elle a aimé Patrick, passionnément. Il est parti, elle s'est résignée à sa perte ; elle n'avait pas le temps de s'abandonner à la mélancolie : elle était mère de deux tout petits enfants.

D'Amérique, des mois plus tard, il lui a téléphoné un jour au laboratoire. « Anne ? c'est Patrick. » Une pointe d'accent breton dans la voix, charmante ; un *a* plus fermé quand il prononce son nom, Anne; une voix qu'elle désirait depuis des mois, entendue en rêve, follement aimée. Sa femme venait de le quitter pour un autre en lui laissant Charlotte, la brune petite fille de six ans. Chaque semaine, il l'appelle. Anne vit pour ces coups de fil. L'été arrive. Anne est à Ploumor avec ses petits, dans la maison où ils passent les étés avec toute la famille de Jean-Marie, ses parents, ses sœurs et leurs nombreux enfants. Un matin Anne débarque chez nous et m'appelle précipitamment : «Je n'ai que deux minutes, Jean-Marie est dans la voiture avec les enfants. Il faut que tu ailles à la plage de Kerloc'h. Patrick est rentré d'Amérique et sera là-bas. Jean-Marie se doute de quelque chose; depuis hier il ne me quitte pas d'une semelle. S'ils se rencontrent, ils vont se casser la gueule. — Mais je ne l'ai jamais vu, moi, Patrick. — Tu le reconnaîtras : un homme de trente-cinq ans avec une petite fille, beau!»

Maman ne prend pas le parti de Patrick avec autant de vigueur qu'elle a pris celui de Jean-Marie. Elle sait que son nouveau gendre ne la porte pas dans son cœur : il l'accuse d'avoir bousillé la vie de sa fille aînée et de lui avoir en plus légué cet égoïsme forcené dont les hommes — lui-même, et mon père — sont les victimes. Mais, malgré l'inimitié de Patrick et son caractère qu'elle reconnaît n'être pas commode, elle le comprend. Quand Patrick a rencontré Anne, il avait juste une fille de son premier mariage, Charlotte; quinze ans plus tard, grâce à Anne, il se retrouve avec quatre filles. «Trois qu'il n'avait pas demandées! Tu te rends compte de la charge que ça représente, avec juste un salaire de chercheur au CNRS? En rencontrant Anne il a perdu sa liberté. Il n'existe plus que pour faire vivre sa famille. Patrick qui est un ancien soixante-huitard, un antibourgeois qui n'aime rien tant que passer un week-end entier à bouquiner sur son canapé! Comment veux-tu qu'il ne lui en veuille pas terriblement! — Mais maman, Anne n'a jamais caché son jeu. Elle ne voulait qu'une chose, des enfants : il le savait. Rappelle-toi : il avait rompu avec elle et c'est lui qui a insisté pour se remettre avec elle après sa rupture avec Jean-Paul, quand elle était complètement effondrée. — Jean-Paul ! Tu fais bien de le mentionner ! Voilà un homme qui aurait parfaitement convenu à Anne. Il l'a quittée. Pourquoi ? Parce que la légèreté d'Anne lui a fait peur. Et comment peut-elle aimer Jean-Paul juste après Patrick, je ne comprends pas. Je suis de la vieille école, moi. Je ne comprends rien à vos vies. Je crois à l'engagement, à la fidélité. Tu te rends compte de ce qu'elle a fait à Patrick ? Elle passe son temps à le trahir ! »

Je me tais. Anne ne rend pas la tâche aisée au meilleur des avocats. Elle aimait Patrick ; elle avait quitté Jean-Marie pour lui. Six mois après, Patrick a rompu sans qu'elle sache pourquoi. Elle a trouvé du travail dans une autre ville. Elle a rencontré Jean-Paul. Médecin, sportif comme elle, amoureux d'elle : enfin un homme avec qui elle n'avait pas besoin de se battre pour obtenir qu'il fasse quelque chose avec elle. Elle a cru à la possibilité d'un amour simple, sain. Elle a été formidablement heureuse, le temps d'un été. Il lui a parlé de partir une semaine ensemble quelque part et Anne, qui n'avait pour ainsi dire jamais quitté la France, s'est mise à rêver îles et cocotiers et à consulter brochure sur brochure, incapable de parler d'autre chose que de vacances à Djerba, incapable de s'adapter, de renoncer, quand Jean-Paul, en pleine crise, se demandait s'il allait quitter pour elle sa femme et ses deux enfants. Sous le coup d'un ultimatum de sa femme, Jean-Paul a brutalement rompu avec Anne. Elle est arrivée à Ploumor, portant des lunettes noires pour cacher ses yeux gonflés par les larmes, sachant au fond d'elle que le bonheur n'était pas fait pour elle. Patrick est retourné vers elle : il l'aimait d'autant plus qu'elle avait failli lui échapper. Elle n'avait jamais cessé de l'aimer. Tout a semblé se simplifier après tant de détours. Avec l'argent qu'Anne avait hérité de sa grand-mère, ils ont acheté le terrain sur la falaise. Ils ont vu peu à peu s'élever la maison, une belle charpente de bois roux et de verre, face à la mer. Ils ont réussi, grâce à une ruse, à emmener en Angleterre les enfants d'Anne, où ils ont fait l'examen sanguin. Le résultat est arrivé par fax deux mois plus tard au laboratoire de Patrick : douze millions de chances contre une que Charlotte soit la fille de Patrick. Ils en rient de bonheur. Personne ne pourra les empêcher de la récupérer, et Matthieu avec puisqu'on ne peut pas séparer Matthieu et Charlotte, puisqu'on a toujours dit Matthieu *et* Charlotte. Ils se sont mariés pour engager la contestation en paternité. Pendant trois ans ils se sont battus, soudés dans leur lutte contre Jean-Marie pour récupérer Charlotte et Matthieu. Ils ont fait un bébé, puis un autre.

« Comment veux-tu qu'il ait envie d'elle si chaque fois qu'ils font l'amour elle pond un gosse ? » Pour une fois maman exagère à peine. Je ris. Le désir d'Anne est si fort qu'elle parvient à son but malgré la volonté qu'on lui oppose. Elle souffre terriblement de l'absence de ses enfants ; le week-end est si court ; le dimanche soir, quand elle reconduit Matthieu et Charlotte, elle pleure. Matthieu, à quatre ans, lui dit : « On va revenir, maman. » Le pire, ce sont les week-ends pairs, ceux où elle ne les voit pas, et où elle se soûle d'exercice physique, puis de vin quand les heures passées à courir contre le vent et à nager dans l'eau glacée ne sont pas venues à bout d'elle. Un bébé. Elle ne veut rien d'autre. Patrick ne dit ni complètement non ni complètement oui. Ça dépend de ses humeurs. Mais la conception d'un enfant ne peut pas dépendre des aléas d'une relation, surtout pour une femme comme Anne dont les cycles sont si irréguliers. Anne a appris que la nouvelle femme de Jean-Marie était enceinte. Elle est affreusement jalouse de cette femme qui lui vole ses enfants. Un jour, la gynécologue lui annonce qu'elle a un kyste à l'ovaire : pendant un an il faudra laisser les ovaires au repos et ne pas stimuler les ovulations. Elle est en train d'ovuler : ce soir sera la dernière chance. Avant de rentrer, elle achète une robe courte en jean qui se boutonne devant, qu'elle trouve sexy sur le moment et détestera le lendemain, et une bouteille de champagne. Elle prépare un bon petit dîner. Quand Patrick rentre de la fac, elle est tendre, câline. Il ne répond guère à ses baisers. Il remarque la nouvelle robe pour lui dire qu'elle est ridicule, à son âge, de porter des tenues pour gamines de quinze ans. Il n'a pas envie de champagne. Il se sert un whisky, allume la télé. Il n'a pas faim : il a mangé une pizza en sortant de la fac. Anne résiste pour ne pas pleurer, sort sur la terrasse, aspire l'air marin, regarde la mer, la vue magnifique, ce rêve de son adolescence que Patrick et elle ont réalisé ; elle se calme. Elle rentre et s'assied sur le canapé, près de Patrick qui regarde les informations. Elle se penche et l'embrasse sur la nuque, là où il sent si bon. Il s'écarte. « Tu me chatouilles. » Elle attend la fin des nouvelles ; pendant le flash publicitaire, avant que commence le film, elle raconte la visite chez le gynécologue et lui apprend qu'elle est en train d'ovuler. Ce soir il n'a pas envie. « Mais c'est la dernière chance avant un an. — Eh bien nous attendrons un an. » La conception d'un enfant n'a de sens que si elle est naturelle, non planifiée. Anne éclate en sanglots, accuse Patrick de la trahir, de ne penser qu'à lui et à sa fille. De sa voix calme et ferme, avec son léger accent, Patrick répond qu'en termes d'égoïsme Anne sait de quoi elle parle. Il se ressert un whisky et monte le son de la télévision sans lui jeter un regard. Elle sanglote, le supplie de céder, d'accepter au moins de se mettre au lit avec elle. Elle s'agenouille devant lui, met la main sur son jean. Il la repousse brutalement. Elle tombe, se relève, et l'informe d'une voix haineuse qu'il l'aura cherché si elle doit prendre un amant pour faire un bébé. Il finit d'un trait son deuxième verre de whisky, prend la bouteille sur la table, ramasse son paquet de cigarettes et ses clefs, et sort. Anne entend démarrer la voiture. Elle sait qu'elle ne le reverra pas de tout le week-end. Il n'y aura pas de vendredi soir. Il n'y aura pas non plus de samedi, où elle aurait peut-être encore été féconde. Il lui vole toutes ses chances. Il l'a abandonnée. Ce n'est pas un week-end où elle a les enfants. Elle va rester seule. Elle met la bouteille au réfrigérateur, range le dîner et appelle une amie. Le dimanche soir, quand elle rentre chez elle après un week-end entre filles à discuter et faire du bateau, elle voit la voiture de

Patrick garée devant la maison. Elle court vers lui. Il est dehors, en train de poser quelques dalles sur ce chemin dont il remet l'installation depuis des mois. Elle tombe dans ses bras. Il la serre contre lui violemment. Leurs bouches se trouvent. Ils rentrent pour échapper au regard des voisins. Neuf mois plus tard Gaëlle est née.

Gaëlle est l'enfant de l'amour, même si Patrick, six ans plus tard, torturera Anne de questions pour savoir quel amant elle est allée voir ce week-end-là. Margot est l'enfant de la ruse. Deux ans après la naissance de Gaëlle, Anne veut à nouveau un bébé. Enceinte, tout ce qu'il y a de trop nerveux en elle, d'impatient, d'insatisfait, s'apaise. Pendant neuf mois elle est souriante et douce, remplie par la petite chose qui l'habite. Mais ils grandissent si vite. Son désir du ventre gonflé qui lui donne une telle plénitude, d'une toute petite crevette légère qu'on porte contre son épaule et qui mord les bouts des seins, n'est pas assouvi. Il y a eu trop de peur avec la méningite de Gaëlle à un mois, et ces deux semaines entre la vie et la mort pendant lesquelles Anne a su, dans sa chair, qu'un bébé si passionnément désiré ne pouvait pas mourir, que son enfant ne pouvait pas mourir quand la vie coulait de ses seins, qu'elle ne pouvait pas perdre un deuxième bébé. Elle veut un bébé sans hôpital, dont elle puisse jouir en paix maintenant qu'elle se sent transformée, mûre enfin à trente-deux ans, n'aspirant plus qu'à la tranquillité après tant de déchirements. Que Gaëlle ne grandisse pas dans une maison vide avec seulement une grande demi-sœur de quinze ans, et un demi-frère et une sœur un week-end sur deux. Un petit frère pour Gaëlle. Faire un fils à Patrick, lui qui n'a eu que des filles. Anne met une jolie robe, pas trop courte puisque Patrick trouve que ça lui donne l'air d'une pute, prépare un bon dîner, sort la bouteille de whisky, met la musique qu'il aime. Elle lui pose de multiples questions sur la fac et sur ses recherches, écoute attentivement, le complimente et le flatte ; elle est douce et tendre, pas provocante ; elle ne lui dit pas qu'elle est en train d'ovuler; elle ne lui dit pas qu'elle s'est fait ôter son stérilet. Neuf mois plus tard elle donne naissance à Margot.

Leur maison est devenue le foyer plein d'enfants dont rêvait Anne : la grande Charlotte qui a choisi de vivre avec son père et s'est fait appeler Hélène, son deuxième prénom, pour se distinguer de sa demi-sœur, la petite Charlotte qu'un juge a fini par leur remettre, après quatre ans de bataille légale, Gaëlle, Margot, et Matthieu qui leur rend visite un week-end sur deux. Il y a des hauts et des bas, bien sûr. Ils s'aiment mais ils ont si peu de goûts communs et des tempéraments si différents, Patrick solitaire et renfermé, Anne sociale et extravertie. Il ne pratique aucun sport; elle joue au tennis ou au squash avec des médecins de Brest qu'elle a rencontrés grâce à son métier de visiteuse médicale. Un soir il décroche en même temps qu'elle : il entend la voix d'Anne, la voix rieuse de la séduction. Il la questionne. Juste un chirurgien avec qui elle fait du jogging, dit-elle. Rien ne s'est passé. Elle promet de ne pas le revoir. Patrick devient possessif, jaloux, surveille ses coups de fil. Il faut dire qu'elle est attirante, Anne, avec son sourire rayonnant, ses cheveux blonds courts, sa peau dorée toute l'année, ses épaules douces, et son corps svelte et élancé même si, à cause de sa gourmandise irrépressible, elle a toujours un peu de ventre. Elle s'habille de petites robes moulantes aux couleurs vives qui dégagent ses longues jambes bronzées et musclées. Pour son métier, elle parcourt toute la Bretagne et doit parfois s'absenter deux jours. La jalousie de Patrick empire.

Ils ont de grandes discussions. Elle a changé, dit-elle; il serait temps qu'il s'en rende compte : à trente-trois ans elle n'est plus la jeune étourdie dont il devait réparer les bêtises; elle n'a aucune envie de compromettre l'équilibre de sa vie. Elle l'aime, n'aime que lui, ne le sait-il pas? Il est celui dont la vision l'a frappée à jamais quand elle avait vingt ans, le père de ses filles. Le problème, dit Patrick, c'est qu'elle n'écoute pas. Tiens, pas plus tard qu'hier : elle sortait avec Gaëlle, il lui a dit de prendre le K-way de Gaëlle parce qu'il allait pleuvoir et que la petite est fragile, elle a répondu oui, elle est sortie sans le prendre, il a plu et Gaëlle a été trempée. Il ne veut plus avoir à lui dire les choses deux fois de suite. Si elle n'entend pas la première fois, tant pis pour elle. C'est là l'erreur, répond Anne. Elle est pleine de bonne volonté, ce n'est pas sa faute si elle oublie vite. Patrick devrait s'exprimer davantage au lieu de se retrancher dans le mutisme quand il estime qu'elle a failli. Le silence de Patrick lui fait peur : elle se sait coupable, sans savoir quelle faute elle a commise.

Avec, de chaque côté, des concessions et des efforts, tout s'apaise. Elle ne joue plus au tennis ou au squash. Elle a acheté un Zodiac. Elle emmène sur les flots sa petite famille, par tous les temps. Charlotte et Matthieu, ravis, se font traîner sur une grosse bouée. La grande Charlotte, indifférente, lit un livre sur le bateau. Gaëlle crie parce qu'elle a peur, et Margot, bébé, parce qu'elle a faim. Patrick accepte de venir avec eux, c'est l'essentiel. Ce sont de vraies virées familiales.

Au mieux succède le pis. Un vrai pis. Maintenant, il est question de divorce. Ce n'est pas la première fois. Mais cette fois-ci c'est plus sérieux que jamais. Il a trouvé une lettre dans une poche d'Anne. Il l'a questionnée, inlassablement, pendant des nuits. Elle a craqué. Avoué.

Elle rougit, rit, pleure, confesse ce qu'elle avait caché à tout le monde pendant des années : elle n'a jamais cessé d'avoir des amants. Quoi? Pendant qu'ils construisaient la maison, pendant qu'ils se battaient pour récupérer Charlotte? Pendant qu'on croyait qu'elle avait trouvé la sérénité? Ben oui, dit Anne. Mais pourquoi? Pourquoi tant de mensonge et de duplicité? Un divorce, quatre enfants, sa vie n'était pas assez compliquée? Elles ne lui ont pas suffi, les souffrances qui découlent de ces trahisons?

On n'aurait jamais cru Anne capable d'une telle dissimulation. Il y a eu successivement quatre amants. Pas quatre nuits d'amour : quatre longues liaisons avec des hommes mariés. Pourquoi? Parce qu'elle a besoin de tendresse, de douceur, d'être aimée. Parce que depuis longtemps Patrick ne veut plus d'elle. Parce qu'il lui dit qu'elle est laide, qu'elle le dégoûte, que le soleil auquel elle s'expose toute l'année a creusé des rides sur son visage et l'a prématurément vieillie, lui donnant, à trente-cinq ans, l'air d'une femme de cinquante. Parce qu'il lui dit qu'il n'a jamais aimé en elle que son air d'adolescente attardée, maintenant perdu. Parce que séduire Patrick est une entreprise épuisante, dont le succès est si rare. Parce qu'elle s'est fait si souvent rejeter par lui. Parce qu'il ne veut plus partager son lit. Mais ces amants, aucun d'eux n'a menacé l'équilibre de sa vie. Elle n'a aimé aucun d'eux comme elle aime Patrick. C'étaient des sportifs avec qui elle faisait l'amour après une partie de tennis ou de squash, rapidement, sainement. Des hommes qui la complimentaient, qui la trouvaient belle, qui remarquaient que son ventre, après cinq grossesses, était encore lisse et tendu grâce à ces bains de mer glacée qu'elle prend de mars à novembre. Elle a trouvé cette solution pour réussir à vivre, à endurer sans y prêter trop d'attention les insultes de Patrick, son intransigeance et ses brusques sautes d'humeur. Ce sont ces quelques plaisirs volés pendant la semaine qui lui ont donné la patience et la sérénité nécessaires pour survivre entre un Patrick dépressif et ses quatre enfants. Ce n'était rien, rien du tout. Si seulement Patrick avait voulu d'elle! Il n'y aurait jamais eu d'amants. Faire l'amour dix fois par an, ce n'est pas suffisant. Pourquoi n'en parlait-elle pas avec lui? Impossible. Dès qu'elle aborde ces sujets, il devient méprisant et hostile : il lui fait peur. Et lui, a-t-il une maîtresse? Elle ne croit pas. Il lui a dit que le jour où il coucherait avec une autre femme, il la quitterait. Elle a atrocement peur d'être quittée par lui. Elle l'aime. Mais ne comprend-elle pas qu'on ne trompe pas l'homme qu'on aime? Elle se tait, baisse les yeux. Quand est-ce que ça a commencé? Il y a des années. Quelques mois après la rupture avec Jean-Marie, quand elle vivait seule dans son studio brestois. Un soir, Patrick avec qui elle avait une liaison passionnée n'a pas voulu d'elle. Il lui a dit de partir. Elle a eu trop peur pour demander pourquoi. Quelques jours après elle a eu sa première aventure, dans la complicité suivant une partie de squash.

Une légèreté pareille, dit maman, est inconcevable. Elle désavoue sa fille. Elle comprend toute la jalousie de Patrick. Il torture Anne de questions. Il veut la chasser de la maison. Anne refuse de partir. Il fait intervenir sa fille, Charlotte-Hélène, qui implore sa belle-mère : ne voit-elle pas que sa présence cause à Patrick une souffrance qui le tue ? Anne pleure devant ce juge de dix-neuf ans. Au matin, épuisée, elle promet de partir. Sa docilité adoucit Patrick, qui lui accorde une chance de rédemption. Au moindre faux pas, c'est fini. Dégoûtée par la faiblesse de son père, Charlotte-Hélène déclare ouvertement sa haine pour Anne, couvée pendant treize ans : elle ne mettra plus les pieds dans cette maison quand Anne y sera. Son père lui loue un appartement à Brest et Hélène reprend le prénom dont l'usurpatrice l'avait spoliée, Charlotte.

Anne travaille à ce concours de première année de médecine qu'elle s'est juré de réussir. Patrick l'aide en lui expliquant ce qu'elle ne comprend pas ou en s'occupant des enfants. Le week-end, il va chez sa fille et l'aide à travailler en vue du même concours. Il est apaisé. Il aime n'avoir plus que des filles, studieuses et dociles. Il a de l'estime pour Anne, pour le défi qu'elle s'est lancé. Elle désire réussir pour lui montrer qu'elle n'a pas démérité de sa confiance. Le jour de la proclamation des résultats, elle remercie publiquement celui sans lequel une mère avec quatre enfants n'aurait jamais pu relever ce défi. C'est le temps du bonheur, même s'il y a pour Patrick cette petite blessure : sa fille a raté le concours. Cet été-là, Anne est triomphante de beauté et d'espoir.

Mais un coup de fil, un soir : quelques paroles imprudentes d'Anne, des éclats de voix rieurs, perçus par Patrick derrière la cloison, et la méfiance resurgit. Elle se défend : un ancien ami qui l'appelle, c'est tout ; non, elle ne l'a pas revu. Patrick est sombre. Grâce à un copain policier, il fait mettre son téléphone sur écoute. Il écoute l'enregistrement des conversations d'Anne avec ses amies. L'impudeur avec laquelle elle raconte les problèmes de leur couple le dégoûte. Il ne peut plus supporter de la voir. Elle répond avec violence : elle ne se laissera pas chasser. Elle a quatre enfants dont elle assume la charge depuis des années, elle a commencé des études de médecine, elle sait ce qu'elle veut, elle a appris à résister. Elle ne répétera pas l'erreur commise douze ans plus tôt avec Jean-Marie.

« De toute façon, dit maman, leur relation a toujours été faite de hauts et de bas, c'est le rythme même de leur vie, Patrick parle de divorcer et ensuite tout s'arrange. Ils ne peuvent pas se séparer, ils n'ont pas le choix, matériellement c'est impossible : avec quatre enfants, un salaire de chercheur, et Anne qui a repris des études ? Le divorce coûte beaucoup trop cher. Ils vont devoir trouver un compromis. Pour l'instant, ce qu'Anne doit faire, c'est rester chez elle à tout prix, et, pour le reste, se plier à toutes les demandes de Patrick. » Voilà les conseils de sa mère, qu'Anne n'écoute pas : elle les boit.

Patrick a changé de stratégie : il accordera à Anne le droit de rester chez elle mais seulement si elle confesse par écrit ses rencontres avec chacun de ses amants. Il veut tout savoir. Les dates. Les lieux. Anne se met à rédiger son cahier pour calmer Patrick. Mais ça ne le calme pas. Il la soupçonne de cacher quelque chose entre deux dates, de ne pas tout avouer. Dès qu'ils passent quelque part, à pied ou en voiture, il lui demande avec violence : « Et là, dans cette rue, lequel as-tu retrouvé ? »

« Maman, tu sais quelle est la dernière de Patrick ? Il a écrit des lettres aux amants d'Anne dans lesquelles il exige qu'ils fassent des prises de sang pour que l'on teste s'ils sont ou non les pères de ses filles ! J'ai eu Anne au téléphone tout à l'heure, en larmes. Il est fou ! » Maman hausse les épaules. La folie de Patrick et les histoires d'Anne la fatiguent. C'est répétitif : un jour la catastrophe, le lendemain l'équilibre se rétablit. Un vrai roman-feuilleton. Si on s'émouvait à chaque incident, on n'en finirait pas. Patrick est peut-être fou mais qui n'est pas fou, de toute façon ; et puis c'est un bon père : sans lui Anne ne s'en sortirait pas maintenant qu'elle a recommencé des études, voilà tout.

Anne a tout confessé. Elle a promis tout ce qu'il a voulu. Ce sont les études qui l'intéressent et non plus les aventures. Elle sait, au fond d'elle-même, qu'elle ne restera pas toute sa vie avec Patrick. Ils se font trop souffrir, il y a entre eux trop de plaies qu'un mot suffit à rouvrir. Mais elle est décidée à patienter jusqu'à la fin de ses études. Sans lui elle n'y arriverait pas. Elle se fait le plus douce possible. Parfois elle ne peut pas contenir son irritation. Elle trouve cinq bouteilles de whisky vides au fond d'un placard. Bruyamment, elle vide, nettoie. D'une voix sèche, pleine de mépris, elle lui dit qu'il est alcoolique et qu'il doit se soigner. Elle entend, en retour, combien elle est laide, et conne, et que c'est elle qui pue. Une nuit, alors qu'elle est allée réviser à Ploumor, il reçoit un coup de fil d'une femme qui vient d'avoir avec son mari une grande explication, au cours de laquelle il lui a livré le nom de toutes les femmes avec qui il avait couché. S'y trouvait le nom d'Anne. C'est bien à Patrick que cette femme voulait parler : pour l'avertir. Elle trouve une oreille d'autant plus attentive que le nom du mari ne figure pas dans la liste livrée par Anne. Cela confirme ce que Patrick soupçonnait : Anne ne cesse de lui mentir. Elle est une salope et une pute. Anne se défend ensuite avec une colère qui ne fait qu'accroître le dégoût de Patrick car, dit-elle, elle n'avait pas mentionné le nom de ce type parce qu'elle n'avait passé qu'une nuit avec lui, une nuit de rien du tout. Autrement dit : elle n'allait pas dresser la liste de tous ceux avec qui elle avait couché une fois et qu'elle avait oubliés.

Les veilles d'examen il met en marche, à minuit, la machine à laver qui fait vrombir les murs juste au-dessous de la pièce où elle dort. Il arrive qu'elle se relève à une heure du matin, rassemble ses affaires, prenne sa voiture et débarque en pleine nuit chez une copine de fac. Un matin, rentrant après un examen, elle trouve tous ses vêtements jetés pêle-mêle devant la maison close, dont elle n'a pas la clef car ils ne ferment jamais. Un soir, alors qu'elle est en pleines révisions pour l'examen de cardiologie, la matière qu'elle trouve la plus ardue, il entre dans la chambre de Matthieu où elle s'est installée. Il l'attaque : elle passe toutes ses soirées à bûcher, ne fait plus rien d'autre ; il ne va quand même pas lui financer ses études pour qu'elle le quitte une fois qu'elle sera médecin ! Elle lui demande de sortir : l'examen est dans trois jours, elle n'a pas de temps à perdre, ils discuteront plus tard. D'un geste, il balaie les piles de cours rangés sur la grande table à tréteaux. Elle se lève, furieuse ; elle lui ordonne de foutre le camp, le traite d'alcoolo, lui dit qu'il est jaloux parce que sa fille n'a même pas été capable de réussir le concours de première année. Il la gifle et lui arrache la chaîne en or qu'elle porte autour du cou, un cadeau de lui. Il lui annonce qu'il va la jeter ainsi que tous ses autres bijoux, ces bijoux dont elle se pare pour aguicher les hommes. Il lui attrape le poignet pour lui ôter son bracelet-montre. Elle lui mord la main, avec la force d'une bête enfonçant ses crocs. Il a beau hurler, secouer de toutes ses forces, elle ne lâche pas. Il lui donne un coup de poing qui la fait rouler par terre. Des deux côtés le sang coule.

Divorce. Le mot est prononcé. C'est la seule solution. Il leur faut s'y résoudre. Ils n'ont pas l'argent pour une guerre. Ils ne peuvent que se séparer à l'amiable pour faire cesser cette souffrance. Anne cède. Elle est épuisée. Elle va s'installer à Brest avec Charlotte, qui a une relation difficile avec Patrick parce qu'il ne lui pardonne pas d'aimer encore son premier père, Jean-Marie. Les petites resteront avec leur père dans le paradis sur la falaise. Anne n'a pas eu le choix ; Patrick l'a prévenue : si elle obtient la garde des enfants, il partira ; elle ne le reverra jamais. Une deuxième fois, Anne perd sa maison et ses enfants.

Elle est la fille de sa mère : la même force, la même énergie, le même enthousiasme. Il faut les voir, les deux constipées, faisant sur la terrasse leur heure d'aérobic matinale. Plus elle vieillit et plus elle ressemble à sa mère : on les prendrait pour des sœurs quand Anne s'habille en rouge comme sa mère. Mais Anne est une version arrondie, plus lumineuse et ensoleillée de sa mère. Tout ce qui est crispé et tendu chez sa mère se déploie chez elle dans la splendeur d'un don sans réserve. Anne se laisse facilement culpabiliser, elle pleure, elle se demande s'il y a quelque chose de pourri chez elle, mais un plongeon dans l'eau glacée de la Bretagne, plouf, et elle oublie sa culpabilité. Elle rit de ses naïvetés, de ses pets, de la crotte que, prise d'une envie soudaine, elle va faire dans les vagues et qu'elle retrouve ensuite devant elle, flottant sous son nez. Son rire donne envie de rire. Il y a en elle une abondance, un appétit de vivre, un désir de donner. Jamais un scrupule moral ou le sens du devoir ne l'arrête. Cette force qu'elle a héritée de sa mère, elle la met entière au service de son désir.

Elle couche avec l'un ou l'autre alors que sa mère a tant de gêne et de honte à montrer son corps. Sa mère, pendant vingt ans, a parlé de divorce. Anne a divorcé deux fois. Sa mère a connu quatre fois la fierté du ventre qui s'arrondit, du bébé qu'on porte en avant, bulbe comique et précieux sur un corps resté mince. Anne a mis cinq enfants au monde, exposé nu son gros ventre doré sur la plage de Kerloc'h, rayonnante de bonheur. Sa mère n'a jamais eu le courage d'ouvrir son cabinet d'avocat ; Anne ouvrira un jour son cabinet de médecin. Anne a fait l'expérience d'une liberté que sa mère ignorera toujours. Elle a connu la solitude, la souffrance, l'arrachement, le rejet, mais aussi le recommencement, la certitude que tout est encore et toujours possible. Elle a quarante ans et ne se sent pas vieille : à l'avenir se profile forcément un grand amour.

Pierre, son cadet de treize ans, dit d'elle : « Anne, c'est le surhomme nietzschéen face à l'homme du ressentiment. » Rien ne brise Anne. Pas même les rebuffades constantes de sa mère qui, pendant quinze ans, ne montre aucun plaisir à la retrouver et à revoir ses petits-enfants. De ce rejet, Anne est sortie gagnante, aimant sa mère envers et contre tout. Sa mère ne peut plus la faire pleurer. Celle des deux qui maintenant conforte l'autre, la console, la rassure, c'est Anne. Sa mère découvre qu'il est bien agréable de retrouver une telle fille, bien difficile de se passer d'elle. Anne est si gaie, si vivante. Elle ne juge pas sa mère. Elle l'accepte avec son égoïsme et ses défauts. Elle a pour sa mère une admiration totale. Rien du regard acerbe et critique que sa fille cadette porte sur elle et dans lequel elle se reconnaît, rien de cette raison lucide et moraliste qui contient sans doute beaucoup de vérité mais qui, il faut le dire, est un peu ennuyeuse.

Ma mère peut me faire pleurer. Je suis à sa merci, narcissiquement fragile comme mon père, vilain petit canard qui a besoin de ses compliments, de son enthousiasme pour se sentir exister. Ses mots, en revanche, glissent aujourd'hui sur Anne sans l'atteindre. Elle a dû finir par admettre l'existence de sa fille aînée, sa force égale à la sienne, sa pleine autonomie.

Papa et moi, nous sommes amoureux de maman et d'Anne.

IV

Ploumor II

Le procureur et sa femme sont arrivés. Ces pieds-noirs du Maroc sont venus jusqu'à notre pointe bretonne, la terre de papa, pour voir maman. Ils logent à l'Hôtel de la Mer et viennent déjeuner chez nous. Ils n'ont pas de chance : il ne cesse de pleuvoir, alors qu'il faisait si beau avant leur arrivée. Tandis qu'on boit un verre dans la petite maison en contemplant la pluie qui tombe de l'autre côté de la baie vitrée, Elvire les prend à témoin de ce sacrifice accompli par elle depuis quarante ans qu'elle vient en Bretagne chaque été. D'habitude, la pluie la déprime. Mais la présence de ses amis lui permet de déployer son éloquence. Au milieu du dîner, alors que le procureur est lancé dans une discussion animée avec elle sur les réformes de la justice, papa les interrompt pour la traiter de conne : elle a laissé le four allumé après en avoir sorti le poulet il y a vingt minutes ! À table, tout le monde se tait. La femme du procureur éclate d'un rire chaleureux et donne une grande claque sur le bras de papa ; ce geste ne contribue pas à détendre l'atmosphère.

Le procureur en conclura que Philippe est un homme pas commode et qu'Elvire a bien du mérite, comme il le lui dira le lendemain sur le sentier côtier où il marche à côté d'elle sans regarder le paysage dont Philippe, derrière, tente vainement de lui faire remarquer la beauté. Après un dîner dans le meilleur restaurant de la presqu'île où le procureur et sa femme ont invité leurs amis et où papa a choisi ce qu'il y avait de plus cher pour se plaindre ensuite hautement de la piètre qualité des mets, les visiteurs reprennent sous la pluie le chemin de Paris.

La situation entre papa et maman reste tendue à craquer. Ils se disputent sans arrêt. Il crie pour un rien. Il nous épuise. Elle a tout le temps l'air maussade et la bouche crispée, écoute la radio plus que jamais et grommelle : « Il est odieux, odieux, c'est la dernière fois que je passe mes vacances ici avec lui. » Ce refrain, on l'entend depuis des années. On les voit se disputer depuis des années. Ils sont comme de petits enfants. Ils s'empoisonnent la vie, ils se rendent malheureux, ils se gâchent les vacances, ils nous les gâchent. Tant qu'il crie à ce point, il est impossible de lui rendre, à elle, son rire et son enthousiasme. Ces cris génèrent un climat de peur.

Un après-midi, alors qu'il est assis tout seul sur la terrasse après une dispute orageuse et qu'elle écoute bruyamment la radio, là-haut dans la chambre, je m'assieds face à lui. Je lui dis qu'il est particulièrement nerveux en ce moment et qu'il crie beaucoup : s'en rend-il compte ? Oui. Est-ce à cause des amis qui sont venus ? Il ne pouvait plus les supporter : Elvire ne fait plus aucune attention à lui dès qu'elle a un ami. Mais maintenant qu'ils sont partis, qu'est-ce qui continue à le déranger ?

On a été élevés par lui dans la religion catholique. Notre mère, juive et athée, ne s'est pas opposée à notre baptême et notre éducation religieuse. Pendant des années on va à la messe et au catéchisme ; chaque soir il nous fait réciter le Notre Père et composer une prière silencieuse, à genoux devant le lit. Le message d'amour, la bonne parole, l'autre joue, j'y crois. À l'époque de ma communion solennelle, quand j'ai douze ans, j'ai une révélation mystique pendant un dîner familial : les mots « petit rayon de soleil » s'inscrivent soudain dans ma tête. Je viens de comprendre ma vocation : être un petit rayon de soleil pour éclairer le visage de mon père et de ma mère et effacer leurs chagrins, les larmes de maman l'autre soir et ce mot de « divorce » qui m'a terrifiée.

Il baisse la tête. Il est assis devant moi, mon père bronzé aux cheveux et au collier de barbe blancs, un bel homme de soixante-cinq ans. Elvire, dit-il, n'a aucun respect pour lui. Maintenant que le procureur n'est plus là, elle ne cesse d'écouter la radio même pendant les balades. Elle ne lui demande jamais son avis. Dès qu'il jardine, elle lui lance une remarque. Il faut pourtant que quelqu'un s'occupe du jardin ! Et la maison, il faut bien que quelqu'un la range, ce n'est quand même pas par plaisir s'il est tout le temps en train de nettoyer et ranger ! Et les courses le matin, si ce n'est pas lui qui les fait pour toute la famille, qui va se dévouer ? Elle ne voit rien de tout ça, ne lui reconnaît rien, passe son temps à écouter France Culture et le traite avec mépris. C'est insup-portable.

Je souris. Vivre avec elle vingt-quatre heures sur vingt-quatre ne doit pas être facile. Il y a des radios partout : dans le salon, la cuisine, la chambre. Elle en laisse deux ou trois allumées en même temps parce qu'elle se déplace d'une pièce à l'autre. Elle a aussi toutes sortes de gadgets qu'il lui a offerts : le minuscule walkman, le modèle étanche pour les bains. Les commerçants sont éberlués de la voir entrer avec sa radio contre l'oreille et s'interrompre au milieu de la commande. « C'est le match de foot ? — Non, répond-elle avec bonne humeur, c'est sur l'infini pascalien. »

« Papa, tu as le droit de faire ce qui te plaît. Maman ne devrait pas avoir son mot à dire. Ne prête pas attention à ses remarques. — Mais avec ta mère c'est impossible. Tiens, regarde, depuis que j'ai pris ma retraite : il faut bien que je m'occupe puisqu'elle passe son temps à travailler. Dès que je fais quelque chose qui n'est pas intellectuel, comme jardiner ou regarder la télé, elle dit que je suis en train de devenir idiot, que ma cervelle se ramollit. Elle veut que je passe tout mon temps à lire, à aller à des cours, ou à discuter de ses cas avec elle le soir. Moi, je n'existe pas. J'ai envie de faire un petit voyage culturel l'année prochaine, j'ai regardé les brochures de Nouvelles Frontières, il y a des voyages formidables, dans la Tunisie carthaginoise, par exemple, ta mère ne peut pas m'accompagner parce qu'elle n'a pas de vacances aux dates où ces voyages sont organisés, et le résultat c'est qu'elle ne veut pas que j'y aille. Elle ne me laisse aucune liberté! — Ce qui t'énerve, c'est cette histoire de voyage pour l'année prochaine?» Il hoche la tête affirmativement. «Pourquoi est-ce que tu n'exprimes pas fermement et calmement ton désir au lieu de lui crier après sans arrêt pour des choses stupides? Maman est raisonnable. Je suis sûre qu'elle comprendrait.» Il approuve par des hochements de tête, les yeux perdus dans le vague.

Il est doux et docile, soudain, comme un enfant de cinq ans, et l'on devine que, marié avec une femme qui respecte sa liberté, il pourrait être charmant, gentil. «Tu as raison, je sais, je devrais lui parler calmement, être ferme. — D'autant plus que quand tu cries, tu finis toujours par faire ce que tu ne veux pas. Tu cries parce que tu sais que tu vas céder. C'est ça que tu ne peux pas supporter : ta faiblesse. Ce n'est pas la faute de maman, si tu es faible, non? — Tu as parfaitement raison. C'est ma faute, c'est parce que je suis faible, je me le dis tout le temps.»

Nous nous taisons, graves. Je n'ai jamais parlé de façon si juste avec lui. Il est rare que nous soyons si proches et que papa soit si doux. Je me sens très «petit rayon de soleil».

Papa est le dernier de cinq enfants, trois garçons et deux filles. C'est une famille où les femmes sont fortes et les hommes faibles. Son frère aîné, après une grave maladie, a été marié par ses parents à une femme d'une classe sociale inférieure, prête à aimer ce garçon et à s'occuper de lui; elle rêvait d'une grande famille, on avait oublié de lui préciser qu'il ne pouvait pas avoir d'enfants, et le divorce, pour une Bretonne catholique à cette époque-là, n'existait pas. Elle s'est mise à détester l'époux imposé, gentil et mou, menteur et faible, malade et alcoolique. Elle lui a interdit l'accès au penty breton acheté par les parents Tudec et offert en dot, parce qu'il allait tout salir et abîmer dans cette maison installée de ses mains à elle, entretenue à la force de son poignet et grâce à son argent péniblement gagné. Si la famille n'était pas intervenue, elle l'aurait laissé crever dans une grange sans eau courante ni chauffage. Ses frères et sœurs ont fini par lui faire installer un garage : c'est là qu'il a vécu, seul tout l'hiver avec sa motocyclette ; c'est là qu'il est mort. Puis il y a l'autre frère, Jean, le doux Jean aux mains d'artiste, qui avait hérité la blondeur et la beauté lumineuse de sa mère et qui avait si bien commencé dans la vie, une femme superbe, de nombreux enfants, un bel appartement à Neuilly, un brillant avenir d'architecte. Mais il a subi, lui aussi, l'appel de la Bretagne, cette Bretagne haïe de sa femme parisienne : désir de travailler à son compte, de construire ses propres maisons, ses rêves de maisons sur sa côte bretonne, pas des maisons typiques, toit en pente et deux cheminées, non, des puits de lumière avec des toits plats aménageables en jardins ou piscines, inspirés de Le Corbusier. Sa femme lui a interdit d'ouvrir un cabinet en Bretagne sous menace de divorce, sans le lui dire il a passé outre et tout s'est cassé la figure. Il s'est retrouvé à Ploumor, dans un petit studio, criblé de dettes, vivant aux crochets d'une veuve, et c'est là qu'il est mort, brutalement emporté par une hémorragie cérébrale à cinquante-neuf ans. Les sœurs, par contre, sont de fortes femmes, surtout l'aînée qui, après la mort de son mari, a découvert à soixante ans une nouvelle jeunesse, appris à conduire, pris pour amant son jeune moniteur d'auto-école, et s'est mise à organiser la vie sociale de Ploumor avec une gaieté inlassable, de cocktails en dîners, de parties de pêche en parties de bridge. Leur mère, Louise, méprisait son mari, le commandant Tudec, et a inspiré ce mépris à ses enfants, particulièrement à son petit dernier. « Je déteste mon père » : c'est une des premières phrases que Philippe ait dites à Elvire après l'avoir rencontrée.

« Papa, tu dois faire un effort pour sortir de ce cercle **vicieux**. Résiste, impose ta volonté. Fais ce voyage. Tu seras plus heureux, donc tu crieras moins : maman aussi sera plus heureuse. — Je vais essayer. »

Au dîner, l'atmosphère est explosive. Maman est crispée. Sa bouche ne se dépare pas de son pli maussade. Elle parle à peine. Ses humeurs se font tellement sentir qu'il est impossible de parler à une table où elle se tait. Nous mangeons dans un quasi-silence. Nous débarrassons. Elle évite mon regard dans le minuscule espace où nous nous cognons l'une à l'autre. Je suppose qu'il lui a dit un mot de notre conversation de l'après-midi : autant vider l'abcès. « Maman, qu'est-ce que tu as ? C'est à cause de cette histoire de voyage ? — Tu te mêles de ce qui ne te regarde pas. C'est entre ton père et moi. — Oui, mais c'est tellement tendu entre vous, papa te crie après, tu n'es pas heureuse et papa non plus, je cherchais seulement à comprendre pourquoi. — C'est comme toujours et ça ne changera jamais, dit-elle avec un ricanement cynique. — Mais non, ça peut changer ! Papa a l'impression que tu ne respectes pas ses désirs. Si tu le laisses un peu plus libre, il sera moins tendu et criera moins. — Il n'est pas question qu'il fasse ce voyage sans moi. — Mais pourquoi ? Parce que. Nous sommes mariés, nous voyageons ensemble, voilà tout. Ces voyages sont chers : je ne vois pas pourquoi il se paierait ce plaisir sans moi. — Tu en aurais envie ? Je croyais que le tourisme culturel ne t'intéressait pas ? — Absolument pas. J'aime beaucoup voyager. Je n'ai pas le temps, voilà tout. J'ai des audiences, je n'ai pas de vacances, moi. — Mais justement, puisque tu travailles, il est logique que tu acceptes que papa fasse des choses pour occuper son temps, non ? — Il peut faire tout ce qu'il veut mais pas ça ; il n'a qu'à venir à Ploumor. — Mais maman, pourquoi veux-tu l'empêcher de faire ce qu'il veut ? — Ta mère ne m'a jamais laissé faire ce que je voulais », intervient-il depuis le fauteuil où il est allé s'installer après dîner, sur le ton d'un enfant qui en appelle à mon autorité pour juger. « Tais-toi, papa, c'est avec maman que je parle. — Parce que, crie-t-elle sur un ton d'énervement extrême, les voyages, c'est là où se font les rencontres ! — Les rencontres?» Je souris. «Tu veux dire que papa…? — Absolument, c'est exactement comme ça que ça se passe, je ne suis pas folle. S'il veut, il peut venir à Ploumor ou rendre visite à Hans à Constance, mais il est hors de question qu'il parte voyager seul. — Mais maman, tu ne crois pas qu'après quarante ans de mariage tu peux avoir confiance? — Tais-toi; tu ne sais pas de quoi tu parles. Je suis vieille. Si ton père voulait, il pourrait être avec une jeune de ton âge, il est beau, elles ne demandent que ça. — Mais maman, tu n'es pas vieille! Tu es belle! Et pourquoi papa voudrait-il être avec une fille de trente ans? C'est ridicule. — C'est la mauvaise foi de ta mère, commente-t-il, elle dit n'importe quoi pour ne pas avouer que simplement elle ne veut pas me laisser faire ce que je veux.»

Elle a le visage toujours aussi froncé, fermé. Debout devant l'évier, sans nous regarder elle récure bruyamment le fond d'une casserole. Son visage se crispe comme un ciel qui s'assombrit avant l'orage. Elle explose: «Il n'a qu'à partir s'il veut, je m'en fiche! Il n'a qu'à me quitter! Je vais crever seule!»

Avec elle on a l'habitude du théâtre mais il y a dans ce cri et dans sa voix suraiguë quelque chose qui dépasse la théâtralité et qui fait grincer des dents comme le bruit d'une fourchette raclant une casserole en aluminium. On se tait. On baisse la tête. «Crever» n'appartient pas à son vocabulaire. C'est un mot qui la rend semblable à une bête, à l'un de ces vieux chevaux tourangeaux soignés par son grand-père vétérinaire, pas son grand-père juif, l'autre, et qui montre, comme dans un cliché radiographique, le futur cadavre de maman, son corps ratatiné de vieillarde, sa peau fripée, sa bouche sans dents. Je sais qu'elle a atrocement peur de vieillir et que personne n'est aussi peu résigné au cours irréversible du temps. Mais dans ce cri je ne peux m'empêcher d'entendre quelque chose de moins pur: la fureur de nous voir, lui et moi, alliés contre elle pour lui faire admettre qu'elle a tort. Il se rebelle, elle sort ses armes les plus puissantes: «Je vais crever seule!»

Il fait peur, ce cri. Il faut que les défenses défoncées se

reconstituent, qu'on ne voie plus cette chose informe et nau-séabonde qui s'échappe et nous fige. Je la prends dans mes bras mais ce geste est maladroit, elle ne s'abandonne pas. Je ne puis consoler ma mère puisque je suis son mauvais ange. Il se lève. « Viens. » Il ouvre la porte, enlace ses épaules et l'emmène faire quelques pas dans la nuit.

Le lendemain ils sont réconciliés. Ligués contre moi, ils m'envoient de petites remarques sarcastiques. Les cris des jours passés sont ma faute. La dispute de la veille est ma faute. « Une semeuse de zizanie », dit-il. Elle renchérit : « Perverse ; ce n'est pas pour rien qu'elle a fait sa thèse sur Sade. » L'hostilité dans leurs voix m'affecte mais ne m'étonne pas. Je sais, je me suis approchée trop près. Alex passe son temps à me le dire : pas tes oignons.

Il ne crie plus le matin quand il fait sa liste ou rentre avec les sacs de courses. Le ciel est redevenu bleu comme s'il s'harmonisait avec leur humeur. Quand ils partent pour leur balade sur les sentiers bretons, elle n'emporte pas sa radio, sauf s'il y a une émission susceptible de l'intéresser lui aussi. Ils marchent en se tenant la main. Je devine qu'ils ont fait l'amour.

Il y a encore entre eux, quarante ans plus tard, du désir physique. C'est la base de leur amour. Je ne crois pas qu'elle ait eu d'amant. Si elle en a eu un, c'était seulement pour se prouver sa liberté. Il représente pour elle un idéal physique qu'elle a transmis à ma sœur et à moi. Le second mari de ma sœur, Patrick, et le second homme de ma vie, Alex, ressemblent tous deux à notre père par la taille de leur corps et par leur carrure. Longtemps cette ressemblance m'a fait craindre de reproduire comme un destin le rapport de ma mère et de mon père. La sexualité tient une place importante dans leur relation. Elle est très pudique. Lui, moins. Entrant dans leur chambre le soir, on détourne son regard du sexe et des couilles qui apparaissent sous le long tee-shirt de nuit. Allongé sur son lit, il râle : qu'est-ce qu'on fout dans sa chambre à cette heure-là, est-ce qu'il n'a pas le droit d'être un peu tranquille ? À quatorze ans, je trouve dans le tiroir de sa table de nuit un objet en plastique blanc, dur, qui émet des vibrations quand on appuie sur le bouton. Je l'utilise, terrorisée à l'idée de me faire surprendre. Le placard du salon est plein de revues érotiques, qu'il achète et qu'il lit. Il aime les contrepèteries et les jeux de mots grivois. Il regarde les femmes dans la rue.

Il a fait vingt ans d'analyse. Il vit avec des médicaments. Il est maniaco-dépressif. Dans les périodes de dépression, sa libido est à zéro. C'est ainsi, dit-elle, qu'elle le préfère : sans désir, soit, mais sans agressivité non plus.

J'ai un souvenir, hors du temps, d'une femme brune descendant de la voiture où Anne et moi sommes avec papa après une promenade au Bois. J'ai dix-sept ans quand, cherchant de vieilles photos au fond d'un tiroir, je découvre un paquet de lettres datées de l'été 1970. La plupart sont des lettres de maman, écrites en juillet à Ploumor quand papa travaillait encore à Paris : elle n'y parle que de son bébé amour, son Nicolas. Je tombe sur une lettre de papa. « Ma chère Marianne... » Je ne comprends pas qui est cette Marianne dont je n'ai jamais entendu parler ni comment peut se trouver ici une lettre écrite par lui à une autre femme, jusqu'à ce qu'un déclic se produise : il s'agit d'un brouillon de lettre à une femme qu'il a intimement connue puisque c'est une lettre de rupture. Il y déclare avoir, après de longues hésitations, décidé de rester avec Elvire : on ne quitte pas une femme avec trois enfants, dont le dernier est encore un bébé.

Assise sur la moquette du salon, je pleure, plus stupéfaite que triste. Je n'avais jamais soupçonné papa d'exister.

Marchant avec lui vers la plage de Kerloc'h où elle ne nous accompagne pas à cause du vent, je l'interroge. Il sourit. Il me trouve indiscrète mais ma curiosité l'anime. Je connais papa qui crie. Je connais papa déprimé. Je connais papa qui soigne ses fleurs. Je connais papa gentleman, élégamment vêtu par maman qui s'exclame : « Tu es superbe ! » Je ne connais pas cet homme en train de séduire une femme qui va devenir sa maîtresse; pénétrant une autre femme que ma mère, une femme qui n'a pas d'hémorroïdes, qui n'a pas enfanté, qui n'a pas eu les seins comprimés par un médecin stupide pour empêcher la montée de lait après son premier accouchement, caressant cette femme, la baisant sur tout le corps, la complimentant, lui disant des gentillesses avant ou après l'amour. Il analyse avec moi la situation : il est probable qu'il a eu besoin d'être désiré par d'autres femmes parce que Elvire ne lui renvoyait pas de lui une image assez positive, surtout à la fin des années soixante, quand il s'est retrouvé sous-directeur d'une filiale d'Esso, trop jeune pour assumer une responsabilité aussi importante, et que la crise professionnelle a débouché sur une dépression.

Sur le chemin côtier où elle se promène avec moi parce qu'elle a encore de l'énergie à dépenser malgré les trois heures de balade du matin et l'heure passée à nager, je la questionne. Je veux comprendre. C'est aussi une bonne façon de me concilier à nouveau ses faveurs : elle aime raconter sa jeunesse, surtout à un public aussi attentif que moi. N'a-t-elle pas eu atrocement peur, en 70 ? A-t-elle jamais pu pardonner sa trahison à Philippe ? Elle n'a pas souffert tant que ça, dit-elle : l'aventure avec Marianne était peut-être un peu plus sérieuse que les autres, mais rien de grave. Si l'histoire avec Marianne a pris cette ampleur, c'est parce qu'elle, cet été-là, n'avait d'amour que pour Nicolas, vivant en symbiose avec son bébé. Elle ne s'est jamais sentie menacée par les maîtresses de Philippe : ce n'étaient que de petites secrétaires qui l'admiraient. Il avait besoin de leur admiration pour pouvoir vivre avec elle, et elle l'aimait davantage de savoir qu'il était désiré par d'autres : le récit de ses aventures, qu'elle lui réclamait, redonnait du piquant à leur amour. « Quoi ? Tu n'étais pas atrocement jalouse ? Mais tu n'aimes pas papa ! — C'est possible. Comment le saurais-je, puisque je n'ai jamais eu le courage de le quitter ? — Tu y as pensé ? — Oui. Si je ne m'y suis pas résolue, c'est pour vous, pour sauver votre univers. Et Philippe aurait été trop triste : je n'aurais jamais été capable de

118

lui faire cette peine. Et puis, ajoute-t-elle avec un petit rire de dérision envers elle-même, j'avais bien trop peur d'être seule, et je ne voyais pas qui d'autre aurait pu me supporter!»

Chacun son spectre. Celui de maman se nomme Joséphine. C'est ma marraine. Elle l'a rencontrée il y a des années, quand elles étaient de jeunes avocates. Fille naturelle d'une Hongroise juive émigrée à Paris et d'un lord anglais marié, Joséphine a de grands préjugés bourgeois et horreur de la solitude qui lui est échue. Jeune, elle a rejeté tous ses prétendants, dont aucun ne lui plaisait complètement; plus tard elle aurait tout fait pour retenir ses amants. Quand j'ai laissé Martin rompre avec moi, elle a dit que j'étais folle. À vingt-cinq ans? C'était déjà presque trop tard. «Tu jouis avec lui? Alors de quoi te plains-tu? Tu vas te retrouver seule, tu vas voir.» Cette nuit-là, au cours d'une insomnie, je me suis juré de ne plus voir Joséphine tant qu'il y aurait en moi la peur de rester seule : je n'avais pas la force de supporter son angoisse.

Vers la même époque, je suis entrée dans la chambre de maman, qui travaillait. Je savais qu'elle n'aimait pas être dérangée mais, ce matin-là, je coulais. «Ça va? — Bof. Pas trop.» Elle a levé la tête et m'a jeté un coup d'œil. J'avais les yeux cernés et les joues creuses. Je ne dormais plus, je pleurais nuit et jour. Elle a dit sèchement : «Je ne vois pas comment ça pourrait aller quand on a vingt-cinq ans et qu'on n'est pas mariée.» Les deux hommes de ma vie, entre qui je n'avais pas su choisir, venaient de me quitter. Celle qui parlait ainsi était une grande lectrice de Sartre et de Beauvoir, indépendante économiquement, fille d'une femme qui avait toujours travaillé. Ce jour-là j'ai compris quelque chose sur les mères et les filles, sur l'angoisse qui transforme les mères en pires ennemies de leurs filles, parce qu'elles souffrent dans cette chair qu'elles ont mise au monde et haïssent en même temps leurs filles de tenter l'aventure qu'elles-mêmes n'ont pas su risquer. Elle ne m'a plus jamais prise au piège. «Très bien», ai-je répondu dorénavant avec un grand sourire. Elle a fini par se poser des questions : pouvait-on avoir vingt-cinq ans, n'être pas mariée et être heureuse ?

Il y a Joséphine, heureusement, pour démentir cette hypothèse. Joséphine dont maman a besoin pour se convaincre qu'elle a fait le bon choix. Toutes les conversations de maman et de Joséphine commencent et se terminent aigrement. Maman décroche. À sa voix énervée, on sait aussitôt qu'elle parle à Joséphine : elle n'a pas le temps, un travail fou, cent cinquante dossiers à éplucher ce week-end, mais non, Philippe et elle n'ont prévu aucune sortie, aucune ! Ils n'ont pas vu un film depuis six mois. Un dîner ? Mais ils ne sortent plus, ils n'ont plus aucune vie sociale avec Philippe qui a sans cesse la migraine ! « Oui, oui, dit Joséphine. Migraine ou pas il est quand même là, Philippe, tu as de la chance, ce n'est pas comme moi qui suis seule, enfin je ne devrais pas me plaindre puisque ça fatigue mes amis, même eux m'abandonnent. — Mais on ne t'abandonne pas, je t'ai dit qu'on ne faisait rien ce week-end, j'ai deux cents dossiers au moins ! — Oui, oui, c'est ça, tu vas nous faire croire que les juges croulent sous le travail ; enfin ça vaut toujours mieux que ma situation, moi qui n'ai plus assez de travail, bientôt je ne pourrai plus payer mes factures, mais enfin qu'est-ce que tu veux c'est ma faute, j'aurais dû me marier au lieu de faire la difficile, mais je ne t'appelais pas pour me plaindre ni pour te demander quoi que ce soit, si vous n'êtes pas libres ce week-end, vous n'êtes pas libres. » Une demi-heure plus tard, maman rappelle Joséphine pour l'inviter à venir dîner dimanche et à passer avec eux le week-end de Pâques à Ploumor. « Rien d'excitant, tu connais Ploumor, en cette saison il y a des chances pour qu'il pleuve tout le temps, mais si tu n'as rien à faire ça te changera d'air. Sans ton chien, évidemment. Je te préviens que j'emporte mes dossiers, j'ai un travail fou. »

V

1943

Pour le réveillon de Noël, cette fête familiale qu'elle n'aime pas et pour laquelle elle nous inflige son air maussade au moment de l'ouverture des cadeaux, elle rassemble chaque année tous les solitaires : sa mère avant sa maladie, Joséphine qui lui apporte un livre en lui signalant tout de suite qu'elle peut le changer si elle veut, Blanche, la cousine de sa mère, veuve, et Antoine, le beau-père de sa sœur, un grand vieillard maigre et sec qui porte un chapeau de feutre et lui remet en entrant la traditionnelle bouteille de Chivas de deux litres.

Antoine est un homme de la vieille Europe, un vieux monsieur savant, courtois, sourd, intransigeant quand il s'agit de questions scientifiques qu'il est certain de connaître ou de l'avenir de ses petits-enfants, dont il juge mieux que leurs parents. Il est brouillé avec sa belle-fille qu'il a estimée un jour indigne de son fils. Il a tenté de le convaincre de quitter Nicole et n'a réussi qu'à s'aliéner cette dernière. Maman aime beaucoup Antoine, même si sa surdité rend le dialogue difficile : il parle très fort en coupant la parole à tout le monde et n'entend pas les réponses qu'on lui fait, surtout, selon papa, quand elles apportent des preuves contredisant ses assertions. Maman ne se lasse pas de répéter qu'Antoine s'est enfui de Pologne en 1940, à pied et en train, avec sa femme Ania enceinte jusqu'aux yeux. Juifs, ils en ont réchappé de justesse. Ils ont sauté dans un train en marche, littéralement le dernier train pour l'Europe encore libre. Antoine et mon oncle Serge, qui a échappé au nazisme dans le ventre de sa mère, sont, aux yeux de maman, d'héroïques rescapés.

La guerre est l'événement le plus important de la vie de ma mère. Papa aussi a vécu la guerre mais sa guerre ne peut pas se comparer à celle de maman. Sa ville natale a été rasée par les bombes, mais il n'a pas dû être baptisé d'urgence en mars 1943. Il a toujours été du bon côté, celui où l'on brûle ses vaisseaux à Toulon par fidélité à la France. Papa parle peu de la guerre. On sait seulement qu'il est tout étonné, le 1er septembre 1939, que personne ne pense à lui fêter son anniversaire de huit ans, petit garçon qui ignore que son pays vient juste d'entrer en guerre. On n'est même pas sûrs où il l'a vécue, la guerre : à Brest, à Toulon, à Paris, à Ploumor, ailleurs en Bretagne ? Il avait huit ans au début, treize à la fin ; il a suivi ses parents qui ont bougé. Par ses sœurs, on apprend quelques détails, comme l'incident des vélos, à Ploumor, vers 1943 : ils avaient tous caché leurs bicyclettes dans les champs pour éviter qu'elles ne soient réquisitionnées par les Allemands, n'en laissant dans le garage qu'une ou deux vieilles et cassées ; ce nigaud de Philippe, pas trop futé pour ses douze ans, est allé faire du zèle auprès de l'officier : « M'sieur, y en a d'autres, là-bas, dans les herbes, des vélos. » L'appartement de Brest étant réquisitionné, Louise a emmené sa famille à Ploumor : la maison aussi avait été réquisitionnée. Là encore, ils ont fait preuve de ruse : lors d'un renouvellement des équipes, les Allemands qui occupaient leur maison étant partis quelques heures avant l'arrivée de leurs remplaçants Louise et les enfants sont retournés s'installer chez eux ; quand les nouveaux Allemands ont débarqué le soir avec le papier portant leur adresse, ils ont joué les innocents : « Il doit y avoir une erreur, on n'a jamais bougé de chez nous ; c'est sans doute de l'autre maison qu'il s'agit, là-bas, au bout de l'avenue : elle est vide. » Quand, par un hiver glacé, la belle Louise, mourant de froid, envoie Jean et Philippe frapper à la porte des voisins occupants pour leur demander s'ils n'auraient pas un peu de charbon, c'est avec galanterie qu'un Allemand, le soir même, leur apporte un sac de boulets. Une guerre à incidents comiques et Allemands courtois. Le seul événement dramatique de la guerre de papa, c'est sa fracture du rocher en 1944, alors qu'il allait chercher sa mère à la gare de Crozon. Chute de vélo. La fracture du rocher, on en meurt ou on en reste idiot, comme nous le répétons joyeusement dans la cour du lycée : «Et il n'en est pas mort!»

Ce qui compte, c'est sa guerre à elle. Pas celle de son père qui a passé ces quatre années dans un camp de prisonniers. Officier, il est bien traité et reviendra très content, ayant profité de ce temps pour lier des amitiés, se cultiver et apprendre l'allemand. Sur mon grand-père, je ne sais pas grand-chose. Maman ne parle guère de son père. Elle tient de lui son visage allongé dont elle dit que la forme résulte de l'usage des forceps. Grand, blond, aryen, un très bel homme.

La brune et toute petite avocate d'un mètre cinquante épouse à vingt-trois ans son idéal physique. Une nuit, Simone Levy rentre chez ses parents à trois heures du matin, ayant de beaucoup dépassé la permission accordée ; ses chaussures à la main, elle se faufile sans bruit, mais ils l'attendent dans le salon, graves, furieux même, assis des deux côtés du guéridon sur lequel se trouve un vase en porcelaine de Bohême, sa mère obèse, championne de France de bridge, qui ne plaisante pas avec les règles, et son père à la grosse moustache noire qui travaillera bientôt avec Léon Blum : ils attendent une explication. Leur fille déclame sur un ton grandiose, qui se passe de tout autre commentaire : «Je me suis fiancée avec André Martinet!» Cinquante ans plus tard, en prononçant cette phrase, grand-maman reproduit le ton théâtral, très Sarah Bernhardt, sur lequel elle l'avait proféré. Elvire naît deux ans plus tard, en 1933, l'année de l'arrivée au pouvoir de Hitler, puis Nicole en 1939. Avant la guerre, André Martinet travaille dans la publicité pour le journal fasciste *Gringoire*. Il faisait de la publicité, pas de la politique, dit maman en s'étonnant seulement de l'ironie du sort : que son blond aryen

123

de père ait pu recevoir son salaire d'un journal vouant aux gémonies les êtres de la race de sa mère. Après la guerre, il travaillera pour *Marie Claire*. Bel homme et parfait gentleman, il plaît aux femmes. Tout ce que sa femme obtiendra de lui sera de ne pas divorcer. Après dix ans de lutte, elle finira par l'emporter : c'est avec elle qu'il restera et non avec cette femme avec qui il a eu une liaison de dix ans. Il n'y a jamais eu d'amour physique entre ses parents, dit maman : sa mère a tout ignoré du plaisir. Son père meurt d'un cancer de la vessie en 1965, et Simone, à cinquante-sept ans, reste seule.

On a grandi dans les années soixante et soixante-dix. Papa effectue son stage de l'ENA en 1958-59 en Algérie, et c'est là que maman le rejoint juste après leur mariage hivernal. À la maison, on n'entend pas parler de l'Algérie. Ni de mai 68. Ni de la guerre du Vietnam. Ni de la guerre froide. Un peu d'Israël, parce qu'elle se sent avec ce pays un lien de sang forgé par la guerre. De Gaulle est le héros de la Résistance, le héros de la guerre de maman : on ignore tout de son rôle dans la Quatrième République. Pour nous l'histoire commence en 1933, l'année de l'arrivée au pouvoir de Hitler, et s'arrête le 19 août 1944, jour de la libération de Paris ; ou plutôt en 1945, quand les premiers Américains sont entrés dans les camps.

On est les enfants de notre mère, qui est la fille de sa mère, qui est juive. Maman n'a pas de religion, ni grand-maman. C'est une famille parisienne et athée depuis des générations. Dans cette famille le mot juif n'a jamais été prononcé jusqu'en 1940. Simone Levy-Martinet a découvert par les lois de ségrégation qu'elle était juive, quand on a poinçonné le mot JUIF sur sa carte d'identité et qu'elle a dû porter l'étoile jaune. Elle est devenue juive. Et c'est comme ça que l'histoire est entrée dans la vie d'une petite fille parisienne de sept ans.

Nous, ses enfants, grandissons sans comprendre qu'on puisse ignorer cela, le massacre de six millions de juifs par les Allemands, le rôle que jouent les Français dans l'antisémitisme, et le peu de gloire de la France pétainiste. Maman crie haut et fort qu'elle ne veut pas qu'on célèbre la fête des mères : c'est Pétain qui a institué ce rituel. Travail, famille, patrie. Elle dit son horreur de la famille, de toutes ces saintes institutions qui conduisent au massacre de six millions. Dans notre bibliothèque à la maison il y a un gros livre avec des photos prises par les Américains au moment de la découverte des camps : corps décharnés dont sortent les os du coude et des tibias, fosses où s'entassent des squelettes et des cadavres nus, charniers. Sur la couverture, on voit un visage derrière des barbelés, d'une maigreur inhumaine, avec des yeux saillants, trop grands pour le visage vidé de sa chair. Nous savons qu'ils sont transportés dans des wagons à bestiaux, que ceux qui survivent au transport sont sélectionnés à l'arrivée et que les enfants, les vieillards et les femmes sont envoyés aux douches, sauf celles que les SS gardent pour leurs plaisirs et les médecins pour leurs expérimentations. Nous connaissons le nom du docteur Mengele. Nous savons qu'un des seuls moyens de survivre, c'est d'avoir pour tâche d'enfourner les cadavres fraîchement gazés, parmi lesquels il arrive qu'on reconnaisse sa femme, sa mère ou son enfant. Nous savons qu'ils récoltent les cheveux pour en rembourrer des oreillers, la peau pour en faire des abat-jour ou du savon, les dents en or et les alliances pour les fondre. Nous savons tout sur la rafle du Vél' d'Hiv en juillet 1942, sur le ghetto de Varsovie, sur la révolte de Treblinka. Nous savons que Laval a fait du zèle et envoyé se faire gazer même les enfants que les Allemands n'avaient pas réclamés. Nous savons que des milliers de survivants des camps de la mort sont achevés, ultime ironie de l'histoire, par la nourriture que leur donnent les Américains venus les libérer et que leur estomac trop faible ne peut pas digérer. Elle nous fait lire Isaac Bashevis Singer, Chaïm Potok, *Exodus*, et, un peu plus tard, *Réflexions sur la question juive* de Sartre, *Si c'est un homme* de Primo Levi, *Le sang de l'espoir* de Samuel Pisar. Nous avons le droit de voir à la télévision les films sur la guerre et surtout sur les camps : *Lacombe Lucien*, *Le chagrin et la pitié*, et, chaque semaine, *Holocauste*, la première et la seule série américaine télévisée qu'elle nous autorise à regarder. Maman n'aime pas les Allemands. C'est plus fort qu'elle. Si Anne et moi faisons allemand première langue, c'est pour que nous soyons dans la meilleure classe : elle sacrifie à notre intérêt scolaire son sentiment le plus intime.

L'histoire s'arrête en mars 43. Des coups violents frappés à la porte réveillent Elvire en sursaut, à l'aube, dans la chambre sur cour qu'elle partage avec sa sœur de trois ans, Nicole, dont le sommeil n'a pas été troublé par le bruit. Elvire saute de son lit et se précipite pieds nus dans le couloir où elle rencontre sa mère, qui a pris le temps d'enfiler ses mules et son peignoir. On frappe du poing et du pied aux deux portes, celle de l'entrée principale et celle de la cuisine. « Cette fois-ci, dit Simone en secouant la tête, je sais pourquoi ils viennent. » Elle ouvre d'abord la porte d'entrée, puis celle de la cuisine. « Vous faites du zèle ! » dit-elle au policier à la porte de service. « Nous avons l'ordre de vous arrêter, vous et vos filles. — Certainement pas mes filles. — Si, madame, c'est écrit là, voilà l'ordre. » Le plus gros des deux, celui qui frappait à la porte principale, lui tend un papier, auquel elle jette à peine un coup d'œil. « Il y a erreur. Leur père est aryen. — Mais vous, vous êtes juive. — Moi ? Vous le savez bien, c'est pour ça que vous êtes là ! Mais leur père est aryen, je vous dis, et prisonnier de guerre. Vous ne les emmènerez pas. De plus elles sont baptisées. »

Debout derrière sa mère, figée au milieu du couloir, Elvire assiste au cauchemar. Sa mère est juive, elle le sait. Sur la carte d'identité de sa mère le mot est poinçonné dans la partie supérieure : JUIF. Ainsi, le mot ne peut pas s'effacer. Pas moyen de tricher. Mais sa mère n'a jamais essayé de tricher. Elle porte l'étoile jaune en feutre sur ses manteaux, ses vestes, et même sa robe d'avocat. Elle a raconté à Elvire comment, l'autre jour, quand elle est entrée dans la salle d'audience avec l'étoile jaune sur sa robe, le président, le procureur et même l'avocat de la partie adverse se sont levés. « Pour saluer mon courage, tu comprends. Il n'y a plus beaucoup de juifs qui refusent de se laisser faire aujourd'hui ! Moi, je me suis battue et j'ai gagné légalement le droit de travailler. » Elvire était tellement fière qu'elle n'a pas pu s'empêcher de raconter l'histoire à son amie Jacqueline, alors qu'elle sait qu'on ne doit pas parler de ces choses. Et maintenant les gendarmes sont là pour les arrêter.

Les deux policiers regardent, embarrassés, la toute petite femme en peignoir dressée sur ses mules à talons, qui leur fait front. « On peut voir les certificats de baptême ? » demande le gros, pris d'une inspiration soudaine. « Ils sont à la banque, répond Simone sans une hésitation : c'est là que leur père a laissé les papiers importants. » Ils se grattent la tête. Ils ont un ordre clair, mais cette femme a l'air sûr de son fait. Si les filles sont vraiment aryennes et baptisées, ils risquent de livrer aux Allemands deux petites Françaises. Le plus jeune et le plus maigre, qui n'a encore rien dit, regarde le cou d'Elvire et pousse du coude son collègue : « Regarde, la petite n'a pas de médaille. » Leurs regards sont fixés dans l'entrebâillement de la chemise de nuit d'Elvire. « Elles sont à la banque aussi, reprend calmement Simone. Par les temps qui courent, on ne garde pas d'or à la maison. — Tu connais ton Notre Père ? Récite-le », demande le gros policier à Elvire, qui éclate en sanglots et se précipite dans les jambes de sa mère. Simone soutient leur regard accusateur. « Elle est à peine réveillée, vous la terrorisez ! Elle a récité son Notre Père tous les soirs avec son père avant qu'il soit fait prisonnier. Puisque je vous dis qu'il y a erreur ! Appelez votre chef, vous verrez. Le téléphone est là », ajoute-t-elle en désignant du menton une porte ouverte au bout du couloir. Ils la suivent dans son bureau.

Ils n'ont pas le choix. Ils ne font pas le poids face à cette petite femme d'un mètre cinquante qui est un morceau de fer. Née prématurée, à six mois, en 1908, à une époque où il n'y avait pas de couveuse, elle survit malgré les pronostics des médecins. Quand elle a six ans, son frère aîné meurt de la fièvre typhoïde. En dehors des maladies infantiles qui ne l'affaiblissent que pour quelques jours sans mettre en danger sa vie, Simone ne sera jamais malade : pas un rhume, pas une grippe, pas une indigestion. Elle n'a pas hérité la corpulence physique de sa mère championne de bridge, mais sa force morale. À vingt ans, elle est avocate et travaille comme clerc d'avoué. À vingt et un ans ses parents lui achètent une voiture, à une condition : qu'elle les conduise à la campagne le dimanche. Sa voiture la rend populaire ; il n'y a pas beaucoup de jeunes filles qui conduisent leur propre voiture à Paris en 1929. Elle s'installe avec son amie Bella comme avocate agréée au commerce. En 1942, quand l'État promulgue que les juifs n'ont plus le droit de travailler, elle fait un procès à l'État français, en utilisant un argument technique : elle est femme de prisonnier de guerre autant qu'elle est juive ; la convention de Genève protège les femmes de prisonniers de guerre, et le droit international l'emporte sur le droit national. Elle gagne son procès. Les clients se faisant rares, elle se présente le 24 décembre 1942 chez maître Floriot, qui cherche une assistante. Elle plaît. «Vous commencez demain. — Demain ? C'est Noël, dit la juive athée. — Et alors ?» Chez Floriot, pas de jour où l'on chôme.

Assis dans le fauteuil de Simone, le gros policier passe un appel. Il parle à quelqu'un, puis, après une attente, à quelqu'un d'autre à qui il explique l'imprévu : une mère juive mais un père aryen, prisonnier de guerre, qu'est-ce qu'on fait des petites ? Ils reçoivent l'ordre de ne pas les emmener. «Ah, vous voyez», dit Simone. Elle leur demande d'attendre : elle doit prendre son bain.

Tandis que Simone s'habille, Elvire fixe des yeux sa mère comme pour l'absorber tout entière. Elle la regarde enfiler ses bas, attacher un à un les boutons de nacre de son chemisier, faire glisser la fermeture Éclair de sa jupe grise, attacher devant le miroir, les deux coudes en l'air, son collier de perles, passer un peu de poudre sur ses joues et un trait de rouge à lèvres, frotter ses lèvres l'une contre l'autre. «Tu es belle, maman.» Simone lui jette un coup d'œil surpris. «Tu es là, toi ? Où sont tes chaussons ? Tu vas attraper froid.» Elle sort du placard une valise, l'ouvre sur le lit, y plie quelques affaires.

Elvire suit du regard chacun de ses gestes, la gorge nouée, incapable de poser la question qui l'obsède : « Quand est-ce que tu vas revenir ? »

Simone passe dans le bureau. « Je suis prête mais j'ai quelques coups de fil à passer. Veuillez m'attendre dans le couloir ou dans le salon. » Ils rouspètent : ils sont là depuis une heure et demie, le chef les attend, comment est-ce qu'ils vont expliquer ce retard ? « Il faut quand même que je dise au revoir à mes amis, enfin. » Vêtue de son tailleur, coiffée et maquillée, elle a encore plus d'autorité. Elle est toute petite mais c'est une grande dame. Elle les accompagne dans le salon, les fait asseoir sur le canapé, et entre dans son bureau par la porte communicante qu'elle ferme derrière elle. Elvire l'a suivie. Elle écoute. « Non, pas des miliciens, des policiers, képi bleu... Oui, la cuisine aussi... Ils font du zèle, ça, tu peux dire ! Au commissariat du seizième, j'imagine... Julienne est en haut... Elvire est réveillée... D'accord. » Quand Simone parle à des collègues, il n'est pas question de Julienne et d'Elvire. Enfin elle se lève. Elle sort du bureau avec sa valise, enfile son manteau, met son chapeau. On entend une porte s'entrebâiller. D'un geste instinctif, les deux hommes mettent la main sur la crosse de leur pistolet. Mais c'est un bébé qui fait son apparition, une petite fille toute ronde avec des cheveux châtains bouclés, les yeux plissés de sommeil et le pouce dans la bouche, si mignonne que le grand maigre ne peut s'empêcher de lui sourire. Elle leur montre sa poupée. Simone prend dans ses bras sa petite dernière et l'embrasse. Elvire s'est retransformée en fontaine et s'agrippe à sa mère. Les policiers ont ouvert la porte et appelé l'ascenseur. Simone embrasse Elvire. « Va mettre tes chaussons. Dis à Julienne de vous cuisiner en purée les rutabagas à gauche de l'évier. N'oublie pas. Révise bien tes mots pour la dictée de demain ; je compte sur toi. » Un gros sanglot s'échappe d'Elvire. « Maman ! — Calme-toi. Je vais revenir bientôt. — Quand ? — Très très bientôt », répond Simone, dont la voix est couverte par celle du gros flic qui s'exclame avec un ricanement : «Ça, pas de sitôt!»

Il est dix heures. Nous sommes dans la petite maison des parents, à Ploumor, autour de la table en bois noire pliante achetée par papa chez Habitat, qui, ouverte, ne laisse pas l'espace de circuler dans la pièce.

«Je comprends, dit Anne en regardant maman avec tendresse, ça a dû être horrible, je peux imaginer ce que tu as vécu, ce que tu as ressenti. — Horrible, horrible! Je me rappellerai toujours les mots de ce flic : "Ça, pas de sitôt!" Tu te rends compte? — Quelle horreur…, dit Anne en frémissant, les yeux humides. — Tu comprends comment ça a pu conditionner toute ma relation à ma mère! Pourquoi je n'ai jamais pu la quitter! J'avais peur dès que j'étais loin d'elle. Je n'ai plus cessé d'avoir peur. — Pour une petite fille, reprend Anne, voir sa mère arrêtée par des policiers, voir des policiers entrer chez soi, c'est abominable. C'est… c'est toute la protection qui s'écroule, le monde qui… — Absolument! La fissure, la faille, l'abîme! — Tu savais ce que grand-maman risquait? — Pas précisément. Elle ne le savait pas elle-même et c'est pour ça qu'elle a continué à travailler. Tu comprends, elle croyait à la légalité. On était inconscients. On se doutait quand même. On savait que les juifs étaient envoyés quelque part en Allemagne. On croyait que c'étaient des camps de travail, on ignorait l'existence des chambres à gaz, mais on avait peur. — Et quand les miliciens ont emmené grand-maman tu as eu peur de ne plus jamais la revoir? — Ce n'étaient pas des miliciens mais des policiers normaux, intervient papa. — Miliciens, policiers, quelle importance! Ils étaient français, c'est ça qui compte. — Miliciens ou policiers, ce n'est pas pareil. Utilise le terme exact, s'il te plaît. — Des policiers, si tu veux. Peur, tu me demandes si j'ai eu peur? reprend-elle avec feu en se tournant vers Anne : j'ai eu abominablement peur. J'ai pensé que c'était fini, qu'elle allait mourir. Comment veux-tu que j'aie pu vivre normalement après ça! C'est quelque chose que je n'ai jamais pu oublier. »

130

Anne regarde maman, et dans ses yeux bleu clair rendus encore plus lumineux par le contraste avec sa peau qu'ont dorée des mois d'exposition au soleil, transparaît tout l'amour et la compassion possible. Elle sait de quoi sa mère parle. « On n'oublie pas, c'est vrai. Même si on n'y pense pas, ça reste là et c'est... une douleur... c'est inscrit dans la chair. »

Je dis : « Mais grand-maman est rentrée le jour même, non ? — Oui. À midi. Elle a été libérée juste avant que passe le panier à salade qui l'aurait envoyée au centre de triage. De là c'était Drancy, le train pour l'Allemagne, les camps : on n'en entendait plus parler. — Mais précisément, dis-je, elle a pu se faire libérer : ça fait une différence, quand même. — Oui, mais je n'ai plus cessé d'avoir peur. J'avais compris qu'on pouvait arrêter maman, que ça pouvait recommencer, que... — Tu avais perdu ta sécurité, l'interrompt Anne ; tu sentais que ta mère n'était pas invincible, qu'on pouvait te l'enlever... — Exactement. Ensuite elle nous a envoyées à Mèves et je ne l'ai plus revue pendant un an. — Vous êtes parties dès le lendemain ? demande Anne. — Non ; elle nous a fait baptiser tout de suite... — Ah, vous n'étiez pas baptisées ? — Non, tu penses ! Elle avait menti avec beaucoup de sang-froid. Mais pour nous envoyer chez mémé elle a attendu la fin de l'année scolaire. Elle voulait que je finisse mon année. Rien ne comptait plus pour maman que les études. Quand j'y pense, elle est folle d'avoir attendu si longtemps. On aurait pu nous arrêter à n'importe quel moment. Je ne sais pas d'où elle tirait sa confiance. L'année suivante, des miliciens ont débarqué chez elle un matin : elle avait été dénoncée. Des miliciens, cette fois-ci. Ils ne l'ont pas arrêtée. Maman n'a jamais compris pourquoi. Ils sont repartis après avoir vérifié qu'elle était là. C'est après qu'elle a commencé à dormir chez des amis. »

Anne regarde sa mère avec tendresse, secoue la tête. « Qu'est-ce que tu as dû souffrir ! Tu avais des nouvelles de grand-maman quand tu étais à Mèves ? — Elle écrivait de temps en temps, des lettres codées, évidemment. Elle disait que tout allait bien, mais je savais qu'elle ne dormait plus à la maison et qu'elle était menacée. J'avais tellement peur que la nuit, pour m'endormir, je devais me glisser contre Nicole et écouter son cœur battre. Ma peur de la mort a commencé quand j'avais dix ans. Vivre dans cette peur, comme ça, pendant des mois, tu comprends, et puis surtout ce matin-là où les policiers sont entrés chez nous pour arrêter maman, c'est ce drame qui explique toute ma vie, tout, ma relation avec ma mère, mes peurs. »

Elle ramasse les assiettes et vide les restes dans la sienne. Papa suit ses gestes du regard, pour vérifier que rien ne tombe par terre. Anne, assise du côté de la cuisine, l'aide.

« Tu as l'air de dire, dis-je d'une voix hésitante en levant la tête vers elle, que ce traumatisme te distingue de toutes les femmes de ta génération... » Elle s'arrête, un plat dans la main, contente que le sujet soit relancé. « Absolument. C'est ça qui fait que je n'ai jamais pu me séparer de ma mère. Parmi les femmes de ma génération que je connais, il n'y en a aucune qui ait eu une relation avec sa mère comme moi avec maman, aussi fusionnelle, avec un tel sentiment de culpabilité. — Mais quand même, tu n'es pas la seule petite fille dont la mère a été arrêtée pendant la guerre, ou qui a été séparée de ses parents pendant la guerre. »

Maman me regarde avec, au coin de l'œil, un éclat dur. « Je n'ai pas dit que j'étais la seule. — Tu as eu beaucoup plus de chance que de nombreux autres enfants, puisque tu as vu grand-maman arrêtée rentrer à la maison le jour même. — Sans doute. Mais ça ne change rien au fait que j'ai vécu pendant un an et toute ma vie ensuite avec ces mots dans ma tête : "Ça, pas de sitôt !" — Enfin ça fait une différence, quand même, que grand-maman n'ait pas été envoyée dans un camp. Il y a plein d'enfants dont les parents ont été envoyés en camp de concentration et qui n'en sont pas revenus. — Je n'ai jamais dit le contraire. — Quand tu dis que c'est cette scène de mars 43 qui a conditionné ta relation avec ta mère et qui a structuré toute ta vie, ça me paraît exagéré. — Ah bon, répond-elle sur un ton ironique et hostile ; ça te paraît exagéré. — Marie sait tout mieux que tout le monde, ajoute papa sur le même ton. — Ça, c'est vrai», renchérit Anne sans méchanceté, en pouffant de rire.

«Il faudrait quand même relativiser, dis-je. Si l'arrestation de grand-maman pour une demi-journée a causé un tel traumatisme, que diras-tu pour une petite fille dont la mère n'est jamais revenue? D'ailleurs j'ai l'impression que les juifs dont la famille a disparu dans des camps de concentration ne parlent pas facilement de cette période. Quelque chose dont on ne peut même pas parler, c'est vraiment un traumatisme. — Il n'y a pas de loi, rétorque sèchement maman. Il y en a qui expriment et d'autres qui refoulent. — Parfois, quand tu parles de cette époque, j'ai l'impression que tu regrettes presque qu'il ne te soit pas arrivé quelque chose de plus grave.»

En train de vider les déchets dans la poubelle sous l'évier, elle suspend son geste et me regarde. Anne tourne la tête vers moi en écarquillant les yeux. «C'est absurde! s'exclame papa. Cesse de dire des conneries. Tu insinues que ta mère aurait voulu que Simone soit envoyée dans un camp et n'en revienne pas? — Maman, dis-je en la regardant, sans répondre à papa, je ne sais pas si tu t'en rends compte mais tu parles de cette histoire de plus en plus souvent depuis la mort de grand-maman. J'ai l'impression que tu as besoin de fabriquer un récit, pour quelles raisons je l'ignore... — Absolument pas. La mort de maman n'a rien changé. J'ai toujours parlé de cette histoire. J'ai toujours été obsédée par la guerre. Tu racontes n'importe quoi.»

Ses yeux brillent. Je connais l'éclat allumé au coin de son regard : au-delà de la colère, il y a quelque chose qui ressemble à de la curiosité. Je sais qu'elle est ouverte à toutes les hypothèses qui lui permettent de mieux se connaître. Je sais même qu'elle est, au fond d'elle-même, d'accord avec moi.

«Est-ce que tu cherches à dire, demande papa avec une moue indignée, que ta mère n'a pas été traumatisée par la guerre?»

Il me regarde d'un air accusateur. Pour mettre en doute une évidence telle que la souffrance de maman pendant la guerre et le traumatisme dont elle a été victime, il ne faut rien de moins que le manque de générosité d'une fille hostile à sa mère.

Regardant maman, je reprends : «Je me demande s'il ne s'agit pas d'un souvenir-écran. — Nous n'avons que des souvenirs-écrans», réplique-t-elle d'une voix dure, avec, dans les yeux, le même éclat curieux. Mon père me jette un regard sans aménité. «Que sais-tu de la guerre? Il est évident que c'est ça qui a décidé de toute la relation entre ta mère et ta grand-mère, tu ferais mieux de te taire. — Marie ne sait que critiquer», dit maman.

Elle donne quelques coups de fourchette énergiques et bruyants contre l'assiette pour faire tomber les arêtes dans la poubelle. «Maman, à propos, ton saumon était délicieux, cuit à point, dit Anne. — C'est vrai? Ah, tant mieux, je suis bien contente. — Le poissonnier m'a donné un beau filet ce matin, je ne me suis pas fait avoir, reconnaît papa avec un hochement de tête satisfait. — Oui, c'était délicieux, dis-je. — À propos, demande Anne, comment est-ce que grand-maman a été libérée?» Maman se trouve vers elle : «Le téléphone a sonné au commissariat du seizième arrondissement une minute avant que ne parte le panier à salade pour le centre de triage. Un coup de fil de l'UJIF. — De quoi? — L'UJIF. L'Union des juifs de France. — Mais non, intervient papa en fronçant les sourcils. C'est l'UGIF avec un G : l'Union générale des israélites de France. Et comment peux-tu dire ça? Tu n'en as aucune idée. — Mais si. Il y a eu un coup de fil au commissariat à midi et maman a été libérée juste après! C'est elle qui me l'a dit! — Mais comment sais-tu que c'était un coup de fil de l'UGIF? — C'est évident, personne d'autre n'aurait eu le pouvoir de la faire libérer, comment veux-tu? Et maman avait appelé une avocate de l'UGIF qu'elle connaissait avant de quitter l'appartement le matin. — Mais comment le SAIS-tu? — Je ne le sais pas en toute certitude, d'accord, c'est une supposition. — Alors ne l'affirme pas comme une vérité. — Écoute, ça n'a pas beaucoup d'importance, l'important c'est qu'elle a été libérée. — Comment, pas d'importance! C'est une question de vérité historique! — D'accord, d'accord. »

Ce n'est pas la première fois que j'entends maman raconter cette histoire. Mais il y a quelque chose que j'ignore.

«Maman, comment est-ce que l'UGIF pouvait faire libérer un juif qui avait été arrêté chez lui le matin même? — Par un échange. — Un échange? — Oui. Ils échangeaient un juif français contre un juif étranger. — Tu veux dire que grand-maman a été libérée parce qu'un juif étranger a été livré aux Allemands à sa place? — Probablement.— Mais c'est abominable! — Oui, abominable. Maman a eu beaucoup, beaucoup de chance. »

À mesure que les années passent, maman parle de plus en plus de la guerre et de ce matin de mars 43. Un soir, à Paris, ils viennent dîner chez moi avec un couple de mes amis. Mon amie est originaire de Sarajevo alors en guerre, où ses parents habitent encore; elle ne les a pas vus depuis le début de la guerre et je sais qu'une de ses cousines, proche amie d'enfance, est morte récemment sous une bombe. Quand maman commence à parler de la Seconde Guerre mondiale, je dévie la conversation sur l'exposition de photos de Sarajevo ravagée par la guerre, à Beaubourg : la Bibliothèque nationale n'est plus qu'un dôme troué, brûlé. Maman comprend mon intention et pose à mon amie des questions sur ses parents. Mais la conversation retourne bientôt à son passé qu'elle raconte avec un enthousiasme rafraîchi par le vin et l'attention de son auditoire. «Quand les policiers ont frappé à la porte, des Français, pas des Allemands : moi je l'ai su bien avant que tout le monde en parle à cause du procès Touvier que la France est coupable et que les Français sont des antisémites. Ce sont des Français qui ont arrêté ma mère. J'ai demandé quand elle allait revenir et l'un des policiers a répondu en ricanant : "Ça, pas de sitôt!" Vous vous rendez compte! J'avais dix ans.

Quand la porte s'est refermée, j'ai cru que j'allais ne jamais revoir ma mère. J'ai cru que je l'avais perdue. »

Je me lève et ramasse les assiettes. J'évite de regarder maman. Elle m'irrite. Je n'ose imaginer ce que mes amis doivent penser de son égocentrisme. Elle n'a pas laissé s'exprimer le mari de mon amie, qui, français, a fondé une association pour venir en aide aux habitants de Sarajevo et part là-bas trois ou quatre fois par an depuis le début de la guerre. Ma grand-mère a sauvé sa peau, mais qu'a-t-elle fait pour lutter contre le nazisme et défendre la démocratie ? Dans quels actes de résistance s'est-elle engagée, si ce n'est prendre son vélo pour aller plaider avec l'étoile jaune sur sa robe en toute légalité parce qu'il fallait bien gagner sa vie pour nourrir ses filles ? De quoi devrions-nous être fiers ? Si maman avait eu dix-huit ou vingt ans à l'époque de la guerre, aurait-elle pris parti ? Aurait-elle eu le courage d'affronter la mort ? Et moi ? Sommes-nous une famille prête à risquer notre vie pour des valeurs ? Il est si facile et confortable de rester dans son coin en ne faisant que ce qui est légal et de revendiquer ensuite un statut de victime, voire de héros, parce qu'il se trouve que par hasard on a été juif. Maman a soif d'héroïsme. Papa l'a déçue : le jeune et brillant énarque n'a pas eu de grande carrière. De nous, elle ne peut plus attendre grand-chose, nous sommes des adultes, les succès qu'elle pouvait s'attribuer sont passés. Il lui reste son traumatisme d'enfance. Voilà ce qui rend ma mère intéressante. Héroïne en chemise de nuit qui assiste à l'arrestation de sa mère par des hommes en képi, dont un salaud qui se moque du chagrin d'une enfant de dix ans.

Mon amie me rejoint dans la kitchenette en apportant les plats vides. « Elle me plaît beaucoup, ta mère. Qu'est-ce qu'elle est vivante ! Qu'est-ce qu'elle est drôle ! Et c'est fou ce qu'elle a vécu pendant la guerre. Je ne savais pas que vous étiez juifs ! Tu n'as pas l'air, avec tes yeux bleus et tes cheveux blonds. — Je les tiens de mon père, il est breton. Je suis désolée, maman aime beaucoup parler de la Seconde Guerre mondiale… — Désolée ? Mais pourquoi ? Je n'en peux plus de ces dîners où tout le monde se croit obligé de parler de Sarajevo et de poser toujours les mêmes questions avec les mêmes airs apitoyés parce qu'on est là ! Ça fait trois ans que la situation ne change pas là-bas, et à chaque dîner c'est pareil ! Non, j'aime beaucoup entendre ta mère parler. C'est une période que je ne connais pas du tout, la Seconde Guerre mondiale en France. Ta grand-mère était avocate, dis donc ! Elle a l'air d'avoir été une sacrée bonne femme. Et puis ta mère raconte vraiment bien les histoires, c'est plein de suspense, on voit que tu as de qui tenir. »

Maman ne peut pas supporter qu'on mette en cause l'unicité de la Shoah : il n'y a pas d'horreur égalant cette volonté systématique de détruire une race. Il n'existe aucun équivalent à cause de l'énormité du mensonge et de la déterritorialisation de la destruction. Jusque-là, on avait toujours détruit les ennemis parce qu'ils occupaient un territoire : il y avait donc, même dans les meurtres les plus froids, un fond de passion. Il s'agissait de défendre une religion, une terre, un pays, une idéologie. Mais la Shoah est une destruction abstraite qui ne s'effectue au nom de rien hormis la « pureté » de la race. C'est un mensonge géant, l'aberration de l'universalisation : on arrache les gens à leur pays, à leur terre, on les transporte en les nommant « marchandise » sur les papiers, on les envoie au centre de l'Europe, en un point où convergent le plus grand nombre de lignes de trains possible, seulement pour se faire gazer. Ils ne sont pas enregistrés, ils n'ont pas de nom, ils n'existent pas. C'est le seul grand événement du vingtième siècle. Il n'y a rien de comparable dans l'histoire de l'humanité.

L'idée qu'on puisse invoquer d'autres horreurs — le massacre des Polonais, le génocide arménien, la purification ethnique en Bosnie, les massacres au Rwanda et au Zaïre, le Goulag — lui est insupportable. D'un mot elle écarte ces massacres : n'y ont été assassinés que quelques milliers ou centaines de milliers de gens non juifs et peut-être antisémites

comme les Polonais. Elle insiste : quand on parle de Shoah, c'est de juifs qu'il s'agit et pas d'autres races, ni de Tziganes, ni d'asociaux, ni d'homosexuels ou de communistes... Auschwitz est le nom du martyre juif. Les autres n'ont finalement été tués que par hasard. Ils ne participent pas à l'horreur, n'y ont pas droit. Papa, historiquement plus exact, discute ce point : « Les Allemands avaient prévu d'éliminer plusieurs races de la surface de la terre, les juifs d'abord, les Slaves ensuite ; ils ont commencé d'ailleurs, un million et demi de Polonais juste à la fin de la guerre. » Elle se met en colère : « Mais non, mettre en avant le massacre des Polonais, c'est encore une stratégie de ces sales Polonais antisémites !
— Mais c'est un fait qu'il y en a eu beaucoup, beaucoup de tués et qu'ils étaient les prochains à disparaître si les Allemands avaient gagné la guerre ! — Mais non, comment peux-tu comparer, ce n'est rien par rapport aux juifs ! — Je ne compare pas, je te cite des données historiques ! »

Je n'entre pas dans la dicussion. Quand maman revendique ses juifs exterminés, je ne supporte pas son âpreté. Elle me donne l'impression d'un chien qui défend son os, grognant dès qu'approche une main menaçante (les Polonais, les communistes, les Tziganes), aboyant : « La Shoah, c'est les juifs ! », mordant si la main persiste dans son entreprise, et ne s'apaisant que lorsque la main ensanglantée où se sont imprimés les crocs se retire : « Mais non, je n'ai jamais nié que la Shoah c'étaient seulement les juifs, je sais, je disais seulement que, au cas où les Allemands, potentiellement... — On s'en fiche du potentiel, c'est ce qui s'est passé qui compte. »

Elle est allée à Auschwitz et Birkenau. Elle a vu les baraques. Elle a vu les planches, trois l'une au-dessus de l'autre, sur lesquelles ils dormaient, à trois ou quatre par châlit. Cinq cents par baraque, où ceux qui n'ont pas été gazés meurent. De faim. De froid. D'épuisement. De coups. D'infections. D'injections. Elle a vu les fours crématoires.

Elle a vu l'inscription de fer en demi-arc au-dessus de la porte d'entrée : « Arbeit macht frei. » Quand elle a franchi la porte, elle s'est haïe. Que son cœur n'arrête pas de battre à l'instant. Elle n'a pas pleuré. On ne pleure pas à Auschwitz. Philippe a pris une photo d'elle, devant ces mots : «Arbeit macht frei.» Elle se hait de pouvoir dire : «Ma mère est juive, ma mère a été arrêtée.» De pouvoir faire rentrer là son *je*, son petit *je* méprisable et nul, qui ne sait rien, qui n'a rien vécu. Elle sait qu'on ne s'écrie pas : «Ma mère est morte à Auschwitz» comme elle clame : «Ma mère est juive ; en mars 43 on l'a arrêtée.» Elle le clame parce que sa mère n'est jamais allée à Auschwitz. Et pourtant, elle ne peut s'empêcher de le dire. C'est la parole qui sort, à peine elle entend mentionner le mot «nazi», ou «collaborateur», ou «Vichy», ou «juif». «Comment donc, je ne connais que ça! Ma mère est juive. En mars 43 elle a été arrêtée.»

Et pourquoi ne pas le dire? Pourquoi ne pas en parler? Se taire? Entre le silence et l'oubli la différence n'est pas si grande. Voilà comment elle justifie son retour sur scène. Elle a vu *Shoah* : elle sait qu'il y a d'autres manières de dire l'indicible qui font parler le silence sans mettre en scène son *je*, par le questionnement et la répétition, sans un commentaire, de mots qui prennent soudain la dimension terrible de l'anodine haine. Elle a vu le film plusieurs fois, en projection à l'Institut Goethe, puis en cassette vidéo. «*Shoah*! Je pourrais voir et revoir ce film cent fois.» Elle ne sait pas s'absenter du tableau. C'est cela qu'elle ne peut pas supporter. Son *je* vient en premier : «Oh oui, je sais, ma mère est juive, en 43 des miliciens sont venus l'arrêter.» Elle ne pourra jamais s'aimer. La Shoah n'a pas de héros. Elle a détesté *Schindler's List*. Il n'y a pas de Schindler qui compte. Ce qu'il y a dans le *je* qui juge, qui veut faire pompe, dominer, et qui, à cette fin, doit nécessairement repousser et écraser les autres, c'est cela, le début du nazisme. C'est cela qu'elle hait en elle-même : son propre *je*, elle-même, ce dont on ne peut se débarrasser, ce *je* qui précède même la haine de soi. Auschwitz, c'est ce que peut faire chacun de nous qui dit *je*. Chaque *je* n'a d'existence qu'en empiétant un tout petit peu sur celui des autres, en piétinant un tout petit peu celui des autres. Elle porte Auschwitz en elle. Elle sait qu'on ne peut pas écrire après Auschwitz. On ne peut pas écrire puisqu'il y a eu Auschwitz et qu'Auschwitz est possible, là, en chacun de nous. Et pourtant elle dit, presque avec fierté : «Auschwitz! Mais je ne connais que ça! Pensez donc, ma mère est juive, elle a été arrêtée en mars 43!»

Elle embraie la conversation sur ces rails, même quand on ne lui demande rien. Quelque chose sort d'elle en toutes circonstances et parle de ça. Quelque chose de plus fort qu'elle. Elle prend la parole. La guerre, moi, juive, six millions, étoile jaune, ma mère, arrêtée, survécu, miracle, traumatisme. Elle parle d'elle, se met en avant. Mais ce n'est pas seulement ça. Sa parole détonne, dérange. Il y a dans ses phrases quelque chose d'excessif, d'agressif, de mauvais goût, comme une tristesse d'enterrement au milieu d'une fête, ou un éclat de rire à un enterrement.

On ne sait pas comment réagir. On écoute Elvire avec une pointe d'irritation. On commence à trouver qu'elle radote. On le sait qu'elle est juive! Il serait temps qu'elle apprenne à se conduire en société. Un peu de bienséance, s'il vous plaît. Un peu de cette bienséance qui fut sans doute celle du Gauleiter Frank qui, pendant ses dîners mondains au château de Cracovie, à Varsovie ou Berlin, ne parlait pas de ses fours crématoires : une réussite, pourtant, ces fours ; une efficacité stupéfiante ; quelle idée géniale de les avoir construits juste à la sortie des chambres à gaz, réduisant ainsi au minimum la distance sur laquelle transporter les milliers de cadavres! Mais Hans Frank est modeste et bien éduqué ; il sait quels sont les sujets de conversation appropriés aux dîners mondains. Il parlera plutôt du superbe tableau de Leonardo auquel il a réservé une exposition spéciale dans le château de Wavel, *La dame à l'hermine*, et que lui-même ne peut se lasser de contempler, un tableau étonnant, méconnu, à son humble avis, plus mystérieux et plus beau encore que *La Joconde*.

Maman, elle, ne se laisse pas détourner un seul instant de son sujet de prédilection. On n'ose pas lui dire qu'elle nous fatigue. Tant d'horreurs se commettent tous les jours : on pourrait aussi passer sa vie à pleurer. On ne s'est pas réunis pour ça autour de ce bon vin et de ce délicieux lapin à la moutarde. Elle nous les casse, Elvire, avec ses six millions — qui ne sont, d'ailleurs, que cinq millions six cent mille. On croirait qu'elle est la seule à avoir vécu la guerre et à avoir eu une mère juive — qui, entre nous, n'a même pas été déportée. On attend poliment que ça passe. C'est un sujet délicat : on peut facilement se faire traiter d'antisémite ou de révisionniste par les temps qui courent. On se tait, on la laisse occuper le terrain avec ses bataillons rhétoriques bien armés et prêts à livrer bataille. Quoi, vous faites la moue, vous hésitez à parler d'exception historique, vous contestez l'unicité de la Shoah ? Mais c'est grave !

Elle parle, questionne inlassablement, finit par entraîner tout le monde dans la conversation. C'est d'elle qu'elle parle mais ce n'est plus d'elle. Elle dit «ma» mère, mais ce possessif lui sert à introduire quelque chose qui la dépossède d'elle-même et de son *je,* quelque chose qui, enfin, la dépasse et la stupéfie : l'Histoire qui la concerne parce qu'elle se rend compte, dans sa chair, à cause de l'arrestation de sa mère en 43, que cette Histoire aurait pu être la sienne, que cette Histoire écrase et dépasse son *je* dévorant qui a le pouvoir d'écraser tous ses proches. C'est ce dépassement qu'elle dit, ce dépassement qui réduit à néant toutes nos idiosyncrasies, cette transcendance qu'elle a assez d'imagination pour concevoir et qui la stupéfie. Elle se met en avant, oui, mais c'est pour mieux disparaître, c'est pour mieux se dissoudre dans l'Histoire, mon enfant. Et sa parole est assez forte, assez vif son pouvoir d'étonnement, pour secouer le temps d'un dîner l'indifférence générale et communiquer une passion qui s'empare de la table.

Tout le monde sait que les nazis étaient de bons pères de famille et les SS gentils avec leurs chiens. Ce n'est pas d'eux que je parle. C'est de maman. C'est de moi.

Moi aussi je suis allée à Auschwitz. J'avais accompagné Alex à Cracovie où il s'était rendu pour son travail. Voyageaient avec nous un jeune collègue d'Alex, Will, un blond et souriant Américain du Midwest, et mon amie Luna. C'est à Cracovie que j'ai découvert, par hasard, qu'Auschwitz se trouvait non loin. Pour moi Auschwitz était un nom et pas un lieu réel sur la surface de la terre, certainement pas une petite ville qui, cinquante ans plus tard, ose encore porter ce nom : Oswiecim.

Seul le silence est supportable. Nous marchons tous les quatre en silence, séparés les uns des autres. Alex et moi ne nous tenons pas la main. On ne tient pas la main de quelqu'un qu'on aime, à Auschwitz. Le charmant Will dont je craignais les commentaires se tait aussi et marche à l'écart. Nous pensons. Ce n'est pas une pensée individuelle. Elle nous vient du lieu.

Quatre heures plus tard, sur la route de Prague, Will sera le premier à briser ce silence qui nous fige comme une fine pellicule plastifiée.

«When I was done with Auschwitz, I was quite depressed. It's really heavy, isn't it?»

«When I was done»? Au moment même où Will les prononce, ces mots me font grincer des dents et me donnent envie de crier. Les mots ont submergé le respect qui nous tenait encore. Auschwitz vient d'entrer dans le souvenir d'une expérience que nous avons eue. Déjà nous ne savons plus.

Au bord d'une route dans un village polonais, à onze heures du soir, nous avalons ce que nous venons de trouver dans une épicerie, pain, fromage, pommes et chocolat. Nous avons faim. Notre premier repas après Auschwitz.

«Quel choc, dit Alex. Voir le lieu, voir l'extérieur de l'intérieur, et pas le contraire comme je m'y attendais. Voir de l'intérieur le ciel, les barbelés, et l'herbe de l'autre côté. Et savoir qu'on voyait sans doute passer des paysans polonais de l'autre côté.»

Luna : «Je dois écrire. Je ne voulais pas y aller. Je savais que ce serait une obsession. Il me faut écrire pour accomplir le travail de deuil. »

Moi : « Il y a deux réactions. La première, c'est un affect d'une telle violence qu'il ne peut durer que quelques secondes ou on meurt. C'est le moment de l'identification. Après cette ouverture de l'imaginaire qui permet de vivre ça à défaut de le comprendre, tout le reste est faux. Mais il n'y a plus que le reste. C'est pour ça qu'il faut parler. C'est ça le reste : témoigner. Envoyer les gens voir Birkenau. »

Voilà. J'ai fait mon petit discours quatre heures après avoir vu Auschwitz.

Luna n'a pas d'idée du mal. Elle croyait qu'on promettait aux juifs des terres et que c'est ainsi qu'on les déportait : the Deportation Dream. C'est de cette manière que sa grand-mère toscane a été attirée par Mussolini en Sardaigne. Dans toute expérience on cherche d'abord à se retrouver, soi et les siens. Luna a été très impressionnée par notre petit voyage en Pologne. Elle pense écrire une sorte de journal de voyage autour de la différence entre Auschwitz et Birkenau : Auschwitz transformé en musée, Auschwitz où l'horreur est vue à travers une vitre, et Birkenau intact, préservé, pur. À Birkenau on n'a pas la distance de la muséification. Birkenau donne des sensations beaucoup plus fortes.

Vous voulez des sensations fortes ? Allez à Birkenau.

Moi, je n'ai rien senti à Auschwitz. Mais à Birkenau.

La voix douce de Luna, son accent chantant, sa gentillesse me hérissent le poil. Ne se rend-elle pas compte de l'inadé-quation de ses petites impressions à ce qu'a été Auschwitz ? Ne sait-elle pas qu'on ne fait pas le deuil d'Auschwitz ?

À travers la parole de l'autre qui parle d'Auschwitz, ce qui affleure n'est pas Auschwitz mais l'autre, cet autre qui dit *je*, « j'ai vu Auschwitz, je suis allé à Auschwitz », ce petit *je* secoué, ébranlé, tombé par terre, brutalement balayé par une rafale d'une inhabituelle violence, qui se relève en frottant les pans de sa veste pleins de poussière, ramasse son chapeau qui a roulé à terre, vérifie avec un regard inquiet que sa montre marche encore, et rentre comme dans des pantoufles dans ces mots commodes et confortables qui lui permettent d'exprimer ses sentiments trop lourds pour lui, d'en décharger sa pauvre petite personne, son pauvre petit étonnement pénible devant l'horreur.

C'est ça que je ne supporte pas : l'autre.

C'est le début du nazisme.

Le nazi, c'est moi. Moi qui n'aime pas ma mère.

VI

L'Amérique

À Mèves-sur-Loire, depuis le coup de fil du 19 août, Elvire attend sa mère. Mémé a beau lui dire que les trains ne marchent pas, que les automobiles sont réquisitionnées, les routes bloquées, qu'il n'y a pas d'essence, et que ce n'est pas à vélo que Simone viendra chercher ses filles, Elvire est sûre d'une chose : sa mère se débrouillera pour venir avant la rentrée des classes. En juillet 40, quand elles ont quitté Paris comme tout le monde pour descendre dans le Sud, Simone les a fait remonter dare-dare en zone occupée à la fin de l'été pour qu'Elvire puisse faire sa rentrée sans manquer un jour. Cette année, les cours reprennent le 15 septembre.

Le téléphone sonne le 11 au soir. Simone a obtenu une mission grâce à un cousin membre d'une organisation de résistance : elle a une voiture, un chauffeur, un laissez-passer.

Le 12 au matin, Elvire s'assied sur le trottoir, au bord de la route qui longe la Loire, les yeux fixés sur l'horizon. Depuis quatorze mois, elle a vu sa mère une fois, en février, quand Simone leur a rendu visite avec ses lunettes noires et sa drôle de perruque pour ne pas être reconnue et dénoncée. Maintenant il n'y a plus de risque. Elle va arriver en tant qu'elle-même, maman, Simone, maître Levy-Martinet. Elles ne seront plus séparées. Plus jamais. Elvire attend, si butée que sa grand-mère doit lui apporter son dîner dehors. Quand la nuit tombe, il faut aller dormir. Ses grands-parents la traitent de gourde : Simone n'a pas précisé quand elle arriverait; Elvire ne va quand même pas passer toute la semaine assise sur le trottoir! La petite reprend son poste à l'aube.

Elvire n'a pas été heureuse à Mèves-sur-Loire. Ses grands-parents paternels la trouvent empotée, s'énervent parce qu'elle est constipée. «Elle nous fera jamais une crotte, celle-là.» Ce n'est pas tout de bien travailler à l'école. Encore faut-il ne pas couper les bourgeons quand on taille les rosiers, et ne pas être dégoûtée par la terre humide sur le bout des doigts quand on cueille les champignons. Elle a peur de tout, cette Elvire : à dix ans, déjà une vraie Parisienne. Elle voit une souris et pousse des hurlements à vous percer les tympans. Elle est pâlotte, évidemment : elle passerait son temps à lire dans sa chambre si on ne la forçait pas à prendre l'air. Ce n'est pas comme la Nicolette, une joie de vivre celle-là, qui ramasse des pâquerettes et des coquelicots dans les prés pour faire des bouquets pour sa mémé. La grande a même peur de l'herbe, et l'odeur des vaches lui donne mal au cœur! Elvire pleurerait tous les soirs sous son édredon entre ses draps de lin épais réchauffés par la bouillotte s'il n'y avait pas tante Marie. Elle passe toutes les fins d'après-midi dans la chambre de la blonde, jolie et douce sœur de son père. Tata joue du piano, lui fait faire ses devoirs. Elvire lui parle de sa mère. Tata lui parle d'un homme qui est sans doute prisonnier dans un camp en Allemagne. Un jour, les yeux de sa tante brillent d'excitation : l'homme qu'elle aime vient de lui transmettre un message sur Radio Londres. Il y a eu un message codé dans lequel il était question d'un chat Chiffon, et Chiffon était justement le nom de son chat écrasé l'an dernier!

Quand son grand-père emmène Elvire dans sa tournée de vétérinaire, un paysan s'exclame en la voyant : «C'est votre petite-fille, monsieur Martinet? Mais qu'elle est belle, qu'elle est forte!» Forte, Elvire connaît le sens du mot. Grosse, voilà comment elle se voit dans l'œil du paysan tourangeau en 1943. À Mèves, grâce au métier de son grand-père qui se fait payer ses soins par des légumes, des œufs, des fruits, de la viande, du fromage, du beurre, on mange presque comme à Paris avant la guerre. Mémé fait des vrais gâteaux, pas des gâteaux de rutabagas et de topinambours. Elvire donne sa part à Nicole, qui, en échange, la laisse se glisser contre elle la nuit pour qu'elle puisse sentir battre son cœur.

13 septembre 1944. La petite fille de onze ans assise sur le trottoir, les yeux fixés sur le bout de la route qui file entre les peupliers, voit arriver «môman».

Le reste disparaît dans un flou dont aucune image ne se dégage. Le retour de son père? Elle n'en parle pas. Elle retrouve la chambre sur cour qu'elle partage avec Nicole dans l'appartement bourgeois de la rue de Varize, face au bureau où sa mère, en mars 43, a passé le coup de fil du salut. Elle entre en cinquième au lycée La Fontaine. Elle aime le lycée, un lieu sûr où elle n'est ni maladroite ni gourde, et où son doigt levé vers le professeur s'attire un sourire de connivence. Grâce aux bons soins de sa mère qui lui avait fait finir sa septième à Paris puis l'avait inscrite en sixième à Mèves, elle n'a pas perdu d'année. Grâce à tante Marie, elle n'a pas de retard par rapport aux autres enfants. Elle peut rapporter le soir ce qui, pour sa mère, compte plus que tout au monde : de bonnes notes. Le seul événement qui marque ces années-là, c'est la mort de tante Marie, écrasée par un camion sur cette même route le long de la Loire où Elvire a attendu sa mère. Elvire pleure. Elle en déteste encore plus Mèves.

Elle voit peu sa mère. Négligée par son mari, Simone rentre tard du bureau et repart aussitôt pour un dîner, une partie de bridge, un spectacle. Elvire grandit dans un appartement solitaire. Julienne qui ne l'aimait pas est repartie pour Mèves, mais la bonne qui la remplace est pire : Marinette boit et, l'haleine avinée, insulte Elvire en la traitant de pute. Nicole, plus maligne que sa sœur, se réfugie chez une amie au quatrième étage. Elvire se plaint à sa mère, mais Simone ne veut pas renvoyer Marinette dont la cuisine plaît à son époux.

Elvire passe son bac. Quelques mois plus tôt, elle est rentrée avec une grande nouvelle : meilleure élève de sa classe en anglais, elle a été choisie, dans le cadre du plan Marshall, pour passer un an dans un lycée américain. Ses parents sont extrêmement fiers. L'Amérique ! À dix-sept ans ! Le continent où tous les Français rêvent d'aller. Même Nicole le proclame à ses amies : « Ma sœur part en Amérique ! » Fin août 1950, Elvire prend le bateau pour l'Amérique avec une valise pleine d'idolaxil, ce laxatif sans lequel elle ne pourrait pas vivre.

Quand Elvire arrive à Emma Willard Highschool après une semaine de voyage, elle a à peine le temps d'admirer les bâtiments de pierre dispersés dans les vastes espaces verts qu'on l'envoie passer une visite médicale. Son poids ne correspond pas à sa taille : elle doit perdre dix livres. Le docteur la met au régime. « On diet » : c'est la première fois qu'elle entend le mot. Elle est éberluée : les Américains ignorent-ils qu'en Europe on se nourrit seulement, depuis dix ans, de rutabagas et de topinambours ? N'ont-ils aucun sens de la réalité ? Ce sont eux, pourtant, qui ont libéré l'Europe, la France, Paris. C'est grâce à eux qu'elle a retrouvé sa mère. Ce sont ces Américains libérateurs qu'elle est venue découvrir. À Emma Willard Highschool, on dirait qu'il n'y a jamais eu de guerre en Europe. Les filles avec qui parle Elvire semblent à peine au courant. Elles ne connaissent pas le nom de Hitler. Leurs seules préoccupations concernent la robe qu'elles mettront pour la surprise-partie du samedi soir où viendront les garçons du lycée voisin. Les questions qu'elles lui posent portent sur la mode parisienne, les chapeaux, les bas et les soutiens-gorge. Elles n'ont lu aucun des livres qui passionnent Elvire depuis son adolescence : Mauriac, Camus, Gide, Malraux. Les cours lui donnent l'impression de se retrouver en sixième. La bibliothèque ne contient aucun livre qui l'intéresse. Heureusement, Sartre a fait une tournée de conférences en Amérique en 1947 : le professeur de philosophie a entendu parler de l'existentialisme. Sans les quelques conversations qu'elle a avec cette femme, Elvire deviendrait folle. Pour se distinguer dans cette école, il faut danser bien ou exceller en sport. Elvire n'a aucun sens du rythme, ne sait pas quoi faire de son corps, déteste le sport que sa mère ne l'a jamais obligée à pratiquer puisqu'il ne contribue pas, en France, au succès scolaire. À Emma Willard non plus on ne la force pas à faire du sport, mais elle se retrouve vite à l'écart : la Française qui se balade seule, l'air maussade, un livre en main.

Elvire est ébahie par cette découverte qui fait lentement son chemin en elle : ce pays de la liberté est un pays où il est impossible de penser quelque chose que les autres ne pensent pas, de déroger aux codes. Si l'on accepte sa différence, c'est seulement parce que, dès le début, on l'a étiquetée comme la Française. Elvire ne sait pas contrôler son humeur, sourire quand elle n'en a pas envie. À la cantine, elle éclate en sanglots. On l'envoie parler à la psychologue, qui est convaincue qu'elle souffre de ne pas avoir de « date » pour le prochain bal. Les filles qui l'ont vue pleurer s'adressent à elle avec une lointaine compassion : « Hello Elvire ! How are you ? » Elles n'attendent pas la réponse. Dès qu'Elvire tente un rapprochement plus intime, elle perçoit en face d'elle un retrait. Elle sent qu'elle fait peur. Elle avait plus de conversation avec sa petite sœur de onze ans, pourtant renfermée : Nicole au moins l'écoutait.

Une seule fille prend pitié d'elle, une New-Yorkaise juive, Naomi, qui lui pose des questions sur Paris : elle a une vraie curiosité concernant Saint-Germain-des-Prés, mais pas la guerre. Elvire se sent atrocement seule et s'ennuie à mourir dans ces collines isolées de toute ville. On dirait la répétition de l'année passée à Mèves loin de sa mère, mais une Mèves sans sa tante Marie et sans Nicole. Elle passe son temps à écrire à sa mère. Elle n'a qu'un désir : la revoir. Revoir sa mère naturellement élégante qui ne passe pas sa vie à parler de ses robes, sa mère qui a vécu la guerre, sa mère autoritaire, passionnée par son travail, ancrée dans la réalité.

Naomi l'invite à passer les vacances de Noël chez elle à New York. Sa famille n'habite pas Manhattan mais une banlieue où toutes les maisons se ressemblent avec leurs pelouses sans barrière et, en cette époque de Noël, l'absurde multitude de guirlandes illuminant leurs porches à colonnades. Les parents sont gentils, le frère aussi. Elvire reste dans sa chambre, lit. Un après-midi, elle se rend seule à New York avec, dans sa poche, l'adresse de la Compagnie Transatlantique. Elle qui n'a aucun sens de l'orientation et qui met les pieds à Manhattan pour la deuxième fois, et pour la première fois seule, réussit à trouver les bureaux de la compagnie; en rougissant, elle explique aux employés qu'elle doit rentrer en France parce que sa mère est malade; elle n'a pas l'argent pour son billet mais il suffit de télégraphier à ses parents, qui paieront. Elle raconte la même histoire à la famille de Naomi, avec une confusion qui rend encore plus maladroit son mensonge évident. Discrets, ils ne l'interrogent pas et lui prêtent même de l'argent. Elvire rentre en France avec juste la petite valise qu'elle avait emportée à New York. Elle a laissé le reste à Emma Willard Highschool, où elle n'a prévenu personne de son départ. Elle s'enfuit. Quel soulagement, quand elle entend la sirène du départ et voit le paquebot quitter le port! Elle vogue vers l'Europe. Vers sa mère.

Le comité d'accueil à Paris n'est pas à la hauteur de sa joie à retrouver le bercail. «Quelle empotée!» s'exclame son père. Nicole, qui s'était habituée à occuper la chambre seule, partage cet avis. Sa mère, furieuse, s'inquiète de savoir ce que va faire Elvire, maintenant qu'elle a perdu la moitié d'une année scolaire sans obtenir de diplôme. «Débrouille-toi pour t'inscrire en fac et ne pas perdre complètement ton année, sinon on te renvoie là-bas par le prochain bateau.»

La seule université à laquelle il est encore possible de s'inscrire en janvier est la faculté de droit: Elvire fera du droit comme sa mère. En juin, elle reçoit un petit paquet dont l'expéditeur est Emma Willard Highschool. Elle l'ouvre avec curiosité. Elle y trouve une chevalière en or avec le nom de l'école et la date gravée: ils lui envoient sa bague de lauréate, à elle partie comme une voleuse! Elle rougit rétrospectivement. Il y a, il faut le reconnaître, une générosité de l'Amérique.

Elvire fait son droit, entre à Sciences-Po grâce à la mention bien qu'elle a obtenue à la fin de la première année de droit, et prête serment en juin 1953. Elle est avocate à vingt ans comme sa mère. Elle travaille chez un avoué. Elle gagne peu d'argent. Un ancien camarade de promotion de Sciences-Po, Gérard, lui envoie des lettres intenses et passionnées. Elle aime son style, son attention pour elle, la justesse de ses analyses. Il a tout lu. Ils se promènent ensemble dans Paris. Elle se laisse embrasser.

L'amour? Elle ignore cet emportement dont parlent les romans. Elle s'est reconnue dans *La nausée* qu'elle a lue en classe de philo : il y a toujours, par-dessus son épaule, un regard narquois qui l'empêche d'adhérer à l'instant présent. C'est cela que Sartre appelle «exister». Elle est une existentialiste. Au moment où Gérard l'embrasse, elle voit, de haut, ce drôle de couple qu'ils forment. Alors même que leurs lèvres entrent en contact et qu'il croit la tenir, ce n'est pas le goût du baiser qu'elle sent, mais la culpabilité de lui échapper en pensée.

Peut-être n'est-ce, comme l'affirme Gérard qui lit en elle à livre ouvert, qu'une pusillanimité de petite-bourgeoise protégée par ses parents et soucieuse de leur plaire. Il a des certitudes pour deux. Il lui profère sa vérité et lui dicte ce qu'elle doit faire : l'aimer. Ses paroles résonnent en Elvire mais ne l'atteignent pas au cœur. Elle est ailleurs. Il y a des choses qu'elle ne peut pas dire à Gérard : par exemple, qu'elle le trouve trop petit et mal habillé. Pur préjugé bourgeois dont elle devrait avoir honte, certes; mais aussi vérité de cette fille frivole et conventionnelle qu'elle est malgré tout.

Quand il quitte Paris pour faire son service militaire, elle s'ennuie tant qu'elle se demande si elle ne l'aime pas. Ses réponses aux lettres de Gérard prennent ce ton tendre et presque enflammé qu'il attend d'elle. Il accourt à Paris, le temps d'une permission. Aussitôt le petit œil par-dessus l'épaule d'Elvire détruit l'œuvre des mois d'absence. Gérard n'a pas grandi. Les cheveux très courts mettent en valeur ce qui, dans son visage, ne plaît pas à Elvire. Elle exprime des doutes, des réticences. Il repart et lui adresse par lettre de violents reproches : elle l'a déçu. Leur amour aurait pu être beau et grand ; ils se seraient donné l'un à l'autre la force qui leur aurait permis de dépasser leurs origines, de s'enrichir infiniment l'un par l'autre. Quel dommage que l'exceptionnelle intelligence d'Elvire soit gâchée par sa mesquinerie bourgeoise, sa méfiance de l'autre, sa peur de donner, de se donner. Il l'abandonne à ses préjugés. Une autre comprendra la chance qu'il lui offre.

Elvire, pâle, lit et relit la lettre de rupture au ton apocalyptique. Il a raison. Elle n'est soucieuse que du pli de ses robes et de la taille de celui qui la courtise. Pas existentialiste. Juste abominablement bourgeoise.

Un professeur à Sciences-Po qu'elle a adoré, René Rémond, lui suggère de poser sa candidature pour une bourse Fullbright afin de passer un an à la faculté de droit de Harvard. Elvire remplit son dossier, par dette envers cette Amérique à laquelle elle a tourné le dos, et pour se donner l'air de faire quelque chose et de croire à la possibilité de changer le cours de sa vie. Rien ne se passe, à Paris, en 1954. Son travail est fastidieux. Elle ne rencontre personne. Parfois un ancien camarade de Sciences-Po l'appelle ; elle passe une soirée avec lui, s'ennuie. Elle a écrit à Gérard. Il n'a pas répondu. Elle va avoir vingt-deux ans. Elle est déjà presque vieille.

Ouvrant machinalement la lettre portant l'en-tête du comité Fullbright, elle écarquille les yeux : la bourse lui est octroyée. Elle ne crie pas de joie. Sa première pensée, c'est de déchirer son passeport. Repartir dans cette Amérique détestée ? L'idée lui fait horreur. Elle pleure parce qu'elle sait qu'elle va partir, qu'elle n'est pas capable de contrôler sa vie.

Ses parents sont enchantés. « Notre fille part à Harvard. » Voilà qui sonne bien. Il y a peu de filles, même américaines, à faire un master à la Law School de Harvard en 1955.

Le nouveau départ vers l'Amérique sur le paquebot *Liberté* n'a rien à voir avec le premier. Elvire raconte sa première aventure américaine. On l'écoute, on rit. Elle n'est plus la petite fille peureuse de dix-sept ans. Elle connaît les limites des Américains comme leur générosité. Finalement, c'est peut-être en Amérique que l'attend son destin. Ce ne peut être un hasard si elle y va pour la deuxième fois. Avec l'exaltation que l'on éprouve à retrouver des lieux déjà visités même quand on les a fuis, elle regarde à l'arrivée, accoudée au bastingage, les gratte-ciel de Manhattan se profiler sur le ciel d'azur. Elle aspire l'air chaud et poisseux de la fin de l'été. Elle se sent très Rastignac.

Un taxi la dépose à Grand Central avec ses valises. La vaste gare est sillonnée en tous sens par des centaines de gens pressés en costume. Elle ne comprend rien aux panneaux d'information. Elle s'assied sur sa valise et éclate en sanglots. Personne ne semble la remarquer. Elle se rappelle soudain ce retrait désapprobateur de l'Amérique devant les épanchements d'émotion. Qu'est-elle venue faire ici? Pourquoi avoir relevé ce défi imbécile? Un monsieur élégant d'une cinquantaine d'années s'arrête devant elle. « May I help you, young lady? » Elle lève la tête et bredouille en anglais, avec un fort accent, qu'elle est perdue. « Are you French? » Le monsieur parle français. Où va-t-elle? À Harvard, répond-elle, prête à se décharger de son insupportable solitude entre les mains de n'importe quel inconnu. Par une chance extraordinaire, ce monsieur est un professeur de sciences politiques à Harvard. Il porte la valise d'Elvire, l'installe dans le train, bavarde avec elle pendant tout le trajet. Il lui apprend que sa femme est soignée à New York pour un « nervous breakdown ». Elvire, qui n'a jamais entendu ce terme, n'ose guère poser de questions, soupçonnant que la femme du professeur est atteinte d'une mystérieuse maladie mentale. À l'arrivée à Boston, il l'accompagne en taxi à son hôtel et, le lendemain matin, vient la chercher pour la conduire au tableau d'affichage des annonces de logements. Elvire trouve presque aussitôt une « roommate » au français parfait, Jocelyn, étudiante en lettres qui rédige une thèse sur Proust. L'appartement n'a qu'une chambre, il est petit et mal meublé, mais ses murs sont tapissés de livres de la NRF au dos jaune pâle familier. Deux jours après, Elvire déjeune avec un étudiant en droit de deuxième année que lui a présenté Jocelyn. Jim lui chante l'éloge de Harvard sans lui poser une seule question sur elle, il ne lui paie même pas son ticket de cantine, il est marié et sa femme, elle aussi, est soignée pour un «nervous breakdown» : mais il est beau et bien habillé, et c'est quand même une première «date». Le lendemain soir, le professeur qu'elle avait rencontré à la gare la fait inviter à dîner chez un couple de pieds-noirs d'Alger, les Fehlman, dont le mari étudie à la Business School et dont la femme, ravie de rencontrer une Française, inspire à Elvire une sympathie immédiate. Le samedi, elle suit Jocelyn à une party. Elle n'est pas arrivée depuis une semaine qu'elle a déjà une vraie vie sociale. Harvard n'est pas une école pour filles de bonne famille perdue dans les collines. À Cambridge, parmi des gens éduqués, raffinés, qui ont lu des livres, ont le sens de l'histoire et viennent des quatre coins du monde, elle pourra vivre un an sans sa mère.

Le samedi soir, Elvire, perdue dans le brouhaha des conversations où elle ne comprend pas un mot, repère au fond de la pièce quelqu'un qu'elle connaît : l'étudiant de deuxième année, Jim. Elle se précipite vers lui. Il semble enchanté de la revoir. Lors de leur déjeuner, la conversation avait été froide, réservée, presque guindée. Des flots de paroles se déversent maintenant de leurs bouches. Jim parle de lui, de sa femme, de son couple, de ses deux enfants, quatre ans et six ans, qui vivent dans le Minnesota avec leurs grands-parents paternels, et qu'il va voir un week-end par mois. Il vit séparé de sa femme. Ils se sont rencontrés très jeunes et ne s'entendent plus depuis longtemps. Ils vont divorcer. Elvire est impressionnée. À la fin de la soirée, il s'offre à la raccompagner en voiture. Il la fait monter dans une splendide décapotable rouge. Achetée d'occasion, précise Jim, qui semble apprécier l'enthousiasme d'Elvire. Pour la première fois de sa vie, elle s'assied à l'avant d'une décapotable, à côté d'un inconnu ou presque, et traverse, la nuit, une ville déserte, comme dans un film — un film américain. Elle rit intérieurement en pensant à ce que dirait sa mère. C'est une nuit douce de la mi-septembre. Il a une conduite souple, sûre. Elle regarde les larges mains posées sur le volant. Il se gare devant chez elle, arrête le moteur, se tourne vers elle, prend le visage d'Elvire entre ses mains. Il est presque trois heures quand elle remonte chez elle en rejouant dans sa tête tous les moments de cette soirée et la stupéfiante surprise du baiser, regrettant presque que Jim ne l'ait pas prise sur les sièges rouges de la décapotable.

Elle est amoureuse. Pour la première fois amoureuse d'un homme comme elle a été autrefois, au lycée, amoureuse de professeurs femmes dont les sourires et les regards la faisaient rougir et trembler. Elle est depuis sept jours en Amérique et elle est amoureuse d'un homme, qui est beau, qui est amoureux d'elle, qui est américain. Elle est loin de papa et maman, libre. Le petit ami de Jocelyn lui rend souvent visite dans l'appartement de Mountauburn Street. Elvire y invite bientôt Jim. Elle ne peut pas aller chez Jim, qui partage une maison avec cinq autres garçons.

Quinze jours plus tard, alors que Jim est parti pour le Minnesota, Elvire rencontre Chuck, étudiant de première année à la faculté de droit. « So you're *la Française*! » Dès les premiers mots, il la fait rire. Il a un charme fou. Il est grand, beau, dans un autre style que Jim : les épaules moins larges, la mâchoire moins carrée, les traits plus fins, le corps plus svelte. Par sa conversation, il lui rappelle Gérard : la même rapidité, l'intelligence incisive, la drôlerie qu'elle n'avait depuis Gérard jamais rencontrées chez un homme. Il est américain de fraîche date : ses parents ont émigré de Lituanie. Il a l'esprit européen, l'humour européen. Le courant qui passe entre eux est si fort qu'elle ne craint qu'une chose : le voir s'éloigner quand il apprendra qu'elle a un petit ami. Elle s'empresse de le lui dire, pour être honnête. Il hausse les sourcils.

«Jim ? » Il le connaît : ils suivent le même cours de droit constitutionnel. « Mais qu'est-ce qu'une fille comme vous fait avec lui ! C'est avec moi que vous devriez sortir ! » Devant l'air coupable d'Elvire, Chuck éclate de rire. Elle regrette presque de ne pas avoir rencontré Chuck avant Jim. Il n'est pas question, bien sûr, de sortir avec Chuck. Une fille bien, vierge il y a dix jours, ne couche pas avec deux garçons de suite. Elle est horrifiée d'avoir même eu cette pensée.

À la faculté de droit où les filles sont peu nombreuses et où elle est la seule Française, la seule Européenne même, les autres boursiers venus d'Europe étant tous des garçons, elle ne passe pas inaperçue. Son délicieux accent français ravit ses condisciples, qui ne se lassent pas de l'entendre parler. Leur regard lui renvoie d'elle l'image du charme. Elle est ici beaucoup plus jolie et élégante qu'elle ne l'était à Paris parmi les autres Parisiennes. Elle écrit son mémoire de master sur la constitution américaine. C'est un sujet sec, ennuyeux, difficile, mais il est exaltant de travailler à la bibliothèque à côté de ces garçons qui sont les futurs hommes de pouvoir de l'Amérique. Quand elle marche entre les rangées de tables, ils lèvent les yeux de leur livre et la regardent. Elle marche droite, le dos cambré, les seins tendus en avant. Ses cheveux courts dégagent son long visage expressif, aux yeux vifs et à la bouche sensuelle. Elle est habillée à la mode de France, de ravissantes petites robes serrées à la taille. Elvire l'empotée découvre qu'elle peut plaire, et pas seulement par son intelligence. Elle a de nombreux amis, surtout des hommes : Jim, Chuck, Peter, Sam. Avec Peter, l'Allemand blond aux traits fins qui est boursier comme elle, Elvire n'est pas totalement franche : elle a trop besoin de ses notes de cours et des heures qu'il consacre chaque soir à la bibliothèque à lui expliquer tout ce qu'elle ne comprend pas, pour satisfaire sa curiosité en l'interrogeant sur ce passé qui les sépare. Sam. Quand Elvire a joué au ping-pong avec lui et qu'il a relevé les manches de sa chemise Oxford, elle a vu, sur son avant-bras, le numéro bleu tatoué. Elle regarde, pétrifiée. Ne serait-ce que pour avoir vu ce tatouage, pour avoir joué au ping-pong avec un rescapé des camps de la mort, il aura valu la peine d'être venue à Harvard. Sam ne parle pas de son expérience là-bas et Elvire dont la parole ne connaît pas de tabou respecte ce silence, intimidée. Elle l'écoute raconter les années qui ont suivi, l'après-guerre qu'il a passé dans un sanatorium où il a guéri de la tuberculose. C'est ainsi qu'il a pu venir en Amérique. Voilà quelqu'un qui a vécu, à la différence de ses camarades de Sciences-Po, enfants de bourgeois sans expérience de la vie, tous, même Gérard.

Pendant des heures, à la bibliothèque de la Law School de Harvard où les étudiants prennent des notes, penchés sur leurs livres jour et nuit, car la bibliothèque ne ferme pas, Elvire rêve. Le petit œil qui l'observe par-dessus son épaule a cessé de se moquer. Il lui dit qu'elle est en train de vivre une année extraordinairement riche : il lui est donné d'échapper aux bornes étroites de son univers parisien pour assister à l'avenir du monde en gestation. Plus elle s'efforce de travailler à son ennuyeux mémoire et plus elle rêve. Elle attend jusqu'à une ou deux heures du matin que Jim ait fini son travail, pour qu'il la raccompagne chez elle. Ils traversent à pied le campus, s'embrassent. Elle parle, il lui ferme la bouche par des baisers. Elle rit, cherche à reprendre son souffle et la parole. Les mains de Jim sont chaudes, douces, fermes, se glissent sous le pull, effleurent le soutien-gorge. Il refuse de monter : pas ce soir, Elvire ; on a dit vendredi. Il a son avenir à assurer, une famille à assumer, un lourd emprunt à rembourser. Il est terriblement raisonnable.

Heureusement, il y a Chuck, toujours disponible, la générosité même. Il n'est pas plus fortuné que Jim, beaucoup moins même, puisque le père de Jim est riche alors que les parents de Chuck tiennent, à Brooklyn, une petite épicerie, mais l'argent qu'il gagne à la Legal Aid, il l'utilise pour sortir Elvire. Il l'invite dans tous les petits restaurants de Cambridge, italiens, français, chinois, espagnols, juifs. En décembre, puis en avril, il l'emmène à New York. Elle a avec lui des conversations passionnantes sur le droit américain et le droit euro-péen, sur l'anticommunisme américain, sur la démocratie, sur les romanciers américains qu'il lui fait découvrir. Ils ont la même énergie, la même curiosité. Chuck n'est pas seulement amoureux de ses jambes et de son sourire, mais aussi de son esprit. Il a lu tous les livres qu'elle a lus. Chuck vient de New York. C'est à New York qu'il va vivre. Elle ne s'ennuie pas une seconde avec lui alors qu'elle s'étonne parfois de la lourdeur de Jim et trouve qu'il manque de répondant. Mais c'est de Jim qu'elle est amoureuse.

Le matin, quand elle traverse le campus en marchant sur la terre humide qui sent les sous-bois, sous un de ces immenses ciels bleus, secs et froids qu'elle a découverts en Amérique, Elvire respire l'air vif et exulte. La vie est belle, à Cambridge, en février 1956, à vingt-trois ans à peine, même si l'hiver est long. La vie sera belle. Il y a tant de possibilités, de pays à explorer, de livres à dévorer, de gens à rencontrer. Elle vou-drait l'écrire, la richesse de cette année en Amérique, le bon-heur des discussions, la complicité de Chuck, la joie des bai-sers après une longue attente, le silence de la bibliothèque, le sérieux de ces garçons, le tatouage sur le bras de Sam, le dîner chez les Fehlman où l'a courtisée le petit-fils de l'Aga Khan en personne, le goût granuleux du blanc cottage cheese pour lequel elle s'est prise d'une telle passion qu'elle y a gagné un calcul aux reins atrocement douloureux lui valant une hospi-talisation d'urgence en décembre, et la neige qui, au matin, a recouvert le campus. Elle écrit : des lettres à sa mère, puis, dans le cahier qui lui sert de journal intime, des phrases, quelques pages. Mais on l'interrompt : Chuck l'invite à dîner, Peter lui parle d'une intéressante conférence, Sam lui pro-pose d'aller voir un film, Jim se libère une heure plus tôt que prévu, ou c'est l'heure, déjà, d'aller chez les Fehlman. Les mois passent à toute allure et il faut rédiger ce mémoire : elle s'y est engagée en acceptant sa bourse Fullbright et doit faire honneur à cette grande, généreuse Amérique.

Seule ombre au tableau, la relation avec sa roommate se

dégrade. Jocelyn, qui est en train de rédiger sa thèse, lui reproche de rentrer à n'importe quelle heure avec Jim et de la réveiller la nuit. Le seul ami d'Elvire qui trouve grâce aux yeux de Jocelyn, c'est Sam. Lorsqu'il rend visite, Jocelyn quitte aussitôt sa chambre et lui octroie une attention d'autant plus irritante que Sam semble naïvement tomber dans le piège. Elle s'approprie Sam. Et pousse les hauts cris quand Elvire lui prend par inadvertance un malheureux yoghourt. Il ne faut pas exagérer : Elvire paie assez cher le loyer d'un appartement où elle dort dans le salon et où la porte d'entrée ne ferme même pas. Jim et elle ne font aucun bruit. Rentrant une nuit avec Jim à deux heures du matin, Elvire se cogne dans une chaise que Jim, d'une main habile, rattrape avant la chute. Ils s'immobilisent, deux statues qui écoutent le silence. L'ont-ils réveillée ? Elvire réprime un fou rire. Le lendemain, revenant chez elle après les cours, elle trouve ses valises sur le palier : elle est tout bonnement chassée. Il n'est pas facile, pour une fille, de se loger à Cambridge en 1956. Partager l'appartement d'un homme provoquerait un scandale. Ses amis se mobilisent pour lui venir en aide. Un camarade de faculté lui offre une hospitalité provisoire dans la penderie où il empile les boîtes de chaussures qu'il vend pour se faire de l'argent. Pendant une semaine, Elvire dort dans le placard vidé de ses cartons. L'étudiant pressé de récupérer son placard lui présente une autre étudiante en littérature française, enchantée d'accueillir une Française dans son spacieux appartement de Massachusetts Avenue, beaucoup plus élégant que celui qu'Elvire vient de quitter. Elvire y a sa propre chambre et la généreuse Beth ne veut pas qu'elle lui paie un sou de loyer. Tout est bien qui finit bien. Elvire, que l'aventure a beaucoup amusée, n'en a jamais douté.

Un jeudi d'avril, chez les Fehlman, Elvire a pour voisin de table un Allemand, Jürgen, étudiant en philosophie. Petit et pas très beau, il a des yeux intelligents et, dans son parler, l'évidence d'une culture chère à Elvire. La conversation les mène du côté de la guerre. Comme il est peu probable qu'elle le reverra, Elvire se permet de l'assaillir de questions. Comment un Allemand de son âge, enfant pendant la guerre, dont les parents ont certainement été nazis puisque toute l'Allemagne l'a été, parvient-il à vivre avec la mémoire des horreurs dont son pays est responsable? Elvire se met à sa place. Elle désire ardemment comprendre comment, lui qui n'a rien fait, peut supporter de se retrouver du mauvais côté de l'Histoire. Jürgen n'a aucune réticence à parler de ce sujet qui semble également le passionner. Pendant des heures, ils poursuivent leur conversation comme s'ils étaient seuls, au milieu des douze autres invités qui ne se sentent pas concernés puisqu'ils n'étaient pas en Europe pendant la guerre. Elvire n'a jamais parlé de la guerre à un auditeur aussi attentif. «Ma mère est juive.» Les yeux de Jürgen sont fixés sur les siens. Elle raconte le matin de mars 43, les coups violents frappés à la porte à six heures. C'était il y a treize ans. Elle se rappelle comme si c'était hier. Elle retrouve ses sensations d'enfant. Elle évoque le courage de sa mère face aux deux policiers, son refus de voir emmener ses filles, son départ avec sa valise, toute petite entre les deux hommes, et ces mots du gros flic qu'Elvire n'oubliera jamais et qu'elle répète maintenant avec émotion: «Ça, pas de sitôt!» Elle décrit avec des détails concrets tout ce dont Jürgen n'a qu'une connaissance indirecte. Elle s'échauffe en parlant. Des gens qui pourraient être vous ou moi, Jürgen, arrachés une nuit à leur appartement, qui débarquent après quatre ou cinq jours dans des wagons à bestiaux sans rien à manger et à boire, et qui, sous les matraques des SS, courent vers leur mort. Quelle organisation efficace. Qu'en dit-il, Jürgen? Comment peut-il expliquer la participation d'une nation tout entière à une telle abomination? Pense-t-il qu'il y ait là un trait de caractère spécifiquement allemand? Est-ce lié à la discipline des Allemands, à leur goût de l'ordre? Cela leur vient-il de l'éducation, des gènes? D'où? Elle voudrait tellement comprendre. Jürgen écoute, les yeux tristes. Selon lui, il n'y avait pas le choix: les Allemands qui auraient résisté seraient morts. Peut-on vraiment, s'indigne Elvire, rejeter la responsabilité sur quelques chefs? Elle parle si fort que Renée Fehlman se penche vers elle et lui rappelle qu'elle n'est pas seule. Jürgen est pâle.

Le surlendemain, Elvire reçoit un coup de fil de Renée Fehlman : l'Allemand s'est suicidé. Renée ignore pour quelles raisons; elle le connaissait mal. Apprenant le matin même cette tragique nouvelle, elle n'a pu s'empêcher de faire le lien avec la violente attaque d'Elvire l'autre soir. «Mais non, ce n'est pas lui que j'ai mis en cause, d'ailleurs il était d'accord avec moi.» On ne saura jamais ce qui lui a traversé l'esprit, conclut Renée : peut-être était-il amoureux et malheureux en amour. Après avoir raccroché, Elvire se rappelle avec un malaise extrême la chaleur de certains de ses mots.

Deux semaines plus tard, elle reçoit un autre appel de Renée Fehlman. L'avion qui ramenait chez eux les parents de Jean-Pierre Fehlman s'est écrasé près d'Alger : aucun survivant. Elvire avait dîné trois fois avec les parents de Jean-Pierre, un couple chaleureux qui l'avait invitée à leur rendre visite dans leur villa d'Alger. Il n'y aura plus de dîners du jeudi soir chez les Fehlman, qui se préparent, dans le deuil, à quitter les États-Unis. Partout, on sent la fin. Des barrières se dressent autour des pelouses, pour permettre à l'herbe fraîchement replantée de rester intacte jusqu'au grand jour : le campus se prépare pour la «graduation», à laquelle Elvire aussi participe avec sa toge noire et sa toque plate de location.

Puis elle quitte Cambridge avec Jim, dans la décapotable rouge, à la découverte du grand Ouest. Le premier soir ils s'arrêtent sur une autoroute à l'ouest de la Pennsylvanie, près de Pittsburgh. La chambre, avec sa petite fenêtre donnant sur le parking, est sinistre, et le dîner pris au «diner» voisin, infect. Chacun paie sa part. À peine allongé sur le lit étroit et trop mou du motel, Jim s'endort, épuisé par les neuf heures de route. Elvire, fatiguée, regarde sans pouvoir dormir le grand corps à côté d'elle, qui ronfle avec bonne conscience. Dans trois semaines elle retourne en France.

La suite du voyage ne dissipe pas la tension de la première

nuit. En voiture, quand elle lui parle, elle a l'impression qu'il n'écoute pas vraiment. Le soir, quand il lui fait l'amour avant de s'endormir, elle reste tendue. Elle lui reproche sa rapidité. Il lui répond, en riant, qu'il n'est pas un «Latin lover». Il est sans cesse avec elle, mais plus absent que pendant les heures d'attente à la bibliothèque de Cambridge; il ne se rend même pas compte de la distance entre eux. Les paysages sont beaux mais les routes monotones et longues, et les motels se ressemblent tous, des carrés de béton sans charme. Après avoir traversé l'Ohio, l'Indiana, l'Illinois, le Missouri et le Nebraska, ils atteignent le but de leur voyage : Denver, Colorado.

C'est là qu'il souhaite ouvrir son cabinet d'avocat. Denver est une ville d'avenir pour un jeune diplômé de Harvard. Depuis des mois elle imagine cette ville au nom d'une sonorité argentée. Elle a rêvé de hautes montagnes que l'on descend à toute allure sur des skis, sous des cieux vastes. C'est l'été, il n'y a pas de neige, mais l'air est sec et le ciel bleu. Pour la première fois depuis une semaine, ils descendent dans un hôtel agréable, et Jim prend la note à sa charge. Il y a de la moquette dans la chambre et une large fenêtre d'où l'on voit se profiler l'horizon des montagnes et leur pointe enneigée. Denver est jolie, propre, calme. Jim lui fait admirer sa future ville avec une joie de petit garçon. Des réminiscences de Mèves-sur-Loire remontent en elle, d'un terrible ennui, d'une terre où elle était étrangère, consciente de chacun de ses mouvements et du ridicule de son prénom trop rare quand elle aurait voulu s'appeler Nicole ou Françoise. Vivre à Denver, Colorado? Il est trop tôt pour parler d'avenir.

Ils se quittent à Denver. Jim remonte en voiture vers le Minnesota, après avoir conduit Elvire à la gare routière. Après un jour et une nuit de bus, elle arrive à Los Angeles où l'a invitée une étudiante de Harvard rencontrée à une party. La maison dans Beverly Hill offre un contraste saisissant avec les petits motels tristes d'où elle sort. Il y a même une piscine où Elvire, qui n'aime pas nager mais n'avait jamais vu de piscine dans le jardin d'une maison, se trempe le matin, car il n'est pas possible de ne pas profiter d'un tel luxe. De Los Angeles, Elvire prend le bus pour San Francisco où la reçoit une autre étudiante. Elle adore San Francisco, la blancheur de ses maisons, la lumière, la mer qui apparaît lorsqu'on arrive en haut d'une colline. Puis elle embarque pour New York où elle a rendez-vous avec Jim, qui aura fait le voyage en voiture depuis le Minnesota pour lui dire adieu.

C'est le premier avion où elle monte. Elle a hésité jusqu'à la dernière minute entre la compagnie United Airlines et la TWA, comme si ce choix devait décider de sa vie. Elle retient son souffle, tendue par l'excitation et la peur, quand l'appareil quitte le sol. À son arrivée à New York, Jim, plein d'émotion, lui apprend la nouvelle qui fait le lendemain la une des journaux dans le monde entier : le vol San Francisco-New York de la compagnie United Airlines, parti cinq heures avant celui d'Elvire, a rencontré en plein ciel un avion de la TWA parti de New York et volant vers San Francisco; aucun survivant. Jim a réservé une chambre dans un motel sur la route de l'aéroport — moins cher qu'un hôtel dans Manhattan même. Ces trois derniers jours, pendant lesquels elle s'attendait à rompre avec Jim, les surprennent par leur douceur. Il est impossible d'envisager une vie à Denver et tout aussi impossible d'imaginer qu'elle ne reverra pas Jim quand elle monte sur le transatlantique qui la ramène en France. Le voyage de retour, plein de fêtes, de dîners en groupe, de conversations et de rires, dissipe un peu sa tristesse de veuve. Elle se fait prendre en photo, debout sur une table, en short, maquillée, portant des boucles d'oreilles et riant aux éclats. Ainsi rentre chez elle, triomphante, la jeune diplômée en droit de Harvard.

À Paris, rien n'a changé. Paris a l'air si vieux, triste, petit et clos à côté de l'Amérique. Aucun de ses anciens amis n'est allé sur le nouveau continent; aucun n'a pris l'avion; aucun n'a traversé l'Amérique en décapotable; aucun n'a vu Cambridge, New York, Denver et San Francisco. Ce qu'on ne conçoit pas n'attise pas la curiosité. Elvire ne trouve pas d'oreille où déverser ses souvenirs tout frais. Ils ont tous entendu parler de l'accident d'avion qui a ensanglanté l'Amérique : ce n'est qu'en racontant combien elle a frôlé la tragédie de près qu'elle parvient à les impressionner. Elle est nostalgique — du voyage en bateau, des fêtes, des tours de New York, des Noirs qui jouent du jazz, des grandes pelouses de Harvard, des ciels bleus, de la cantine, de la neige, et même de la bibliothèque où elle a attendu des heures que Jim cesse de travailler. À Paris, les fêtes sont rares, et l'on ne peut s'y rendre qu'en y étant formellement invitée. Elle travaille au Quai d'Orsay. Le soir, elle quitte le bureau pour retourner dans l'appartement bourgeois de la rue de Varize, qui semble appartenir à une époque révolue. Grâce aux relations de ses parents, elle trouve un autre travail : elle quitte le Quai d'Orsay pour le Cocom, le Comité consultatif d'exportation vers les pays du monde soviétique. Elle passe ses journées dans un grand bureau clair avec vue sur la place du Trocadéro. Elle n'a pas grand-chose à faire. Elle est payée à la mesure de son ennui. Elle vit suspendue à la boîte aux lettres, dans l'attente des lettres de Jim qui ne comblent pas son attente : ces brèves missives pragmatiques et économes de déclarations passionnées ne répondent pas à sa prose enflammée. Son souvenir s'estompe au fur et à mesure que passent les mois. Il va venir.

Juin 1957. Jim débarque à Paris. Après une nuit de voyage, sa chemise est à peine fripée, ses joues à peine piquantes. Il est toujours aussi beau. Elle n'a jamais aimé les scènes de retrouvailles. Dans l'appartement de la rue de Varize, le grand corps de Jim, sa solide mâchoire, son accent américain ont quelque chose de déplacé. La nuit, quand ses parents dorment, Elvire quitte la chambre qu'elle partage avec Nicole pour retrouver Jim qui dort dans le bureau de Simone. Il trouve tout merveilleux : les parents d'Elvire, sa charmante sœur, l'appartement, le lit où il dort, la gentille Marinette à qui il laisse un pourboire en partant, la baguette, Paris. Après quinze jours à Paris, ils prennent le train pour l'Italie : Gênes, Naples, Florence, Venise.

Elvire, depuis des mois, économise en vue de ce voyage. Aux beaux hôtels, Jim préfère les petites pensions sans confort. Il impose sa loi. Elle souhaiterait presque lui donner de l'argent à l'avance pour le voir, au restaurant, payer la note avec galanterie. Elle ne supporte plus sa radinerie. Il lui reproche de compter chaque sou, de ne pas savoir se détendre et de tout compliquer. Ils se disputent. Dans les rues, les musées, les églises, Jim s'étonne de tout avec un enthousiasme exubérant, sans dérision ni subtilité. Entre les bras de Jim, la nuit, elle essaie d'oublier ce regard critique dont il ne semble pas conscient. Le suivre en Amérique? Mais qu'irait-elle faire à Denver? Il ne l'a pas encore demandée en mariage. Il veut d'abord s'installer comme avocat. Il faut profiter du présent. Toutes les Françaises de vingt-quatre ans ne voyagent pas en Italie avec un amant américain. Les hôteliers sont impressionnés quand Jim montre son passeport.

Fin juillet, ils se séparent à Venise. Jim retourne à Paris où il reprend l'avion pour New York. Elvire franchit la frontière, soulagée de retrouver ses parents et sa sœur au bord du lac autrichien où ils passent leurs vacances. Jim et elle n'ont pas rompu, n'ont fait aucun projet, n'ont pas parlé d'avenir.

Cet automne-là, son amie d'enfance, Jacqueline, se marie. Gérard aussi s'est marié. Son ami Claude Suquet, qui l'avait courtisée du temps de Sciences-Po mais à qui elle trouvait l'air paysan de ses origines, a épousé un an plus tôt une jeune et brillante avocate, Nicole Bloch, lauréate du concours d'éloquence du barreau. Sa petite sœur Nicole, qui n'a pas dix-neuf ans et vient de commencer sa médecine, rencontre un garçon dont elle tombe amoureuse. S'il n'y avait pas Joséphine, Elvire craindrait de rester seule vieille fille. Les lettres de Jim se font de plus en plus rares. À Paris, elle n'a jamais rencontré personne. Le seul homme qu'elle ait aimé, elle est allée le chercher en Amérique. Elle quitte le Cocom où elle mourait d'ennui pour travailler dans deux cabinets d'avocats où elle se fait exploiter comme stagiaire. Elle ne sera jamais un grand avocat. Elle n'a pas d'éloquence.

Le 25 décembre, à une réception chez un ancien camarade de Sciences-Po dans un appartement chic près du Trocadéro, elle remarque, assis sur un canapé et apparemment non accompagné, un grand jeune homme maigre, bien habillé, au visage pointu, aux traits fins, aux cheveux très courts, aux oreilles décollées. Elle s'approche de lui avec une assiette de petits-fours. «Lequel me recommandez-vous?» demande-t-il. Elle aime aussitôt sa voix et son sourire, auquel elle répond par un large sourire. «Vous pouvez vous permettre de les goûter tous, vous; vous avez de la chance.» Il se sert et fait un signe de tête approbateur. Délicieuse, la minitartelette aux framboises. Elvire est contente comme si elle l'avait cuite elle-même, et encore plus contente quand le jeune homme se ressert. Il lui fait place sur le canapé à côté de lui. Il habite avenue de Suffren. Il a fait Sciences-Po lui aussi, un an avant elle. Il finit maintenant ses études à l'ENA. L'admiration d'Elvire semble lui faire plaisir. Elle lui raconte son année à Harvard, où elle est partie en septembre 1955. Septembre 1955? Ils se sont croisés: à la même date, il rentrait d'un mois passé chez une famille du Massachusetts. Ils évoquent des souvenirs communs. Le garçon avec qui Elvire est venue les interrompt: il s'en va et lui propose de la déposer chez elle en taxi. Il est déjà une heure du matin. Le jeune homme maigre et elle discutent depuis plus de deux heures sur ce canapé. «Puis-je vous raccompagner? Je suis en voiture», dit le jeune homme. Elvire laisse aussitôt tomber le copain qu'elle accompagnait, qui n'est pas beau et qui n'a pas de voiture.

Tudec lui a fait impression, dit Elvire le lendemain à sa sœur Nicole: un vrai gentleman, qui s'est contenté de lui demander son numéro de téléphone. «Enfin un qui t'a plu? demande aussitôt Nicole. Tu vas te marier et me laisser la chambre?» Elvire rit. Il ne faut pas exagérer. Rien ne s'est passé. D'ailleurs elle l'a trouvé un peu «tisane», Tudec. Leur conversation n'était pas la plus palpitante du monde. Chaque jour Nicole demande à Elvire: «Il t'a appelée, Tudec?» Il n'appelle pas. Il y a pourtant des impressions qui ne trompent pas. Qu'a-t-elle pu dire qui l'ait découragé ? Dans quelques semaines elle aura vingt-cinq ans. Elle va coiffer sainte Catherine.

Deux mois plus tard, un carton d'invitation arrive : Tudec donne une surprise-partie. Pas un mot personnel, mais elle sait qu'elle n'est pas un simple nom sur une liste. Peut-être même est-ce pour la revoir qu'il organise cette fête. Le même jour se marie au Ritz un ancien camarade de Sciences-Po. C'est toujours pareil : rien ne se passe pendant deux mois, puis on reçoit pour la même date deux invitations. Elvire hésite. Après une discussion avec Nicole toujours de bon conseil, elle décide de se rendre d'abord au Ritz, où se trouvera tout le gratin de Paris. Tudec, il y aura toujours moyen de le revoir. Après s'être ennuyée quelques heures au Ritz où personne ne l'invite à danser, elle finit par prendre un taxi qui l'emmène à minuit avenue de Suffren, où la soirée s'achève. En entendant les exclamations des sœurs de Tudec, elle comprend à quel point elle était attendue. Toute la famille est là. Elle est déjà présentée, alors que c'est seulement la deuxième fois qu'elle le voit. Elle se sait la plus élégante, dans sa ravissante petite robe rose de chez Aurore, sans manches, moulant la taille et dégageant les jambes. Le regard de Tudec est plein d'admiration. Ils vont tous manger une soupe à l'oignon dans un bistrot parisien à une heure du matin. Elvire s'amuse beaucoup plus qu'au Ritz.

En le quittant, elle lui annonce qu'elle part en vacances à Courchevel et rentrera le 25 mars. Gare de Lyon, le 25 mars à huit heures du matin, Tudec est sur le quai avec un bouquet de fleurs. Pas un baiser n'a encore été échangé. Quelques jours plus tard, il l'emmène écouter un concert, pendant lequel il s'endort, à la grande gêne d'Elvire. Elle l'invite ensuite à dîner chez elle le dimanche de Pâques, un soir où ses parents ne sont pas là : c'est le soir où l'omelette glisse dans la lessiveuse avant de finir, ramassée à la cuiller, dans l'estomac des futurs amoureux. Ils rient beaucoup. La sixième rencontre se produit encore chez Elvire, en présence de ses parents : déjeuner, présentation officielle.

«Ah, il est bien, celui-là », dit son père, très favorablement impressionné. C'est la première fois de sa vie qu'Elvire reçoit l'approbation de son père. Sa mère aussi le couvre d'éloges : il sait se tenir en société, un vrai gentleman ; il est grand, courtois, poli, bien habillé, il a de la grâce, il est beau, et puis son avenir est sûr, il est énarque. Un jeune homme bien sous tous rapports, disent en chœur ses parents : pas comme cet Américain lourdaud qui ne savait pas comment on mange un artichaut, et divorcé en plus, et pas comme ces petits intello juifs maigres et mal habillés avec lesquels Elvire a perdu son temps à Sciences-Po.

Elvire écrit à Jim qu'elle a rencontré Philippe et s'est fiancée. À sa grande surprise, elle reçoit en réponse une lettre qui est un cri de douleur : il l'aime, vit pour elle, c'est pour elle qu'il souhaite réussir à Denver ! Elle ne s'en était pas doutée un seul instant. Ces Américains ! Il faut qu'ils apprennent à exprimer leurs sentiments, elle n'y peut rien. Le cœur de Jim n'est sans doute pas brisé puisque, un mois plus tard, il lui annonce ses fiançailles.

L'été, Elvire suit son fiancé à Ploumor. Elle découvre le village breton dont Philippe lui a longuement parlé. Le vent vif la décoiffe, la mer est glacée, et les maisons de pierre brune plus austères que les gais chalets de montagne au bord des lacs autrichiens où Elvire accompagne d'ordinaire ses parents l'été. Mais le paysage est beau. Et cette villa peuplée de jeunes couples, fort animée. Ils sont entourés d'adorables bébés, petites têtes blondes, rousses ou brunes, que leurs jeune oncle et future tante font sauter sur leurs genoux. Le soir on dîne en famille, de grandes tablées chaleureuses. Après dîner l'on va souvent danser. Elvire n'a jamais aimé les groupes, les frères et sœurs de Philippe ne sont pas des intellectuels, leurs blagues lui semblent plutôt vulgaires, mais ils la font rire quand ils la félicitent de se charger du râleur, du grincheux, du casse-pieds, de l'incasable Philippe. Elle a sa place dans le groupe depuis qu'elle a fait sans le savoir, comme Monsieur Jourdain de la prose, la meilleure contrepèterie de l'été, répondant à une sœur de Philippe qui le trouvait pâle et s'inquiétait de savoir s'il n'était pas malade : «Il a sa mine de Paris.» La famille a éclaté d'un grand rire sans qu'elle comprenne pourquoi. Elle est acceptée avec sa différence, l'intellectuelle, la Parisienne, la juive, l'Américaine, admirée pour son élégance. Elle est instinctivement attirée par la mère de Philippe, la belle Louise, aussi douce et délicate qu'est grossier et cassant le père, Léon, unique trouble-fête. Elvire comprend maintenant pourquoi cette violente parole de Philippe lors de leur troisième rencontre : «Je déteste mon père.» Il est détestable, cet homme dont la parole sèche trahit l'âme vulgaire et le manque de générosité. À table, son regard guette Elvire qui se sert : «C'est ça, surtout ne prends que les gros morceaux!»

Fiancée. La vie commence à tenir les promesses de Cambridge. En septembre, Elvire trouve un nouvel emploi dans le cabinet d'un jeune avocat : elle n'est pas bien payée mais le travail est beaucoup plus stimulant et elle va enfin apprendre le métier d'avocat, avoir des responsabilités. Philippe part pour son stage de l'ENA en Algérie. Le mariage est prévu pour juin prochain. Rien ne s'est encore passé, sinon des caresses et des baisers lors de l'été breton. Ils ne partageaient pas la même chambre, bien sûr : pas sous le toit des parents. Philippe est breton, catholique : pas avant le mariage. Avec une exquise pudeur, il lui a appris qu'il était puceau : pour lui le sexe a toujours été tabou, l'interdit même, de par sa religion et de par sa mère qui, accusant son époux de l'avoir violée, a transmis à son petit dernier le dégoût de cette chose sale et violente. La foi catholique de Philippe constitue entre eux la plus grande différence : l'athéisme d'Elvire désole le jeune homme qui, adolescent, pensait devenir prêtre. Sans la perspective de Dieu, la vie paraît si étroite, bornée et dépourvue d'espoir. Elvire est prête à le reconnaître. Elle écoute Philippe. Elle discute, pour la première fois, de religion. Elle lui promet d'aller consulter un prêtre et de faire tous ses efforts pour éveiller en elle un germe de spiritualité religieuse.

C'est de Dieu, donc, que parle Elvire dans ses lettres au fiancé absent. Elle est désolée de le décevoir. Elle est allée discuter avec le prêtre, elle lit la Bible. Elle a toute la bonne volonté du monde. Mais la foi échappe à la volonté : il semble que Dieu n'ait pas voulu lui faire ce cadeau. Philippe acceptera-t-il une fiancée mécréante ?

Alors que septembre glisse vers octobre, octobre vers novembre, Elvire parle moins de Dieu et davantage d'un autre personnage qui prend plus de place dans sa vie : son patron, le jeune avocat qui vient de l'embaucher. Il est dur, exigeant, parfois même cassant, il peut la faire pleurer ; mais il est aussi tellement rusé, intelligent, bon pédagogue, brillant, et, en fin de compte, si sympathique. Elle reste au bureau jusqu'à neuf heures ou dix heures du soir et ne sent pas le temps passer. Elle se lève avec enthousiasme à sept heures du matin et saute son déjeuner. Elle doit parfois veiller toute la nuit pour rédiger des conclusions qu'il lui a demandées à la dernière minute. Il est avare de compliments. Mais pour la première fois son travail la passionne, elle aime le métier d'avocate et croit qu'elle peut y réussir.

Ils ont promis de s'écrire tous les jours. Philippe tient sa promesse. Il se languit d'elle. Elle est sa raison de vivre, dans son désert algérien. Il habite une petite chambre dans la cité universitaire et passe ses soirées seul, sans ami, presque jamais invité à dîner. Son travail à l'organisation du plan sanitaire est frustrant, car il a pour supérieur hiérarchique un homme borné qui ne semble pas comprendre que les Arabes aussi ont droit aux hôpitaux et aux soins médicaux. La chaleur lui donne la migraine et des indigestions. Il n'arrive pas à dormir la nuit. Il est traversé de maux physiques qu'il décrit en long et en large à Elvire dans ses lettres, entre deux formules amoureuses où Elvire aurait peut-être été tentée de reconnaître les poncifs de l'amour épistolaire si elle n'était pas émue de se voir la destinataire de telles déclarations et touchée par les maladies du pauvre exilé, pendant que sa vie à elle, à Paris, devient chaque jour plus plaisante et plus excitante.

Elle ne sait plus le sens du mot ennui, entre ses longues journées au bureau, ses intenses discussions avec son patron, une plaidoirie au Palais, le plaisir fou d'un rare compliment, les déjeuners près du Palais avec sa mère dont elle est maintenant véritablement la collègue ou avec cette sympathique jeune avocate que lui a présentée sa mère, Joséphine, qui partage son expérience de la guerre et de l'exode. Le soir, elle va au restaurant, dans des clubs de jazz, au théâtre, au cinéma. Le week-end, le téléphone ne cesse de sonner. Elle décrit avec humour, dans ses lettres à Philippe, ses dîners dans des restaurants de luxe avec d'anciens condisciples de Harvard de passage à Paris, dont elle espère qu'ils vont lui commander un travail de consultant magnifiquement payé mais qui semblent, en fin de compte, plus intéressés par ses jambes. Elle a l'idée de contacter le Harvard Club of Paris et la voilà invitée à des soirées avec de jeunes avocats et hommes d'affaires brillants parmi lesquels elle est la seule femme : dix hommes pour elle seule, pour la faire danser, virevolter toute la nuit, elle qui, entre dix-sept et vingt-cinq ans, a vécu si souvent le cauchemar de faire tapisserie.

Ce n'est pas la partie la moins belle et la moins excitante de ses journées que cette heure prise sur sa nuit pour couvrir une page blanche de sa rapide écriture bouclée. Sa plume court. Elle écrit, avec passion, à celui qui la lit avec la même passion. Dans ses lettres à Jim, l'usage de l'anglais la limitait et elle avait souvent l'impression de s'adresser à un mur. Il n'est pas de plus grand plaisir que d'écrire, quand on a le bon destinataire : la vie, en fin de compte, n'existe que d'être solidifiée par les mots, transformée en récit plein de dérision. Il n'y a qu'en écrivant — et en dansant peut-être, mais le plaisir est plus rare, ou encore sur des skis, quand elle est grisée par la vitesse et comme portée par l'air — qu'Elvire adhère totalement à elle-même. Ce bonheur de savourer comme un fruit mûr, sucré et plein de jus la plénitude de son existence, c'est à Philippe qu'elle le doit. À son absence. Elle a, pour lui, une gratitude infinie. Elle est heureuse de pouvoir lui apporter par ses lettres un peu de réconfort. Elle est fière, courant octobre, de pouvoir lui écrire : « Anne vogue vers toi ; j'espère que sa présence te rendra moins triste et moins seul, et qu'elle saura te redonner le goût du plaisir et de la liberté. » Fière d'avoir trouvé le temps d'accomplir les démarches administratives pour envoyer à Philippe cette mystérieuse courtisane, Anne, qui n'est autre que sa vieille bagnole. C'est avec une vraie tendresse qu'Elvire plaint Philippe pour ses migraines et ses indigestions, lui conseille tel remède, lui raconte telle soirée calme passée hier chez les parents Tudec à parler avec Louise des misères de son petit dernier, assises toutes deux sur le lit d'enfant de Philippe, ce lit plein de sa présence où ils ont échangé leur baiser d'adieu.

Mais il y a un peu trop de joie, cet automne-là, dans les lettres de la fiancée. « C'est grâce à toi, écrit Elvire ; c'est parce que j'ai trouvé ta lettre en rentrant, parce que tu m'aimes et me le dis si bien, parce que je t'aime, parce que je t'écris, parce que nous sommes fiancés. » Ces paroles rassurantes ne convainquent pas Philippe. Elle lui décrit un peu trop de sorties amusantes alors qu'il passe ses soirées à se morfondre en pensant à sa fiancée. Elle lui parle un peu trop de son jeune et brillant patron. Plus les mois passent et plus elle s'éloigne, éclatante de beauté et de succès. Il a déjà eu une fiancée, qui l'a abandonné. Il adresse à Elvire, par lettre, des reproches auxquels elle ne comprend rien : elle n'est même pas consciente de cette distance entre eux. Si elle l'aimait vraiment, n'aurait-elle pas mal dans sa chair des maux de tête du fiancé exilé ? Ne s'ennuierait-elle pas de lui désespérément ?

Le mariage était prévu pour juin. Il propose décembre. Elvire vivrait ensuite à Alger avec lui jusqu'à la fin de son stage. Seul, il ne tiendra pas. Il ne tient plus. Attendre juin quand on s'aime est une torture absurde.

Comme chaque soir ou presque, Elvire trouve l'enveloppe

avec l'écriture doucement familière en rentrant d'un dîner avec des amis à la fin d'une journée trépidante. Elle l'ouvre, lit, pâlit. Se marier dans six semaines? Partir pour Alger? Sa vie ne peut pas s'arrêter dans six semaines! Elle n'aime pas les changements de projets, tout cela est trop rapide, elle a besoin de ces mois devant elle — ne serait-ce que pour sa carrière qu'elle vient de commencer!

Toute la nuit, elle retourne dans sa tête les phrases de Philippe et celles qu'elle va lui écrire. Elle le blessera inévitablement. Aucun mot ne pourra masquer la terrible réalité : sa réticence à l'idée de se marier dans six semaines, comme s'il s'agissait de renoncer aux plaisirs pour entrer en religion.

L'aime-t-elle? Ou s'est-elle passivement laissé entraîner par la nécessité de faire comme tout le monde, choisissant pour cela l'homme qui convenait le mieux à ses parents, à la part la plus superficielle d'elle-même?

Nicole sa sœur, son amie Joséphine lui conseillent de ne pas s'écouter. La peur du définitif est un sentiment parfaitement naturel. Il est normal que l'idée d'aller à Alger inquiète Elvire, car Philippe n'a pas l'air de s'y amuser. On comprend aussi qu'elle craigne de s'appeler Tudec; Martinet est quand même plus fouettant. Mais, de tous points de vue, elle a tiré le gros lot. Le trouve-t-elle beau, Tudec? L'homme le plus beau qu'elle ait jamais rencontré; un peu maigre peut-être mais des traits si raffinés, une telle prestance et une telle grâce. Aime-t-elle quand il l'embrasse? Absolument. Est-il gentil? Adorable, si soucieux de plaire, galant, sensible, peut-être un peu trop même. A-t-il une bonne position sociale? Excellente; jeune énarque, il est promis à une brillante carrière; il est bien éduqué, élégant dans ses manières, cultivé; il ne parle pas énormément mais quand il ouvre la bouche, ce n'est pas pour dire une bêtise.

Alors quoi?

C'est juste qu'il est si... susceptible.

Susceptible? Nicole, Joséphine rient.

Susceptible, oui. Comment dire autrement cette impression

fugace qu'il lui suffit d'être elle-même pour que son rire et ses mots, plus lourds et maladroits que son corps d'adolescente, dévastent Philippe en une zone très fragile de lui-même ?

Joséphine, Nicole lui conseillent simplement d'apprendre le tact. Pour commencer, en répondant à sa lettre sans l'offenser : en mettant sa réticence sur le compte de difficultés matérielles. Elle ne dira rien que de vrai.

C'est cela qu'écrit Elvire à Philippe. Décembre ? Il est un peu tard pour tout organiser maintenant. De plus, c'est l'époque où sa sœur part au ski. Nicole, après ses examens de médecine, aura besoin de vacances : Elvire ne peut pas l'en priver.

La réponse de Philippe est un cri de douleur. La lettre d'Elvire lui a percé le cœur de mille aiguilles. Elle lui parle des vacances au ski de sa sœur quand il lui dit qu'il n'arrive plus à vivre sans elle ? Comment peut-elle se montrer si cruelle et insensible ? Elle se prépare à l'abandonner, c'est l'évidence. Qu'elle soit honnête jusqu'au bout : il lui rend sa liberté.

Elvire est bouleversée. Cette lettre semble un écho de la prédiction apocalyptique de Gérard qu'elle ne pourrait jamais être heureuse parce qu'elle était incapable d'aimer. Elle est coupable, elle le sait, de vouloir tout avoir, de ne pouvoir renoncer à rien.

Elle écrit à Philippe, et cette réponse-là lui vient droit du cœur. Elle met en cause sa propre maladresse et son égoisme, elle lui dit qu'il a raison, et qu'il a tort. Raison, car elle n'a pas su répondre par l'amour à une parole d'amour, alors qu'elle l'aime et n'a qu'un désir, l'épouser ; tort, car il a attribué la maladresse d'Elvire à une absence d'amour, quand elle était juste bourgeoisement réaliste : même si leur amour est absolu, ils ne vivent pas sur une île déserte mais en un temps et un lieu pleins de conventions auxquelles ils sont contraints de se plier. Il faut tenir compte des autres, de la famille, et de Nicole aussi. Il est évident que Nicole ne passe pas avant Philippe, mais il n'y a pas de raison de la priver de ses vacances et de compromettre le succès de ses études. Il faut pouvoir tout concilier. Au nom de la conciliation, Elvire lui propose maintenant janvier.

Philippe s'apaise, la prie de l'excuser : la solitude et l'ennui d'Alger le rendent fou. Si fort est son amour pour elle, et le désir de la tenir dans ses bras.

Quand, trois semaines plus tard, il lui annonce son retour anticipé pour le 15 décembre — il a obtenu, en vue de son mariage, une semaine supplémentaire de congé —, la réponse d'Elvire est un nouveau coup de poignard. Un retour après Noël serait préférable : jusqu'à la fin décembre elle n'aura pas une minute à consacrer à Philippe. En se mariant en janvier, elle fait un sale coup à son patron, qui lui a quand même accordé un congé de deux mois : elle lui doit de travailler comme un forçat jusque-là. La pilule est dure à avaler, mais il n'a plus peur d'être abandonné. Les choses sont trop avancées : les faire-part ont été envoyés, l'église et la salle retenues, et les cadeaux arrivent tous les jours rue de Varize et avenue de Suffren. Dans ses lettres quotidiennes, Elvire décrit avec dérision les guéridons, les plats en argent et les seaux à champagne dont regorgera leur futur foyer.

Elle a peur de revoir, après quatre mois d'absence, le grand garçon qu'elle connaît peu et dont les lettres ont révélé l'humeur ombrageuse à laquelle ses frères et sœurs semblaient accoutumés. Elle se rappelle l'arrivée de Jim à Paris : à l'aéroport, à l'instant où elle l'a vu, elle a su qu'elle ne l'aimait plus. Elle se réveille en sursaut la nuit, dans l'angoisse. Elle regarde la photo de Philippe. Il est beau. Elle lui rend grâce de l'épouser alors qu'elle a déjà vingt-cinq ans, presque vingt-six, et que, d'après Nicole et ses parents, elle n'est pas facile à vivre.

Quand Philippe et elle se retrouvent face à face à l'aéroport, il y a, entre eux, un vrai élan amoureux. Il est toujours aussi maigre, peut-être même plus qu'avant de partir. Dans son visage bruni par le soleil d'Alger, ses yeux sont d'une transparence de pierre précieuse. Elle aime le goût de sa bouche et le toucher de ses mains.

Dans sa petite chambre de l'avenue de Suffren, il lui

annonce qu'il a une surprise. Elle devine qu'il s'agit du voyage de noces. Elle attend, un sourire aux lèvres, prête à découvrir avec lui n'importe quel pays. Les moyens de Philippe ne lui permettent sans doute pas de réserver une chambre dans un palace, mais elle lui fait confiance : il ne l'emmènera pas dans une minable pension sans eau chaude ou un motel de bord d'autoroute. Il étale une carte sous ses yeux. Elle n'a jamais su lire une carte de géographie mais regarde, polie, patiente. Il pose son doigt sur un point de la carte. « C'est là : Ghardaïa. — Ghardaïa ? » Elle ne connaît pas cette ville — ou ce pays, ou cette île. Ghardaïa, reprend Philippe : l'oasis dans le désert saharien où il est allé en novembre et dont il lui a longuement parlé dans une lettre. Elle fronce les sourcils. Ghardaïa. Le mot évoque un vague souvenir. Elle ne prête guère attention aux descriptions de lieux où elle n'est jamais allée et n'a pas la mémoire des noms. Il décrit, avec un enthousiasme de petit garçon, le voyage concocté pendant ses longues soirées solitaires. D'Alger, ils partiront avec Anne. Les routes ne sont pas très bonnes, il faut compter au moins sept ou huit heures pour atteindre le Sud saharien, peut-être pourront-ils s'arrêter en chemin. L'arrivée dans l'oasis après la traversée du désert est éblouissante. Une végétation verte, tropicale, dense. L'hôtel est un ancien palais construit par un émir. À cette époque de l'année, il n'y aura personne. Ils auront le palace, le parc, la piscine pour eux seuls, sous un ciel toujours bleu, à des centaines de kilomètres de toute civilisation, et tout autour, le désert.

Au lieu de s'écarter en un sourire émerveillé, la bouche de sa fiancée s'est froncée en une expression réticente. « Qu'est-ce qu'il y a ? Ça ne te plaît pas ? — Ce n'est pas ça, mais… — Mais quoi ? — Ce n'est pas dangereux d'aller là-bas ? Il n'y a pas d'attentats ? Je croyais que… — Non. J'y suis allé en novembre : dans le Sud saharien il n'y a pas de problème, et sur la route on fera attention. Je ne te proposerais pas ce voyage s'il y avait le moindre risque. Là-bas, tu verras, on oublie complètement le climat actuel en Algérie. On est hors du monde, au paradis sur terre. La lumière quand le soleil se lève, c'est d'une beauté ! L'hôtel est un palais mauresque avec des terrasses intérieures recouvertes de mosaïques et des fenêtres en bois sculpté comme de la dentelle, qu'on appelle des moucharabiehs. » L'évocation de ce paradis terrestre assombrit le visage d'Elvire. « Oui, mais... — Mais quoi ? — Tu me dis qu'il n'y aura personne : tu veux vraiment qu'on commence notre vie commune en allant s'enterrer dans le désert, quand ensuite on va passer deux mois en Algérie ? Je préférerais aller dans un endroit où il y a du monde. J'adore voir du monde : j'aime me montrer. Quand tu me connaîtras mieux, tu constateras combien je suis vaine », ajoute-t-elle avec un sourire de dérision qui ne déride pas Philippe. « À Paris tu vois du monde tous les jours. — Mais non ! Ma vie est triste, c'est la routine, entre le métro et le boulot. — Ce n'est pas ce que tu m'as écrit cet automne ! Ce que je te propose, c'est une expérience exceptionnelle, quelque chose que tu n'as pu connaître ni à Paris ni en Amérique, une nature d'une beauté éblouissante... » Elvire fait la grimace. « La nature, tu sais, moi... — Quoi, la nature, toi ? — La nature ne m'a jamais inspirée. — Ça dépend avec qui ! Je me rappelle tes descriptions des paysages américains. Ça te plaisait, la nature, là-bas ! — Une nature domestiquée par l'homme, civilisée, qui ne me faisait pas peur ! L'Amérique, c'est confortable, il n'y a aucun risque de mauvaise surprise. Tu épouses une bourgeoise, mon amour. J'ai besoin de confort. — Mais il y a tout le confort que tu peux souhaiter ! C'est un palace ! Tu pourras prendre des bains d'eau chaude, les sanitaires sont modernes, et les piscines, tu verras... » Le visage d'Elvire est de plus en plus crispé.

Sans la regarder, il replie ses cartes avec une brusquerie qui la fait sursauter et, d'un geste sec, les jette sur son bureau. « Bon, j'ai compris : c'est une idée idiote. — Je n'ai jamais dit ça ! Je suis sûre que cet endroit est très beau, mais je crains que tu ne te fasses des illusions sur moi. Tu me parles des piscines, mais, rappelle-toi, je n'aime pas nager ! Qu'est-ce que je ferais toute la journée ? La végétation de l'oasis est luxuriante, d'accord, mais je n'ai jamais regardé un arbre de ma vie ! Et qu'est-ce que le désert, en fin de compte, sinon un infini de sable, autant dire un infini d'ennui ? Avec quelques chameaux peut-être, mais tu me vois sur un chameau ? » L'expression de Philippe indique que la promenade à dos de chameau faisait partie du programme des réjouissances. « Mais regarde-moi ! J'ai peur de tous les animaux, des chiens, même des chats ! D'ailleurs, même si cet hôtel est un palace, comment veux-tu qu'ils contrôlent chaque recoin ? Dans le désert il doit y avoir d'abominables insectes, des scorpions, des serpents… J'aurais peur de poser le pied par terre ! Et puis », continue Elvire avec une vigueur qu'échauffent l'air déçu de Philippe, sa résistance à se rendre à des arguments évidents, sa lenteur à abandonner un projet aussi insensé, « imagine qu'on ait une panne de voiture sur la route de l'oasis, en plein désert ? Tu crois qu'on trouvera un garagiste qui saura la réparer, à des centaines de kilomètres de toute civilisation ? Tu imagines le désastre ? La déshydratation, les rebelles du FLN tout autour ? Mais d'ailleurs, qu'est-ce qui t'attire dans le désert ? La chaleur en plein hiver ? Tu n'as cessé de m'écrire tout l'automne que la chaleur te donnait la migraine et des indigestions ! Tu ne veux quand même pas être malade pendant notre voyage de noces ! Et pourquoi aller chercher en plein hiver la chaleur tropicale ? Non, vraiment, c'est absurde et contre nature, reconnais-le. Partir de Paris en manteau d'hiver et se retrouver le lendemain en robe d'été ? Je n'aime pas ces brusques retournements. J'ai besoin du lent passage des saisons, de m'accoutumer au printemps, de prendre le temps de désirer l'été. Janvier, c'est un mois où je préfère voir la neige et le givre que le sable et les palmiers, franchement. »

Philippe, tête baissée, demande d'une voix hostile : « Tu proposes d'aller où ? — Tiens, pourquoi pas la montagne, justement ? On pourrait aller à Courchevel, ou bien dans une station de sports d'hiver en Autriche ! J'adorerais skier à nouveau. Tu ne connais pas l'Autriche, tu pourrais pratiquer ton allemand... — C'est ça! rugit-il. Pour que tu passes tes journées sur les pistes à t'amuser et que je passe les miennes à t'attendre à l'hôtel? Merci! Tu sais bien que je ne sais pas skier! »

Il ne lui a jamais parlé aussi violemment. Elle n'ose plus ouvrir la bouche, de peur que ses mots, même prudemment pesés, n'atterrissent comme de grosses pierres sur la tête de Philippe. Elle se rend compte qu'elle l'a déçu. Il était plein de bonnes intentions. Mais comment peut-il se tromper à ce point sur elle? Il aurait dû épouser une aventurière qu'aurait exaltée l'idée du désert, au lieu d'une bourgeoise tristement réaliste qui, aux aurores éblouissantes dont il espérait sans doute qu'elles inspireraient à sa femme la révélation du sacré, a aussitôt substitué l'image moins poétique d'une épouvantable diarrhée avec une chasse d'eau qui ne marche pas. Plus elle y pense, plus le projet de Philippe lui paraît absurde : qu'irait-elle faire dans le désert, parmi des Bédouins qui se rinceraient l'œil en regardant la jeune Blanche? L'Europe ne manque pourtant pas de belles villes. Vienne, par exemple, Amsterdam, Londres, ou, s'il préfère le Sud, Rome qu'elle ne connaît pas, Barcelone où elle n'est pas retournée depuis ses quinze ans. Elle ne veut pas s'éloigner de la civilisation. Elle veut pouvoir porter son superbe tailleur rouge du mariage civil et se faire admirer au bras de son nouvel époux. Puisqu'ils font un mariage à l'église, en blanc, catholique comme le souhaitait Philippe, avec les familles et tout le tralala, pourquoi ne pas se montrer cohérent avec soi-même et conformiste jusqu'au bout? Pourquoi pas Venise, un hôtel près de la place Saint-Marc et non sur le Lido où l'avait emmenée Jim parce que c'était moins cher, une chambre avec vue sur le Grand Canal et les palais roses, des promenades en gondole, Venise vide en hiver? Elle ne peut rien dire. Si elle lui propose Venise, elle va le blesser encore plus. Il va la croire nostalgique de son amant américain, quand elle souhaiterait réécrire le passé avec lui.

Ils se séparent sans se réconcilier. La nuit, les yeux ouverts, tout en écoutant respirer sa sœur endormie, elle regarde les ombres des meubles dans sa chambre de jeune fille. Comment, huit jours avant le mariage, Philippe a-t-il pu lui parler si brutalement et la laisser partir sans éclaircir le malentendu ? Y a-t-il deux Philippe ? Un Philippe courtois, gentil, attentif, sensible ? Et l'autre, le fils de son père, qui tranche d'un mot le fil du dialogue ?

Peut-être est-ce elle qui a tort. Philippe était si content de sa surprise, jusqu'à ce qu'il voie se dresser face à lui ce masque rabat-joie. Elle n'a pas su s'ouvrir à l'autre, accepter l'inattendu. À nouveau sa vieille peur bourgeoise de se donner dénoncée par Gérard. Pourquoi pas le désert, après tout ? Un voyage sur les traces de Camus. Le soleil en janvier. Si elle n'aime pas, elle fera contre mauvaise fortune bon cœur. Huit jours seront vite passés.

Le lendemain matin, Philippe lui téléphone au bureau. Penaud, il la prie de l'excuser pour son emportement. Il viendra la chercher ce soir, ils discuteront. Elvire sourit. Elle l'aime, évidemment, puisque la tendresse retrouvée de Philippe la submerge d'une exquise douceur. Le soir ils s'embrassent avec une émotion nouvelle. Souhaite-t-elle vraiment aller en Autriche ? Si c'est cela qu'elle désire, pourquoi pas. Il pourra s'initier au ski, ou marcher pendant qu'elle skiera. Mais n'y a-t-il pas un pays qu'elle voudrait découvrir avec lui ? Ghardaïa, pense Elvire. Le mot est sur ses lèvres ; elle n'arrive pas à le prononcer. Elle ne parvient pas, malgré sa promesse envers elle-même, à être généreuse jusqu'au bout. Maintenant qu'il est redevenu Philippe tel qu'en lui-même, doux comme un agneau, pourquoi ne pas être vraie ? N'y aurait-il pas moyen de trouver un lieu qui les satisfît tous deux ?

« Et si on allait sur la Côte d'Azur ? » suggère-t-elle.

C'est le soleil du désert qui lui a inspiré cette idée. La Côte d'Azur. Elle y est passée avec Jim et avec ses parents, mais si rapidement. C'est là où vont tous les gens chics, toutes les vedettes de cinéma. Le port de Saint-Tropez ; Cannes, la Croisette ; Nice, la Promenade des Anglais : autant de lieux dont les noms brillent de promesses enchanteresses. Ils emprunte-ront de petites routes sur les corniches donnant à pic sur la mer bleu turquoise ; ils feront de longues promenades sur les plages désertes ; le soir, ils marcheront dans les villes, dîne-ront dans d'élégants restaurants, autour d'une table à nappe blanche avec des verres en cristal et des couverts en argent, servis par un maître d'hôtel. Philippe ne fronce pas les sour-cils, ne proteste pas. La Côte d'Azur n'est pas pour lui une terre inconnue, puisque, enfant, il a vécu à Toulon. Un rapide calcul lui traverse l'esprit. Il a, dans le Sud, de la famille qui pourra les loger : ce sera toujours ça d'économisé.

Il n'a jamais fait aussi froid sur la Côte d'Azur qu'en ce 11 janvier 1959 quand ils débarquent à l'aéroport de Nice. À Saint-Tropez le lendemain, l'eau gèle dans le verre à dents. Elvire claque des dents sous les trois édredons. Philippe, en manteau, les doigts frigorifiés, inspecte la chambre pour col-mater toutes les ouvertures. Un tel froid ne rend pas sensuel. Ils sont mariés depuis trois jours. Il est toujours puceau.

Il y a eu la nuit de noces, qu'ils ont passée à Rambouillet dans le château de Floriot, le témoin d'Elvire choisi par sa mère. Quel meilleur témoin que ce grand avocat chez qui tra-vaille Simone depuis seize ans et qui pourra aider Elvire dans sa carrière ? Dès le déjeuner de mariage, Floriot remplit déjà son rôle de témoin, de parrain presque. Où les jeunes mariés vont-ils passer leur nuit de noces ? Ils ne savent pas encore. Philippe a loué une voiture : il pense emmener Elvire à la cam-pagne, Barbizon peut-être. Floriot propose son château, à cin-quante kilomètres de Paris. Comme c'est généreux ! s'ex-clame Simone. On ne peut rêver d'endroit plus romantique pour une nuit de noces, plus luxueux ! Elvire remercie Floriot avec effusion ; Philippe, avec un hochement de tête appré-ciateur, exprime sa gratitude. Floriot téléphone à son valet de chambre : les mariés sont attendus, tout sera prêt. Il est dix heures du soir quand ils prennent la route de Rambouillet, après vingt-quatre heures intenses : mariage civil, la veille, à la mairie du seizième arrondissement, suivi d'un cocktail avec les proches et d'une nuit d'attente fébrile, leur dernière nuit de célibataires même s'ils sont déjà époux civilement; puis, au matin, mariage religieux à l'église Saint-Léon dans le quinzième arrondissement, déjeuner de cent personnes à la magnifique maison des Centraux près des Champs-Élysées, séance de photos rue de Varize, retour à la maison des Centraux pour le cocktail de six heures avec deux cents invités. La nuit est tombée. Il neige. Depuis hier, Philippe a beaucoup bu, peu dormi. Il se concentre sur la route, cherche les panneaux de signalisation, allume la petite lumière pour regarder la carte. Il est au cœur de la forêt de Rambouillet, complètement perdu. La neige tourbillonne autour d'eux et s'agglutine sur le pare-brise, ôtant toute visibilité. Elvire s'exclame qu'elle adore la neige : si l'on s'arrêtait pour faire quelques pas? Philippe répond que ce n'est pas le moment. Il est beaucoup plus inquiet qu'il n'ose l'avouer à sa jeune épouse, qui, tout excitée par l'aventure, évoque en riant la possibilité de passer dans la voiture la nuit de noces — une hypothèse trop réelle pour que Philippe en sourie.

À un carrefour, il prend, découragé, une petite route au hasard. Elle conduit à une grille. Enfin une habitation. Ils vont pouvoir demander leur route. Miracle : c'est là. Le château aux fenêtres lumineuses se dresse devant eux comme dans un conte de fées. Le valet en uniforme sort de la demeure pour les saluer et montrer à Philippe où garer la voiture. Depuis deux heures, il ne cesse de balayer la neige qui tombe sur l'allée reliant au château les parties communes transformées en garage, car il attendait Elvire en robe de mariée, avec sa traîne. Elle rit : si elle avait su, elle ne se serait pas changée! L'entrée dans la salle les rend muets de surprise. Un immense feu de bois craquelle dans la vaste cheminée de pierre avec, de chaque côté, des tigres empaillés et des défenses d'éléphant. Le valet leur sert un verre de champagne rosé, puis leur montre la chambre avant de se retirer.

Que le corps de Philippe se dérobe ce soir-là n'a rien d'étonnant. Elle est déçue mais comprend. Chez des êtres sensibles comme lui, la pression qu'imposent les mots «nuit de noces» peut suffire à contrarier le désir, surtout quand s'y ajoute la fatigue suivant tant d'émotions. Elle est sa première femme, il l'aime, il la désire : sa nervosité est parfaitement normale. Elvire le rassure. Ils ont le temps. De toute façon, elle est aussi fatiguée que lui, et si énervée qu'elle se relève dix fois pour faire pipi, retenant à grand-peine un rire nerveux chaque fois que se déclenche la boîte à musique contenant les feuilles de papier hygiénique. C'est quand même une nuit exceptionnelle — d'un luxe comme ils n'en jouiront plus jamais. Devant la somptueuse table du petit déjeuner chargée d'exquises pâtisseries fraîches — où le valet les a-t-il trouvées? — et d'un délicieux, bouillant café noir dans une cafetière en argent ciselé, ils oublient le malaise de la nuit pour se rappeler seulement l'émotion de la veille, ce moment dans l'église où elle a dit oui, où il a plongé son regard dans celui de son épouse devant Dieu. Puis il faut partir, quitter le château et reprendre la route jusqu'à l'aéroport d'où ils s'envolent pour Nice.

Nice, Saint-Tropez, Cannes. Ils grelottent, le soir, dans leur chambre non chauffée. Elle ne peut retenir un petit cri au contact de la main glacée. «Je t'ai fait mal? — Non, dit-elle, mais que ta main est froide! — Je n'y peux rien. L'eau est à peine chaude, je n'ai pas pu les réchauffer. — Je sais bien que tu n'y peux rien, ce n'est pas un reproche, moi aussi j'ai les mains gelées.» Il se frotte les mains l'une contre l'autre, repose une main sur elle, sous la chemise, là où son ventre est chaud. Elle réprime un gémissement. La main va finir par se réchauffer, le contact froid va ressembler à une caresse. Elle se laisse faire. Au bout d'un moment il s'arrête. Avec un petit rire gêné, ou une exclamation irritée, c'est selon, il dit qu'il ne comprend rien, qu'il ne sait pas ce qui se passe. Il a dû boire trop de vin; et puis il se sent drôle chez les cousins, dans une maison où il a dormi enfant; il a l'impression qu'on les guette, qu'on épie derrière la porte, ce n'est qu'une impression que rien ne justifie, mais voilà, il n'est pas à l'aise; ou bien il a mal à la tête, la conversation ce soir avec les cousins a duré jusqu'à une heure, Elvire n'arrêtait plus de parler, elle ne semble pas avoir remarqué les signaux qu'il lui adressait, il était crevé, ils se sont levés à sept heures ce matin, ils ont marché quatre heures dans le vent, il est épuisé ; ou bien, s'ils ne sont pas chez les cousins, il a mal au ventre, ce doit être le poisson, il avait un drôle de goût, non ? ou il fait trop froid, tout simplement. Un froid pareil, ce n'est pas humain.

Elle sait ce qu'il pense : à Ghardaïa, loin de France, loin des cousins, loin des rivages qu'elle a déjà longés avec Jim, sous le soleil du Sahara, sur un lit où ils pourraient être nus, les choses auraient été différentes. Elle sait qu'il sait ce qu'elle pense : aux sports d'hiver, ils auraient eu une chambre chauffée et confortable, adaptée au froid.

Il s'est endormi. Elle distingue son profil dans l'obscurité, la bouche entrouverte, entend la respiration régulière. Elle a envie de pleurer. Ce matin, elle n'a pas pu s'en empêcher. Après, il était d'humeur massacrante. Elle a peur. Comment vont-ils s'en sortir ? Est-ce la réticence initiale d'Elvire, son refus d'aller à Ghardaïa, de s'abandonner au rêve de son bien-aimé, que le corps de Philippe, plus tenace que lui dans le ressentiment, leur fait payer ? Ou le problème est-il plus grave ? Est-ce normal, un garçon de vingt-sept ans qui n'a jamais connu de femme, alors même qu'il a déjà été fiancé ? Pourquoi, d'ailleurs, sa fiancée l'a-t-elle abandonné ? Qu'a-t-elle vu en Philippe qu'Elvire n'a pas encore repéré ? Quelle tare ? Sa mère qui hait les hommes l'a-t-elle traumatisé ? Faudrait-il tenter un geste pour le rassurer ? Mais le rôle d'initiatrice ne convient pas à Elvire. Avec Jim les choses se sont faites toutes seules. Elle l'a caressé dans le feu du désir, jamais de façon consciente et délibérée. Est-ce le fait qu'elle n'est plus vierge, cette différence entre eux, que Philippe ne peut pas supporter ? Aurait-elle dû se taire ? Mentir ? Elle voudrait pouvoir lui dire qu'il n'a pas d'inquiétude à avoir, qu'une simple caresse de lui vaut mieux que la virilité de Jim, que la douceur de l'abandon sous ses doigts délicats est préférable à la tension inquiète qu'elle gardait entre les bras de Jim. Elle ne dit rien. Le nom de Jim est tabou. Mais même son silence est indiscret. Même son silence évoque le souvenir de l'amant américain, de son grand corps solide, de ses mains larges et chaudes, de son expérience d'homme marié, divorcé.

Les jours effacent l'angoisse des nuits. Marcher dans les ruelles, main dans la main, Philippe dans son costume du mariage civil, elle dans son tailleur rouge en laine chinée de chez Heim avec, à la main, une rose rouge qu'il lui a offerte — ils forment un si beau couple, si élégant, que les gens se retournent sur eux comme s'ils étaient des acteurs connus ; prendre un Martini, à six heures, sur la terrasse ensoleillée d'un palace, avec une vue dégagée sur la mer, splendide sous le soleil d'hiver ; manger un exquis poisson grillé, pêché le jour même, dans un petit restaurant vraiment pas cher pour une telle qualité ; dîner avec les cousins sympathiques qui les reçoivent merveilleusement, curieux de connaître l'épouse du petit-cousin parisien qui a réussi, ébahis par l'expérience américaine d'Elvire. Mais c'est sans regret, presque avec le sentiment d'avoir fini une épreuve, de s'en être, en fin de compte, honorablement tirés, qu'ils embarquent à Marseille le 19 janvier pour Alger. Fin du voyage de noces. Début de la lune de miel.

Alger. Le paradis sur terre. Elvire découvre la beauté dont parle Camus. Elle adore marcher dans les petites rues blanches et peuplées, grimper les escaliers, se perdre dans les souks où les marchands l'assaillent de mille compliments et la font rire, et où Philippe lui achète pour rien des bijoux d'argent qu'elle porte avec une joie enfantine. Elle aime les longues marches sur les collines arides d'où, parvenus au sommet, l'on voit la mer, d'un bleu étincelant, sereine, sans rien de commun avec l'océan agité et glacé de Ploumor où elle ne pouvait pas mettre le pied sans attraper aussitôt une crampe, obligée pourtant de suivre la bande des frères et sœurs pour ne pas se faire traiter de sainte-nitouche. Elle adore la gaieté de la ville et de ses habitants, et ce soleil toujours présent, vers lequel elle dresse son visage comme pour l'adorer. Elle est même sensible à la beauté du désert, quand ils s'y rendent en dépit des avertissements, du danger des attentats. « Tu vois, dit Philippe : on aurait dû aller à Ghardaïa. » Elle reconnaît qu'elle a eu tort, se traite d'idiote, met en cause sa pusillanimité, s'enchante de tout.

Ils sont logés confortablement dans un petit appartement auquel leur nouveau statut d'époux leur a donné droit, dans une résidence agréable de la banlieue d'Alger où habitent d'autres jeunes couples dont les maris sont de la promotion de Philippe. Pour s'occuper pendant qu'il est au bureau, Elvire s'est inscrite à un cours de sténographie. Elle va à l'école tous les après-midi, s'assied sur les bancs à côté des jeunes filles d'Alger, n'apprend pas grand-chose, s'amuse. Vers six heures, elle va chercher Philippe à son bureau, non loin de l'école. À pied, ils regagnent leur petit nid où les attend le dîner préparé par Pigeon, la femme de ménage algérienne que se partagent les couples français de la résidence. Presque chaque soir un couscous : couscous poulet, couscous agneau, couscous saucisse, couscous mouton. Ils vont parfois se promener après dîner. La nuit est si douce qu'Elvire voudrait marcher des heures. Mais le couvre-feu tombe à minuit. Le week-end, ils explorent les environs d'Alger, boivent des Martini au coucher du soleil, vont dîner les uns chez les autres, dans des appartements à la distribution et aux meubles en tout point semblables à celui dans lequel ils rentrent vers une heure du matin, éméchés et heureux.

Il y a les nuits. Il y a ce dont ils ne parlent guère. Ce dont ils ne peuvent pas parler. Ce n'est pas grave. Ce n'est pas essentiel. Sa mère le lui a dit, et c'est vrai : on peut vivre sans. L'essentiel, c'est la gentillesse de Philippe. C'est son humeur sans ombrage, qui semble s'être harmonisée avec la douceur de l'air. C'est son amour pour elle. Elle a une confiance absolue dans la science. Il a promis de consulter, quand ils seront de retour à Paris, le docteur dont elle lui a parlé. Inutile d'épiloguer. Il faut profiter de cette merveilleuse parenthèse. À

Alger, elle retrouve la gaieté de l'Amérique, la liberté, la possibilité de vivre légèrement, sans souci du lendemain, comme si la vie n'était qu'un jeu sans enjeu. Le ciel d'un bleu toujours pur lui rappelle le vaste ciel d'Amérique traversé parfois par des nuages géants, et l'éclat lisse de la mer évoque la neige recouvrant le campus. Harvard, Alger. Ils pourraient prolonger cette magique parenthèse dont la fin approche trop vite. Philippe le souhaite : il lui suffit de demander son détachement ; il l'obtiendra sans problème. Ils en discutent longuement. Elvire refuse. Une parenthèse ne peut être qu'une parenthèse. Un tel bonheur ne pourrait durer si elle n'avait la conscience de ses limites temporelles. Ce qui l'attache tant à Alger, n'est-ce pas déjà la nostalgie du départ ? La vie normale est là-bas, de l'autre côté de la mer. Elle doit travailler. Si elle ne reprend pas son emploi à la date prévue, son patron va la remplacer. Tant d'études, pour conduire seulement à des vacances prolongées ? Sa mère ne serait pas fière d'elle. Sa mère lui manque.

Quelques jours après leur retour, ils prennent rendez-vous chez le célèbre endocrinologue. Pendant que Philippe reste dans la salle d'attente, Elvire passe la première, pour parler au médecin d'un problème de femme : depuis deux mois elle n'a plus ses règles. La fatigue du retour, de la réadaptation à un Paris pluvieux et froid après la chaleur paresseuse d'Alger ? Ou — elle tremble de l'envisager — une maladie nécessitant des médicaments, une opération ?

Puis c'est le tour de Philippe, qui confie au docteur, non sans gêne, d'intimes difficultés : marié depuis trois mois, il est, pour ainsi dire, pas totalement peut-être mais, disons, techniquement parlant, toujours puceau. Comme si un sortilège s'acharnait contre lui, à peine se retrouve-t-il sur le lit conjugal, dans la chambre aux volets clos où l'obscurité épargne sa timidité, à peine se presse-t-il contre le corps de sa jeune femme, d'Elvire qu'il aime et qu'il désire, que l'ardeur qui animait son corps quelques instants auparavant quand il était encore habillé et l'embrassait passionnément le quitte. Lors-

qu'il est seul, pourtant, son corps fonctionne normalement :
il peut l'assurer au docteur. À Alger, ils étaient si heureux que
le problème ne peut être d'ordre psychologique. Il doit y avoir
une cause physique. Voilà pourquoi il est là.

De l'autre côté du vaste bureau, le docteur hoche la tête.
Au lieu de demander à Philippe de se déshabiller, il se
contente de sourire. Le problème ne doit pas être trop grave,
lui dit-il : sa femme est enceinte de deux mois. Il félicite le
futur papa. Ce sera cinq mille francs pour la consultation.

VII

Grand-maman

Après la mort de son mari en 1965, grand-maman a besoin de changer de décor. Elle achète en banlieue un appartement plus petit, moderne et confortable, avec un grand balcon donnant sur des jardins, et laisse à sa fille Elvire l'appartement de cinq pièces de la rue de Varize, près de la porte de Saint-Cloud, au loyer modéré grâce au bail de location régi par la loi de 1948. Avec son mari et ses deux petites filles, Elvire quitte Antony, où ils ont habité pendant six ans un appartement moderne, pour retourner dans celui où elle a vécu son enfance et son adolescence entre sa mère et sa sœur. Ils le modernisent : ils font refaire la cuisine et la salle de bains, séparent le bureau des pièces de réception pour créer une pièce indépendante, construisent une penderie, des placards et des étagères, mettent de la moquette. Les filles partagent la chambre sur cour qui était celle d'Elvire et de Nicole. Le bureau de Simone devient celui d'Elvire puis, en 1969, la chambre de Nicolas, et, en 1972, la chambre de Nicolas et Pierre. Elvire déplace alors son bureau dans le salon, près du canapé et des fauteuils à franges en velours bleu roi autour d'une table basse en marbre. Le sol du couloir où, en mars 43, Elvire a vu entrer les policiers venus arrêter sa mère, est revêtu de larges carreaux noirs et blancs idéaux pour jouer à la marelle.

Le dimanche, nous déjeunons chez grand-maman. Cette

obligation ennuie Philippe et Elvire autant qu'il est possible, mais il n'y a pas moyen de s'y dérober. Ils préféreraient passer la journée entière au Racing Club de France dont Philippe était membre avant de rencontrer Elvire et où il a réussi à l'inscrire après quelques années, la convainquant en même temps de s'initier au sport. Elle fait avec autant, sinon plus, de passion et d'énergie que lui la gymnastique du dimanche matin, le jogging dans le Bois et la partie de tennis en fin de matinée, cherchant toujours à se fatiguer davantage et à se dépasser dans l'effort. S'il n'y avait pas le déjeuner chez Simone, après la partie de tennis ils pourraient aller à la piscine découverte, chauffée hiver comme été, où l'on accède en hiver par un sas, et autour de laquelle il y a en été une grande plage couverte de chaises longues où il fait bon se bronzer. Ils nageraient une demi-heure, avaleraient un sandwich à la cafétéria de la piscine puis passeraient l'heure de la digestion à lire le journal ou un bon roman. Ils pourraient rejouer au tennis vers cinq ou six heures, quand il y a un peu moins de monde, faire un double au lieu d'un simple s'ils sont un peu fatigués, puis prendre une douche, passer au sauna et rentrer à la maison vers sept ou huit heures, épuisés d'une saine fatigue. Au lieu de quoi il faut couper la journée par le déjeuner du dimanche chez Simone et tout faire en courant, la gymnastique, la course dans le Bois, la partie de tennis et, s'il fait très beau, un plongeon dans la piscine. Ils sont arrivés à reculer au maximum l'heure du déjeuner : une heure et quart, voire une heure et demie, alors que Simone déjeune normalement à midi et demi. Elle a dû se plier à leurs exigences, accepter ce compromis.

Nous sommes en retard chaque dimanche. Nous nous sommes rhabillés à toute vitesse, nous avons couru à la sortie du Racing pour sauter dans la voiture garée à cinq cents mètres, papa a conduit à toute allure, s'est violemment énervé contre les connards de conducteurs du dimanche et contre moi, derrière, qui excite les garçons et les encourage à crier caca boudin de plus en plus fort, s'est disputé avec maman qui ne cesse de regarder sa montre, l'air tendu comme si c'était sa faute à lui alors que c'est lui qui a dû l'attendre pendant qu'elle se séchait les cheveux, et quand nous nous garons enfin devant la résidence de grand-maman à Meudon il est deux heures moins le quart. Grand-maman va être furieuse. Elle va gronder maman, qui va se défendre. Il va y avoir une scène. Je sors de la voiture la première et cours vers l'immeuble. Ma mission : prévenir grand-maman de notre arrivée imminente et essuyer les premières foudres. « N'oublie pas, dit maman, on n'avait plus d'essence, et impossible de trouver une station ouverte le dimanche ! — On a dû faire vingt kilomètres en plus », ajoute papa en riant. Ou bien : « J'avais oublié les couches, crie maman, pas de pharmacie ouverte le dimanche, on a dû repasser par la maison ! »

Je pousse la porte vitrée de l'immeuble et descends à toute vitesse l'escalier de marbre. C'est une particularité de l'immeuble de grand-maman qui surprend les amis qu'on invite à déjeuner chez elle le dimanche : elle habite au deuxième étage, mais il faut descendre quand on entre, l'immeuble étant construit à flanc de colline et l'entrée qui donne sur le parking se trouvant au niveau du quatrième étage. J'arrive sur son palier. Pas besoin de sonner. La porte est ouverte. Grand-maman se tient debout dans l'encadrement de la porte, les mains sur les hanches. Ce n'est pas parce qu'elle m'a entendue. Elle est là depuis dix minutes au moins. Elle attend. L'expression de son visage reflète une colère immense. Elle ne m'embrasse même pas. Sa fureur éclate. « Vous vous fichez du monde ! Il est presque deux heures ! Le rôti va être complètement brûlé ! Ça fait une demi-heure que j'attends ! Ta mère se moque du monde, elle se fiche de moi ! — Mais non, grand-maman, pas du tout, si tu savais ce qui nous est arrivé ! On a eu une panne d'essence ! Papa a dû s'arrêter en plein bois de Boulogne et on a dû pousser la voiture ! » Elle ne m'écoute pas. Elle s'avance sur le palier, droite sur ses hauts talons, la tête dressée vers l'escalier où va bientôt apparaître la coupable. Maman arrive dans sa petite robe Courrèges orange, regardant attentivement les marches pour ne pas trébucher sur ses chaussures à talons avec son gros bébé blond dans les bras qui pleure de fatigue et de faim. Papa arrive juste derrière elle. Il porte Nicolas pour aller plus vite. «Elvire, tu te fous du monde! Il est deux heures moins cinq! — Moins dix, corrige papa. — Peu importe! C'est la dernière fois que j'accepte un retard pareil!» Le visage de maman se crispe. «Avec les enfants si tu crois que c'est facile! On a dû attendre une heure avant d'être placés au tennis, il y avait une queue énorme! — Et puis on n'avait plus d'essence, dis-je. — La dernière fois, tu m'entends, la dernière fois!» s'exclame grand-maman.

Pendant tout le déjeuner, grand-maman crie contre la bonne, la vieille Madeleine, sourde, qui ne cesse de faire des bêtises. Ils ne sont guère détendus, ces déjeuners. Maman renverse de la sauce sur son chemisier ou sur ses bottes en daim. Papa signale à Simone qu'il préfère des pommes de terre bouillies, nature, à ces pommes dauphine surgelées qui n'ont de patates que la couleur. Je m'écrie que moi, au contraire, j'adore les pommes dauphine, surtout grillées. Maman m'ordonne de me taire. Grand-maman dit qu'elle fera faire de vraies pommes de terre par Madeleine la prochaine fois. Pierre dans son siège pour bébé se met à pleurer, une odeur de caca embaume la pièce. Papa crie parce que effectivement maman a oublié les couches. Simone crie parce qu'elle craint pour le velours de son canapé sur lequel maman change Pierre. Nicolas crie parce que j'ai profité de la confusion pour dérober dans son assiette un peu de mousse au chocolat dont il ne reste plus dans le plat. Papa et maman me crient après parce que je fais exprès de faire crier Nicolas, ou, quand Anne nous accompagne au lieu de passer le dimanche aux scouts, crient contre Anne et moi parce qu'on se bat pour la dernière bouchée du gâteau. La tension entre Elvire et Simone ne diminue pas. Simone ne peut pardonner à Elvire le retard du dimanche, qu'elle attribue à la méchanceté, l'insouciance, l'égoïsme de sa fille. Simone ne reproche rien à son gendre. Ce n'est pas le problème de son gendre.

Sa fille cadette, Nicole, ne déjeune pas tous les dimanches chez sa mère. Elle vient parfois le samedi avec sa famille. Ce n'est pas un rituel hebdomadaire. Ces déjeuners se passent dans une grande harmonie. Nicole, Serge et leurs deux enfants arrivent à midi et demi pile. Nicole apporte à sa mère un bouquet de fleurs ou une plante. Les petits sont gentils, discrets. Après déjeuner, Serge fait une piqûre à sa belle-mère ou lui rédige une ordonnance. Nicole n'a aucun problème avec sa mère. Nicole ne voit sa mère qu'au moment où elle l'a décidé et ne se laisse rien imposer.

Papa et maman ont réussi à faire admettre grand-maman au Racing Club de France, un club extrêmement sélect où Joséphine déposera sa candidature pendant au moins dix ans sans y être jamais admise. Grand-maman est un membre honoraire du club : elle ne pratique aucun sport, mais, pour trois mille francs par an, a le droit de se promener dans les allées bien soignées, bordées de jolies fleurs, et d'inviter au restaurant, pas la cafétéria mais le restaurant cher, à ses frais bien sûr, des amis qui ne sont pas membres du Racing Club de France. Je rêve de m'y faire inviter par grand-maman. Je n'y parviens pas. Grand-maman y invite parfois papa et maman à déjeuner le samedi pendant que les garçons, Anne et moi avalons un sandwich à la cafétéria. Papa et maman n'aiment pas manger au restaurant : la nourriture y est trop lourde, ensuite ils ne peuvent plus faire de sport.

Grand-maman ne vient que très rarement au Racing, cinq ou six fois seulement pendant le printemps et l'automne. Elle lit sur un banc devant la pelouse, elle joue au bridge quand elle trouve des partenaires. Elle ne peut pas partager nos occupations. Nous courons partout. Anne joue au tennis. Je m'occupe des garçons au jardin d'enfants, à l'autre bout du Racing, loin de l'entrée principale et des restaurants. C'est un lieu plein de sable et de terre, pas facile d'accès pour grand-maman. De toute façon, ce n'est pas avec nous qu'elle aimerait passer du temps. Elle est en colère contre Elvire qui ne trouve que dix minutes à lui consacrer entre la gymnastique de onze heures et sa partie de tennis à midi.

Chaque été, grand-maman vient passer quelques semaines avec nous en Bretagne. Là non plus, elle ne partage aucune activité commune, ne pratique aucun sport. Elle n'aime pas les marches. La cambrure de ses pieds est telle qu'elle ne peut porter que des chaussures à talons. Elle ne se met jamais en maillot de bain. Elle passe ses journées entre la terrasse de l'hôtel avec vue sur la mer où elle lit, converse et boit des verres, et le restaurant. Son activité essentielle à Ploumor consiste à inviter papa et maman au restaurant, en contrepartie de leur hospitalité dans notre maison de location, où elle a sa chambre.

On ne s'occupe pas beaucoup d'elle. Elle nous voit traverser en courant d'un air vaguement coupable, à la recherche d'un maillot de bain, d'une serviette de plage ou d'un masque de plongée, le salon où elle est seule avec son livre. Sa présence est lourde comme un reproche. On ne reste pas à lui faire la conversation. Elle nous demande où est Elvire. On ne sait pas. Elle nous dit de nous vêtir plus chaudement. On n'écoute pas. Le matin, quand tout le monde est à la plage, elle prend son bain. Elle consomme toute l'eau chaude. Il n'y en a plus, le soir, quand on rentre de la plage ou de la voile. Elle attend le déjeuner. Elle se plaint qu'on déjeune si tard, à deux heures et demie ou trois heures de l'après-midi. Ses plaintes n'ont aucun effet. Maman lui dit : « C'est comme ça, c'est notre rythme, on ne peut pas le changer. » Dans la journée grand-maman s'ennuie. Vers le soir elle s'anime. Il faut s'habiller, se préparer pour le restaurant. Généreuse, elle invite souvent une sœur de papa, des cousins ou des gens qu'elle rencontre chaque année à Ploumor. Quand elle est là, papa et maman se font inviter par la famille de papa plus que d'habitude. À Ploumor comme à Paris, les seuls plaisirs de Simone sont de nature sociale et culinaire.

Les dernières années, elle trouve une ressource pour attendre le déjeuner tardif : vers midi et demi, elle descend la rue qui mène à un nouveau restaurant en face de la plage. À l'intérieur du restaurant, d'où l'on n'a aucune vue sur la mer, installée dans un fauteuil confortable, elle se fait servir une douzaine de grosses huîtres fraîches, tout en buvant un cocktail, qu'elle prononce « cocktaïle » avec un « a » très ouvert et un accent mondain. C'est son seul plaisir de la journée. Elle propose à qui veut de l'accompagner. On le fait parfois pour manger des huîtres. Les propriétaires et les serveuses du restaurant la connaissent bien. Grand-maman aime devenir une habituée dans les restaurants qu'elle fréquente : que la propriétaire ou le maître d'hôtel l'appelle par son nom, qu'on ait toutes sortes de petits égards pour elle, qu'on vienne lui faire la conversation, qu'on lui serve gratuitement l'apéritif sans même lui demander ce qu'elle veut boire, ainsi qu'à ses invités. Elle laisse de généreux pourboires. À Levallois et à Ploumor, il y a des maîtres d'hôtel qui, des années après l'avoir vue pour la dernière fois, demandent encore à maman : « Et comment va Mme Martinet ? »

Cette générosité, elle ne pourrait pas l'avoir si Floriot, en mourant, n'avait pas légué ses biens à ses collaborateurs. De quoi arrondir coquettement sa retraite et lui donner la liberté, appréciée par elle à sa juste mesure, d'inviter qui elle veut dans les plus grands restaurants. C'est aussi l'héritage de Floriot qui lui permet d'aider sa fille et son gendre à payer leur appartement de Levallois, dans une grande résidence moderne en train d'être construite, où nous emménagerons en 1977. Nous réalisons une affaire familiale. Grand-maman vend son appartement de Meudon pour se rapprocher de nous, afin d'assurer la sécurité de sa vieillesse. Elle achète un appartement à Levallois, non pas dans la même résidence que nous, non pas dans le même immeuble, mais sur le même palier.

Le soir, quand elle rentre du bureau, Elvire passe voir sa mère, si elle n'a pas eu le temps d'aller lui dire bonjour le matin. Simone est discrète : elle ne sonne pas à notre porte à moins d'avoir été formellement invitée, pour ne pas déranger son gendre qui lui fait un peu peur avec ses cris et ses humeurs. Elle ne voudrait surtout pas provoquer une scène. Elle préfère ne pas avoir notre clef. Elle nous a donné celle de son appartement. Nous pouvons entrer chez elle quand nous le voulons. Elle n'est pas contente quand Elvire n'a pas le temps d'aller lui dire bonjour le matin. Le soir, si maman se fait désirer trop longtemps, Simone lui passe un bref coup de fil. « Mais qu'est-ce que tu fais ? Ça fait une heure que je t'attends ! — Je viens seulement de rentrer, il y a eu d'épouvantables embouteillages, il y a un match au Parc des Princes, j'ai été bloquée par la circulation, j'ai mis deux heures... — Bon, tu viens quand ? » Maman ne s'assied jamais sur le canapé profond en velours marron. Elle fait la conversation en restant debout. Elle en a assez d'être assise toute la journée, au tribunal, dans la voiture, à son bureau. Grand-maman reste en alerte tout le temps de sa visite. Dès que maman fait un pas vers le couloir, elle s'exclame : « Quoi, déjà ! Mais ça fait à peine cinq minutes que tu es là ! — Ça fait beaucoup plus que cinq minutes et j'ai le dîner à préparer, Nicolas a une interrogation demain, Philippe est affamé, si je n'y vais pas tout de suite, ils vont être furieux. J'essaierai de passer après le dîner. » Une heure plus tard, grand-maman regarde sa montre toutes les cinq minutes. Elle finit par téléphoner à sa fille. Ou bien elle ne téléphone pas. Quand Elvire vient lui dire bonjour le lendemain matin, elle lui fait grise mine. « Tu avais dit que tu passerais ; je t'ai attendue pendant une heure ; ne fais pas de promesses si c'est pour ne pas les tenir. »

L'appartement de grand-maman est beaucoup plus coquet que celui de papa et maman. Il a été entièrement installé par un décorateur professionnel grassement payé par elle, un monsieur aux cheveux argentés avec des favoris, portant de beaux costumes et d'élégantes cravates en soie piquées d'une épingle en or, un gentleman charmant qui a discuté longuement avec elle du choix de chaque papier peint, de chaque moquette, de chaque meuble. Chez nous, les murs sont peints en blanc, sauf dans les couloirs où ils sont recouverts d'un papier peint aux couleurs vives pour éviter qu'ils ne se salissent trop vite. Chez grand-maman, il y a du tissu molletonné aux murs, de la soie sauvage : jaune d'or dans le salon, bleu clair dans sa chambre, mauve dans la petite chambre d'amis où dort Anne quand elle passe le week-end à Paris. Aux fenêtres sont installées de lourdes tentures aux tons chauds, ainsi que des voilages. Sur le balcon il y a six pots de géraniums rouges, une table de jardin blanche avec un parasol jaune et blanc, et deux chaises confortables avec des coussins. Grand-maman a choisi avec particulièrement de soin le lustre en cristal de Venise en forme de longs tubes, « mes cannellonis » comme elle les appelle en riant, une pièce extrêmement chère qu'elle a suspendue dans l'entrée, et sa table de salle à manger, une petite table ronde au dessus maroquiné qui ne prend aucune place et qui peut recevoir douze personnes quand on met les rallonges. Grand-maman crie quand on écrit à cette table sans mettre un journal sous notre papier. Les seuls meubles modernes du salon sont les canapés de velours marron, aux coussins mous, d'où il est difficile de se relever, et les tables basses en chrome doré et miroir moucheté qui prennent vite la poussière et qu'elle fait épousseter trois fois par semaine par la femme de ménage. La pièce qu'elle préfère est sa chambre : une vraie chambre de jeune fille avec sa moquette bleu clair, son tissu de soie bleu clair aux murs, ses rideaux avec de grosses fleurs bleues et vertes sur fond blanc, son lit une personne aux montants de velours bleu roi, recouvert d'une housse et de coussins dans le même tissu fleuri que les rideaux. Les placards sont encastrés dans le mur. Face à la baie vitrée qui donne sur le jardin se trouvent le bureau Louis XV et le fauteuil tapissé de velours bleu comme les montants du lit, et, contre le mur, la grosse commode Louis XV avec le miroir. Elle fait changer une fois par semaine ses draps de coton fleuri. Son lit est frais, on a envie de s'y endormir. Pour la petite chambre destinée aux visites d'Anne, grand-maman a acheté un canapé-lit très confortable, qui a coûté cher et qui, ouvert, remplit la pièce. Plus tard, quand je m'y installerai pour réviser mes concours et échapper aux bruits de la maison, elle commandera une chauffeuse blanche assortie au lit, pour me permettre de lire tranquillement dans la chambre.

Grand-maman adore son appartement, ce petit nid qu'elle s'est fait, le dernier nid de sa vie. Elle ne se lasse pas de le montrer à ses amis et de faire admirer chaque détail ingénieux. Elle se sent merveilleusement bien chez elle, enfoncée dans son canapé de velours marron, devant la télévision. Au printemps, en été, en automne, dès qu'il fait beau, elle prend le petit déjeuner sur son balcon, à sa table ronde. Le soleil réchauffe le balcon pour une ou deux heures seulement et disparaît bientôt, caché par le mur de notre appartement, par rapport auquel son appartement est en retrait. « C'est vous qui me faites de l'ombre », dit-elle en grognant. Son appartement est un cocon toujours propre et bien rangé, où on est en sécurité. Sur le miroir moucheté de la table basse du salon aux pieds de métal doré, se trouve une grande boîte en cuir contenant des paquets de cigarettes. Grand-maman ne fume plus, mais chez elle on peut fumer. Elle ne dit jamais que cela la dérange, alors que maman se met à tousser comme si elle suffoquait dès qu'elle sent une lointaine fumée. Grand-maman est tolérante, sauf si elle nous trouve mal habillés et craint qu'on ne lui fasse honte avec cette jupe de hippie et ces cheveux pas coiffés alors qu'elle attend une visite.

Elle reçoit beaucoup d'amis. Elle a gardé un cercle important d'amis anciens, des avocats surtout, et de cousins. Ils lui sont tous fidèles. Chaque jour ou presque elle a une visite ou elle est invitée. Après leur départ, elle aime commenter la visite : « Ils sont charmants, n'est-ce pas ? Il est tellement raffiné ; quel grand avocat c'était, si tu savais ! Ils t'ont trouvée ravissante. Cette pauvre Bella, elle a l'air fatiguée, mais elle ne peut absolument pas arrêter de travailler, elle n'aurait rien pour vivre avec sa retraite du Palais ; elle n'a pas ma chance, la pauvre. » Grand-maman ne cache jamais ce qu'elle pense : « Cette conne d'Yvonne vient me raconter ses voyages qui n'ont aucun intérêt! Elle voudrait nous faire croire qu'elle a inventé la poudre mais tu sais, elle n'a aucun diplôme et comme scientifique elle ne vaut rien du tout. Qu'est-ce qu'elle peut m'énerver! — Mais pourquoi tu la vois? — Je la vois le moins possible! Elle m'a téléphoné, qu'est-ce que tu veux! »

Le matin, grand-maman fait longuement sa toilette dans sa jolie salle de bains blanche d'une propreté impeccable avec les produits Guerlain, savon, eau de toilette et bain moussant, que lui offre Nicole chaque année pour Noël et qui ornent la tablette blanche de leurs flacons dorés. Le reste de la journée, elle lit, regarde la télévision, téléphone. Dans ses lectures, elle est moins sélective et moins intellectuelle que maman : elle lit parfois des classiques, parfois des romans contemporains que sa fille lui prête, mais aussi des succès populaires, des romans historiques, des biographies. Ce qu'elle aime avant tout ce sont les gros livres, ceux qui durent le plus longtemps possible, qui font une compagnie. Elle prépare son voyage de l'année, pas sa visite à Ploumor mais cette croisière qu'elle entreprend avec des amis riches sur un paquebot de luxe, qu'elle peut s'offrir grâce à l'héritage de Floriot, et pour laquelle elle s'achète deux robes du soir avant de partir dans une boutique pour dames en face de la résidence, pas le genre de boutique où maman met les pieds. Ce sont des croisières à thème : théâtral, musical. Sur le paquebot embarquent les acteurs de la Comédie-Française ou les musiciens de l'orchestre philharmonique de Radio France. Elle assiste à une représentation de *Phèdre* de Racine dans les ruines d'Éphèse. «Ce que c'était beau, la lumière dorée sur les ruines, et la langue de Racine à la lueur de la lune! Inouï, inoubliable! Ces croisières Paquet sont vraiment merveilleuses.» Avant, après les voyages, elle est animée, heureuse. À d'autres moments elle ne fait rien. Elle reste assise sur son canapé de velours marron, les plis de sa bouche rabaissés, les yeux perdus dans le vide. Si on entre à ce moment-là, son visage se remet soudain à vivre comme un masque qui s'anime et elle sourit, elle nous demande si on a faim, si on a soif. Le matin, le soir, elle attend la visite de maman.

Un matin de novembre 1986, maman entre chez grand-maman sans sonner car pour une fois elle a pris la clef, afin de lui dire bonjour en coup de vent avant de partir pour le tribunal. « Môman ! » Sa mère n'est pas dans le salon et ne répond pas. La porte de l'appartement n'était pas fermée à clef : Simone n'est pas sortie faire les courses. Elvire a un pressentiment avant même d'ouvrir la porte du couloir qui conduit aux chambres. Elle trouve sa mère inanimée sur la moquette bleue à côté de son lit, avec un filet de bave qui coule de ses lèvres.

L'attaque a paralysé le côté droit de grand-maman et la moitié gauche de son cerveau. Elle récupère bientôt une conscience totale ; elle parle. Mais elle a des troubles de la vue. Elle ne pourra plus lire ni regarder la télévision.

Cette année-là, je suis en Amérique. Un jour, alors que je passe la journée dans Manhattan à faire du tourisme, déprimée parce que je suis amoureuse d'un garçon qui n'est pas Martin et qui n'a rien à faire dans ma vie, j'ai soudain envie de parler à grand-maman et d'entendre sa voix pleine de punch, d'énergie et d'autorité. Il est midi et demi, six heures et demie à Paris. J'ai une carte de téléphone qui me permet de composer le numéro de l'hôpital depuis un téléphone public. La réceptionniste me transfère. Deux sonneries, puis on décroche. Je perçois un bruit de chute, puis le récepteur est récupéré par une main peu sûre. « Allô ? » Sa voix est chevrotante : j'ai dû la réveiller. « Grand-maman ? C'est Marie ! — Oui, quoi ? » Dans sa voix, je devine qu'elle ne m'a pas reconnue, qu'elle ne sait pas qui je suis. « C'est Marie, Marie ! — Évidemment, je sais bien. Qu'est-ce que tu veux ? — Je t'appelle de New York, grand-maman. Je suis en haut de l'Empire State Building, je pensais à toi, je me demandais comment tu allais, j'avais envie de te parler. — C'est très gentil de ta part, répond grand-maman d'une voix aimable et polie comme si je m'enquérais de sa santé dans un cocktail mondain. Je vais bien ; enfin c'est une façon de parler. Tu sais à quelle heure ta mère va venir ? Je ne l'ai pas vue aujourd'hui, ça fait une heure que je l'attends. — Non, je ne sais pas, grand-maman. Je suis à New York, pas à Paris, je n'ai pas parlé à maman. — Ah bon. Écoute, je vais raccrocher pour le cas où ta mère essaierait de m'appeler. » Dans mon oreille, soudain, il n'y a plus eu que la sonnerie. Elle avait raccroché. J'ai reposé l'écouteur, la gorge serrée.

Quand je suis rentrée en France, en mai, elle était encore à l'hôpital. Ce n'est pas vraiment un hôpital mais une maison de convalescence, de jolis pavillons modernes avec un grand jardin au cœur du seizième arrondissement de Paris, près de la porte d'Auteuil. Cet établissement est extrêmement demandé, les listes d'attente sont longues, et il a fallu les relations de son gendre Serge, chirurgien, pour que Simone y obtienne un lit si vite. Il n'y avait pas de chambre privée disponible : elle partage sa chambre avec une autre vieille dame. Le matin de mon arrivée, à peine débarquée de l'avion, je lui ai téléphoné pour lui annoncer ma visite. Elle attendait mon appel, elle débordait de joie, maman m'avait prévenue : mon retour était le seul événement dont elle parlait depuis des semaines. Je suis allée à l'hôpital avec maman, je suis entrée pour la première fois dans Sainte-Perrine. J'ai senti l'odeur à laquelle je ne m'habituerai jamais, odeur à la fois aigre et douceâtre de service gériatrique, où se mêlent les senteurs d'urine et de fèces imbibant les draps des vieillards incontinents et remplissant les bassins qui ne sont pas vidés immédiatement après leur utilisation, d'éther et de mauvaise nourriture d'hôpital. Nous sommes montées au premier étage. Je l'ai vue au bout du couloir peint en jaune clair, elle était dans sa chaise roulante, poussée par une infirmière. J'ai couru vers elle.

J'avais laissé une impérieuse dame extrêmement soucieuse de son apparence ; dans la chaise roulante, il y avait une toute petite bonne femme ratatinée, maigrie, avec des yeux trop grands dans son visage maigre et ridé, pas maquillée, vêtue d'un petit ensemble de coton Kookaï mauve, chemisette de sport et caleçon long comme elle n'en avait jamais porté, chaussée de Reebok noires montantes non lacées, et la peau de ses bras nus marquée de larges hématomes laissés par les aiguilles. Elle avait sur le visage le même sourire qu'avant, dégageant son dentier, un sourire plein d'affection et de vie; son apparence ne semblait pas étonner maman ni ma tante qui, depuis des mois, devaient s'être habituées; j'ai fait un effort immense pour ne pas pleurer.

Les débuts à Sainte-Perrine sont encore à peu près humains. Grand-maman fait de la rééducation presque tous les jours. Elle rentre dans sa chambre morte de fatigue mais elle aime beaucoup le kinésithérapeute, un jeune homme charmant pour qui elle demande à Elvire d'acheter une bouteille de Johnnie Walker, et qui vient même bavarder avec elle parfois quand il a trois minutes et passe dans son couloir. Elle est sans doute la pensionnaire la plus lucide, la plus intelligente et la plus drôle de tout l'hôpital. C'est un plaisir de parler avec elle, et le kinésithérapeute ne le lui dit pas pour la flatter; il s'intéresse à elle, il l'encourage à faire tous ses efforts pour récupérer un peu de mobilité dans son côté paralysé et pouvoir rentrer chez elle au plus vite; quand elle est découragée, il plaisante et prétend qu'elle veut seulement rester plus longtemps avec lui : il promet de lui rendre visite chez elle à Levallois, elle ne doit pas retarder ses progrès par peur de ne plus le revoir.

Avec les infirmières, grand-maman rencontre plus de problèmes. Pendant toute sa vie, elle a été obéie au doigt et à l'œil : par ses filles, son mari, ses bonnes, ses clients, et même les policiers venus l'arrêter en 1943. À l'hôpital l'exigence se retourne contre soi. Grand-maman passe son temps à appuyer sur la poire pour appeler l'infirmière. Cette poire actionne non une sonnerie mais une lumière bleue portant le numéro de sa chambre sur un tableau dans la salle de garde. Grand-maman appelle surtout parce qu'elle a envie de faire pipi. Elle appelle aussi parce qu'elle souhaite un verre d'eau; parce qu'elle a mal; parce que ses oreillers mal placés la laissent dans une position inconfortable ; parce qu'elle ne parvient pas à tourner le bouton de la radio de sa seule main qui fonctionne encore. L'infirmière se fait attendre, surtout la nuit. Il faut sonner une fois, deux fois, trois fois. Attendre cinq, dix, quinze, vingt minutes, parfois une demi-heure, parfois une heure. C'est long quand on a envie de faire pipi. Elle fait tout ce qu'elle peut pour amadouer les infirmières ; elle leur pose des questions sur leur vie, sur leurs amours, sur leurs enfants ; elle leur offre des boîtes de chocolats de chez Lenôtre pour Noël et leur anniversaire ; mais son impatience se traduit malgré elle.

Les infirmières ne se laissent pas imposer leur loi par une petite bonne femme d'un mètre cinquante qui dépend d'elles pour sortir de son lit et aller faire pipi. Elles la traitent comme une gamine impatiente et insupportable. « Madame Martinet, vous avez déjà fait il y a moins d'une heure. — Mais j'ai encore envie ! — Vous croyez que vous avez envie. — Mais puisque je vous dis que j'ai envie, je le sais, quand même, je le sens, j'ai bu un verre d'eau, c'est pour ça ! — Je vais vous conduire aux toilettes et vous allez voir, vous allez pisser même pas trois gouttes, la dernière fois vous m'avez fait le même coup. — Je vous en prie, Sylvie, conduisez-moi aux toilettes. » Grand-maman se fait humble, apprend à supplier. Elle bénit nos visites. Ce sont de courtes poches d'indépendance retrouvée. Dès qu'on entre dans la chambre, elle pousse un soupir de soulagement. « Ah, je t'attendais ! Tu vas m'aider. » Avec notre aide, elle peut s'asseoir dans le lit, mettre les jambes par terre, s'appuyer sur la barre métallique à roulettes, avancer lentement vers le cabinet de toilette, pas à pas, en traînant sa jambe invalide. On entre avec elle dans le cabinet de toilette, on l'aide à tourner, à s'asseoir. On sort, puis quelques minutes plus tard on rentre dans les toilettes, elle parvient à s'essuyer toute seule sans perdre l'équilibre mais il faut l'aider à se lever — entreprise périlleuse car elle manque à chaque instant de tomber en arrière —, puis à remonter sa large culotte. Elle s'empare de la barre fixée dans le mur et se soulève de toutes ses forces tandis qu'on la pousse. La position est incommode, on n'a pas d'expérience, ce n'est pas facile. Lentement, pas à pas, avec l'appui, on repart vers le lit. L'opération prend près de vingt minutes.

Pendant les visites, grand-maman pose de nombreuses questions sur son appartement : la femme de ménage vient-elle passer l'aspirateur, est-ce propre, les voilages ont-ils été nettoyés, les meubles époussetés, les géraniums arrosés, la table sur le balcon lavée? Est-il est toujours aussi joli, l'appartement? Elle est ravie que j'y habite pendant mon été en Europe, que je m'y sente bien, qu'il serve à quelque chose en son absence. Elle est pressée de rentrer. Bientôt, dans un mois peut-être. Elle fait beaucoup de progrès. D'une certaine manière j'espère que ce ne sera pas avant la fin de l'été : je me sens bien, seule dans son appartement; je l'occupe entièrement, je peux y inviter des amis à dîner : c'est pratique. Papa et maman non plus ne sont pas trop pressés qu'elle rentre. Ils souhaitent qu'elle récupère d'abord le plus possible de force et d'indépendance. Elle reçoit à Sainte-Perrine des soins qu'elle obtiendrait difficilement à domicile. Chez elle, il faudra quelqu'un à plein temps pour s'occuper d'elle. Ce retour demande une organisation rigoureuse. On va s'en occuper, mais le mieux serait à la fin de l'été, après les vacances que papa et maman passeront à Ploumor. Ils ne souhaitent pas que Simone reste seule à Levallois. Elle se rend à la raison : elle n'a pas le choix. Son espoir se reporte à la fin de l'été, cet été qu'elle voit s'approcher avec détresse, l'époque des départs en vacances. Nous ne serons pas là, elle aura peu de visites.

Grand-maman a beaucoup de chance par rapport aux autres vieillards de l'hôpital. Elle a toute sa tête. Comme je ne cesse de le lui répéter, si on lui rend visite ce n'est pas par pitié ni même par gentillesse mais parce que c'est un vrai plaisir de discuter avec elle. Elle est vive. Elle est drôle. Elle a des opinions fermes sur tous les sujets, et beaucoup d'humour. Même déprimée, elle est encore animée. Aucun de ses nombreux amis ne la laisse tomber. Chaque jour quand je lui rends visite, je trouve quelqu'un dans la chambre, parfois même la conne d'Yvonne. Chacun lui apporte des fleurs, des douceurs, des gâteaux. Chaque matin elle passe des heures au téléphone. En bas, il y a une sorte de café qui donne sur le jardin, et grand-maman y a un compte, comme dans tous les restaurants qu'elle a beaucoup fréquentés dans sa vie. L'après-midi, quand on lui rend visite et qu'on la trouve installée dans sa chaise roulante et non dans son lit, on peut descendre avec elle, se promener un peu sous les arcades ou rester tranquillement à respirer un air qui n'est pas celui des couloirs d'hôpital; on sent même le parfum des roses du jardin, de belles roses rouge sombre qui bordent les allées; on va au café chercher un jus d'orange pour grand-maman, un Coca pour soi, deux parts de tarte, on les mange à une table sous les arcades; la tarte au citron meringuée est délicieuse, elle vient de chez un vrai pâtissier; parfois il y a même une exquise tarte aux framboises. Sous les arcades sont assis ou circulent d'autres pensionnaires de l'établissement, les mieux portants, entourés d'amis ou de membres de leur famille. «Bonjour, madame», dit soudain grand-maman de sa voix mondaine d'autrefois, tandis qu'une vieille dame en chaise roulante, poussée par une infirmière noire, passe devant elle et lui fait un signe de tête poli. «C'était une harpiste très célèbre, chuchote grand-maman, et la malheureuse a la maladie d'Alzheimer.» Aujourd'hui elle est allée aux toilettes presque toute seule. Elle est d'humeur exquise. Cela ressemble à la vie normale. Pour sa chambre, Nicole lui a acheté une petite radio japonaise facile à manipuler avec un bouton sur lequel il suffit d'appuyer, car elle n'arrive plus à tourner les boutons. Nicole lui a aussi trouvé une montre pour enfant, avec de gros chiffres et un contraste net entre le fond et les chiffres, qui lui permet de lire l'heure en dépit de sa mauvaise vue; comme les aiguilles sont fluorescentes, elle peut même voir l'heure dans le noir. Sur la table en Formica devant son lit il y a des plantes fleuries, des bouquets de fleurs, les photos de ses petits-enfants et, suspendu au mur dans un grand cadre, un agrandissement de ses arrière-petits-enfants tout nus sur la plage, Matthieu et Charlotte, âgés de trois et deux ans, qu'Anne lui a offert et qui éveille l'intérêt des visiteurs. Toutes les semaines maman prend le sac de linge sale dans le placard et le fait laver par sa femme de ménage. Grand-maman est toujours habillée proprement, d'une chemise de nuit changée dès qu'il y a une tache.

Pour se rendre compte de sa chance, il lui suffit de regarder sa voisine de chambre. C'est une vieille dame de quatre-vingt-cinq ans, une ancienne institutrice, qui a perdu la tête. Elle ne reçoit jamais de visites, sauf parfois le dimanche, rarement, de son petit-fils marié qui habite en province. Son fils est mort dans un accident de voiture et sa fille d'un cancer. Personne ne lui apporte de fleurs ou de gâteaux. Elle est tout le temps seule, elle n'a personne à qui parler. C'est une vieille dame très gourmande. Grand-maman fait souvent acheter des gâteaux pour elle et lui donne ses repas d'hôpital qu'elle ne mange pas parce qu'on lui a apporté de meilleurs mets de chez le traiteur. La voisine avale avec ravissement tous les restes du plateau de grand-maman. Parfois elle chante à tue-tête des chansons enfantines ; chaque fois que grand-maman a une visite, vient un moment où l'institutrice se met à crier, sans regarder personne, comme si elle parlait à des fantômes : « Taisez-vous ! Silence là-bas ! Faites moins de bruit ! » « Il faut parler plus bas, chuchote grand-maman, on la dérange ; elle n'aime pas entendre parler, c'est pour ça qu'elle chante. » Grand-maman, qui ne croit qu'à la rationalité, s'accommode des bizarreries de sa voisine qui a perdu la tête mais qui n'est pas invalide et parvient à très bien s'entendre avec elle, à échanger des gâteaux contre de petits services qui lui permettent de faire appel un peu plus rarement aux infirmières. La vieille institutrice appuie sur le bouton de la radio, lui donne sa poire pour sonner l'infirmière, rapproche son verre d'eau. Quand on arrive ou qu'on part, grand-maman nous rappelle de dire bonjour et au revoir à sa voisine pour qu'elle se sente moins seule. Mais elle devient de plus en plus folle. Elle se met à chanter au milieu de la nuit de sa voix qui déraille et réveille grand-maman qui a du mal à se rendormir. Elle se lève la nuit et s'approche de grand-maman. Une fois, elle l'embrasse. Une autre fois, elle lui donne une tapette. Puis une petite gifle un peu plus forte. Les infirmières la réprimandent. Grand-maman s'était bien habituée à sa compagnie et elle est presque désolée quand on lui annonce, un jour, qu'une chambre privée s'est libérée et qu'on va l'y transférer le jour même. C'est un luxe qui ne peut pas se refuser.

Elle redoute l'été. Ses nombreux amis, qui se relaient presque chaque après-midi à son chevet, seront aussi partis en vacances. La perspective de ce mois d'août vide lui fait horreur. Ses deux filles s'arrangent pour ne pas prendre leurs vacances en même temps, afin qu'il y ait toujours l'une d'elles à Paris. De Ploumor, chaque matin à onze heures, avant de partir pour la longue marche sur les sentiers côtiers, Elvire téléphone à sa mère. Elle écoute les plaintes, compatit, la rassure, lui dit qu'elle ne cesse de penser à elle, qu'elle aussi trouve cette séparation pénible mais elle ne pouvait pas priver Philippe et les enfants de ces vacances communes, Dieu sait que ce n'est pas pour elle, elle n'a aucun plaisir à être là. Il pleut ; elle espère que ça va continuer : ce sera un bon prétexte pour convaincre Philippe de rentrer à Paris plus tôt.

À la fin de l'été, une nuit, grand-maman a envie de faire pipi. Très envie. Elle a sonné deux fois. Elle a appelé. Elle a entendu l'infirmière de garde passer dans le couloir. Elle a sonné encore. Elle sait que les infirmières sont débordées, surtout la nuit, et qu'elles ont décidé que Mme Martinet devait être capable de tenir sans faire pipi entre huit heures du soir et sept heures du matin. Elle fait tous les efforts possibles pour parvenir à ce but. Elle ne boit plus d'eau après six heures du soir. Elle ne mange presque pas à dîner.

Cette nuit-là, à quatre heures, elle ne peut plus tenir. Si personne ne vient dans les cinq minutes, elle sait ce qui va se passer ; c'est déjà arrivé malgré elle : le pipi va couler entre ses cuisses, mouiller ses draps, son matelas. Toute la nuit elle va rester dans ces draps mouillés qui vont irriter sa peau et sentir mauvais. L'infirmière de nuit qui a trop de choses à faire n'interviendra pas avant l'aube et manifestera sa colère contre Mme Martinet comme si elle avait fait exprès d'uriner pour lui montrer que son besoin était vraiment urgent. On changera ses draps et sa chemise de nuit mais le matelas, malgré l'alèse, gardera l'odeur, cette terrible odeur de pipi, de saleté, d'incontinence. Tout le bas de son ventre la picote. Elle appuie désespérément sur la poire de la sonnerie. Elle connaît la conséquence inéluctable : demain soir, l'infirmière qui la couchera mettra la poire hors de portée, pour qu'elle ne puisse pas déranger pour rien l'infirmière de nuit. Dans le moment présent, cette certitude de la punition à venir n'a pas d'importance : il faut que la torture cesse. Simone crie, appelle, fait tout le bruit possible. En vain : il y a dans cet hôpital, et particulièrement à son étage, des vieillards qui passent leur temps à hurler, à appeler à l'aide, à supplier qu'on cesse de les torturer. On s'habitue à leurs cris. Elle pleure d'impuissance.

Avec l'énergie du désespoir, elle qui a toujours fait, dans la vie, ce qu'elle voulait, parvient à se redresser sur ses oreillers et à s'asseoir dans son lit. Elle appuie sa main valide sur la table de nuit, presse le rebord et réussit à se tourner, à mettre ses jambes par terre. L'appui est juste à côté du lit. Pieds nus, elle se redresse sur le sol, les deux mains sur la barre métallique. La porte des toilettes semble à une immense distance. Il y a au moins une douzaine de pas à faire. Elle va y arriver. Elle va leur montrer. Elle n'a jamais échoué dans ce qu'elle a entrepris. Avec la volonté, on peut tout faire. Elle parvient à faire glisser l'appui à roulettes sur le linoléum. Elle fait un pas. Maintenant, elle a quitté le lit. Un autre pas, épuisant. Elle avance vers les toilettes.

Quand l'infirmière, après s'être occupée d'une crise d'asthme et d'autres soins urgents, trouve enfin un moment pour entrer dans la chambre de Mme Martinet dont elle sait exactement ce qu'elle veut, quarante minutes plus tard, elle la trouve par terre, à un mètre du lit, inconsciente près de son appui. Grand-maman est tombée. Dans sa chute, elle s'est cassé cet os si fragile dans le corps des vieillards, le col du fémur. Elle s'est cassé le col du fémur gauche, c'est-à-dire du bon côté de son corps, de celui qui n'était pas paralysé.

Une fracture du col du fémur chez les vieilles personnes met longtemps à se réparer. L'accident va retarder de plusieurs mois le retour de grand-maman chez elle. Pendant plusieurs mois, elle ne pourra plus sortir de son lit. Plus de rééducation, plus de visites chez le kinésithérapeute — de toute façon, le garçon si sympathique est parti, remplacé par quelqu'un qu'elle n'aimait pas beaucoup —, plus de marche avec l'appui, plus de transfert dans la chaise roulante, plus de promenades dans le jardin, plus de jus d'orange pris sous les arcades. Grand-maman reste dans son lit jour et nuit. Des deux côtés ont été installées des barres de fer comme dans les lits pour bébés pour l'empêcher de se lever. Elle a été unanimement décrétée responsable de son accident. Si elle avait été un tout petit peu plus patiente, au risque même de salir ses draps, si elle n'avait pas voulu montrer de quoi elle est capable, et de quoi les infirmières de cet hôpital sont incapables, elle serait chez elle aujourd'hui, assise dans son canapé profond de velours marron, devant ses voilages et ses doubles-rideaux, et elle dormirait entre ses draps de coton, dans sa chambre de jeune fille.

Au bout d'un an, un an et demi, elle pose moins de questions sur l'appartement. Elle en a une image moins précise. Elle veut juste savoir si je passe l'aspirateur et si je pense à laver les voilages. Elle n'allume plus sa radio, l'effort pour lever le bras et le tourner vers la table de nuit afin d'appuyer sur le bouton lui semble trop épuisant. Le volume est toujours trop haut ou trop bas, les fréquences sont mal réglées, ce n'est pas le programme qu'elle voulait entendre, tout cela est beaucoup trop compliqué. Elle adorait la musique classique. On a réglé sa radio sur France Musique. On lui a apporté un appareil à cassettes et toutes ses cassettes de musique. Tous les gestes à accomplir pour écouter de la musique sont trop fatigants. D'ailleurs la musique aussi la fatigue. Elle a pris l'habitude du silence et des bruits de l'hôpital. Les gémissements, les cris, les voix des infirmières, les pas des visiteurs qu'elle a appris à reconnaître. Le pas d'Elvire, rapide, et ses talons qui résonnent sur le sol, en fin de journée, toujours trop tard, quand elle a attendu tout le jour.

On lui apportait des journaux, des magazines. On les lui lisait pendant les visites. On lui racontait ce qui se passe dans le monde. Elle ne veut plus qu'on lui lise de journaux. Il est épuisant de concentrer son attention sur des phrases lues. Au bout de cinq minutes elle ne comprend plus rien. Elle s'énerve. Elle ne veut pas qu'on lui parle de politique. Ce qui se passe dans le monde ne l'intéresse plus. Elle ne se sent pas concernée. Tous les événements du monde se confondent dans un flou et la laissent dans une indifférence totale. Pendant la troisième année, on lui raconte ce qui s'est passé au cimetière de Carpentras, cette profanation abominable qui cause un tel scandale en France : ce juif de quatre-vingts ans déterré par des néonazis qui ont enfoncé dans son anus un manche de parasol. Ce n'est pas un incident qui peut laisser grand-maman indifférente, il réveille trop de souvenirs en elle, fait écho à trop d'horreurs dont elle a été témoin, à son histoire, à cette guerre où elle n'a miraculeusement pas disparu. Elle écoute, hausse les épaules. « Où est le problème ? Puisqu'il était déjà mort, quelle importance ? Il n'a rien pu sentir. Il vaut mieux qu'ils fassent ça sur des morts que sur des vivants. » Elle est athée et pragmatique. Le symbolique, elle n'en a rien à faire. « Ça me fait une belle jambe », dit-elle chaque fois qu'on lui fait un compliment. « Simone, comme tu es belle aujourd'hui ; tu es bien coiffée, tu as les joues roses, tu as une jolie chemise de nuit, tu as l'air en forme. — Ça me fait une belle jambe. » C'est son invariable réplique, avec un humour noir. En plus de l'infarctus et de la fracture du col du fémur, elle a de l'arthrite dans les deux pieds et dans les jambes, et ses jambes et ses pieds sont terriblement douloureux, surtout maintenant qu'elle ne peut plus bouger. « Ça me fait une belle jambe. » Une infirmière vient parfois lui faire des massages, ou lui donne de la morphine pour atténuer la douleur, surtout le soir, quand elle a été particulièrement violente et risque d'empêcher grand-maman de s'endormir.

Quand le col du fémur est réparé, elle peut à nouveau s'asseoir dans sa chaise roulante : on lui propose de la descendre sous les arcades, pour respirer les roses, voir d'autres gens, boire un jus d'orange au café. Elle dit non. Elle refuse de sortir de la chambre. Elle ne veut pas descendre. « Mais pourquoi ? Tu seras mieux dans le jardin, tu seras contente d'être descendue, tu verras. — Non, non. J'ai dit non, tu m'entends. Je ne veux pas. — Mais regarde comme il fait beau dehors ! Tu seras contente, je te jure. — Non. — Mais pourquoi ? — Parce que. » C'est la même voix métallique qu'autrefois, la voix à laquelle il est impossible de ne pas obéir. Sa volonté ne s'exprime plus que par le refus. Elle trouve exténuantes ces descentes. Elle est secouée quand on entre sa chaise roulante dans l'ascenseur. Il arrive que son pied glisse, tombe de l'appui de la chaise. N'ayant pas de sensation dans la jambe, elle ne s'en rend pas compte et, si l'on avance, on risque de lui tordre la cheville. En lui remettant le pied sur l'appui, parfois on lui fait mal. Chaque mouvement est une complication inutile. La simple pensée de ces mouvements la fatigue. Elle n'a aucune envie de descendre, de voir d'autres gens, de voir le ciel, de voir les roses, de voir de l'herbe. Qu'il fasse beau ou qu'il pleuve, elle s'en moque. Elle veut rester dans sa chambre, où elle est aussi bien qu'elle peut être. Qu'on la laisse tranquille. Si l'on veut un Coca et une part de tarte, on n'a qu'à descendre les chercher, elle a toujours son compte en bas, Elvire paiera à son prochain passage.

Maman est désolée : elle avait l'habitude de lire des articles à sa mère, d'éveiller son intérêt pour le monde, de garder ainsi son cerveau vivant. Maintenant grand-maman dit non à tout. Après trois phrases elle n'écoute plus. Nicole, qui lui rend visite seulement le week-end parce qu'elle habite beaucoup plus loin, met en cause la mauvaise volonté de sa mère et se dispute avec elle : elle l'accuse de se rendre volontairement plus malheureuse qu'elle n'est en ne faisant plus rien, et de chercher à rendre coupables ses deux filles, et surtout Elvire, de son malheur. Nicole est fâchée contre sa mère et conseille à sa sœur de ne pas se laisser manipuler : il faut que leur mère apprenne à être seule, fasse à nouveau marcher sa radio, acquière un peu d'indépendance. On ne peut pas céder à tous ses caprices.

Maman n'a aucune résistance. Tous les jours ou presque, en fin de journée, elle est au chevet de sa mère. Pour grand-maman, il n'y a plus que deux choses qui comptent : les visites d'Elvire, et faire pipi. Quand est-ce qu'Elvire va venir. Aura-t-elle le temps de passer en sortant du tribunal. Viendra-t-elle samedi et dimanche. Pourquoi vient-elle si tard. Pourquoi part-elle déjà. Elvire arrive toujours trop tard et part toujours trop tôt. Ses horaires ne coïncident pas avec ceux de sa mère. La journée de grand-maman commence à sept heures et s'achève à sept heures. Maman lui rend visite à six heures du soir. Grand-maman est fatiguée, n'a plus la force de parler, en veut à maman de venir si tard. Aujourd'hui elle n'a eu aucune autre visite : la journée a été désespérément longue. Est-ce qu'Elvire se rend compte de ce que ça veut dire, dix heures de suite dans un lit sans lire, sans regarder la télévision, sans parler à personne ? Maman n'arrive plus à partir en vacances. Elle a trop peur de la tristesse que l'annonce de son départ cause à sa mère. Elle a trop peur que, pendant son absence, quelque chose n'arrive à sa mère. La fracture du col du fémur s'est produite quand elle était en vacances à Ploumor. Sa mère qui a perdu le goût de vivre est la réalité. Le reste est une parenthèse.

Elle tente de satisfaire les goûts culinaires de sa mère, le seul fil qui la rattache à la vie : d'abord il y a eu les gâteaux de chez Lenôtre, les framboisiers légers, les mousses aux fruits, les bavaroises ; puis les tranches de terrine de poisson ;

les crevettes, longues à éplucher, qui laissent sur les doigts une persistante odeur. Grand-maman a toujours aimé les fruits de mer ; maintenant, ce qu'elle aime beaucoup et qui est très facile à manger, ce sont les œufs brouillés au saumon fumé ou les salades de surimi. Maman les cuisine à la maison, les apporte à grand-maman dans de petites boîtes ou dans des Thermos et fait manger sa mère comme, pendant des années, elle a fait manger ses garçons. Elle se bat pour que sa mère mange une cuillerée de plus. Elle est désolée si sa mère refuse de finir.

Faire pipi. Il n'est plus question de l'aider à marcher jusqu'aux toilettes. Dès que nous entrons dans la chambre, grand-maman soupire de soulagement. Elle nous demande d'aller chercher l'infirmière qui ne répond pas à la sonnerie, pour qu'elle lui donne le bassin. On court après l'infirmière dans les couloirs. On va la chercher dans la salle de garde où elle prend trois minutes de repos. Le plus souvent, l'infirmière nous suit ou nous dit qu'elle arrive dans cinq minutes. Les infirmières se sont habituées à l'impatience de Mme Martinet. Elles savent aussi qu'elle donne pour Noël des étrennes extrêmement généreuses. Grand-maman est une des rares patientes de Sainte-Perrine à payer sa pension de son propre argent, avec une aide modique de la Sécurité sociale. Elle est une des riches de l'hôpital. Elle a beaucoup d'amis, beaucoup d'appuis. Sa fille est chaque jour à l'hôpital. Sa fille est juge. Les infirmières le savent. L'une d'elles lui demandera conseil pour son divorce.

Parmi les infirmières, il y en a une que grand-maman n'aime pas du tout et qu'elle redoute car l'antipathie est réciproque, et cette sadique ne lui apporte jamais le bassin ; mais il y en a une autre, plus âgée, douce, qui s'est attachée à elle et avec qui elle bavarde de femme à femme, d'être humain à être humain. Elle s'appelle Évelyne. C'est elle qui fera à grand-maman sa dernière piqûre de morphine le jour de sa mort ; ses dernières paroles, sinon sa dernière pensée, seront pour Évelyne : « Évelyne, va chercher Évelyne », murmurerat-elle d'une voix que je ne pourrai percevoir qu'en approchant mon oreille au plus près de ses lèvres, avant de sombrer dans un coma suivant la piqûre de morphine, et de mourir cette nuit-là. C'est Évelyne qu'on cherche dans les couloirs quand grand-maman a envie de faire pipi. Elle finit toujours par nous suivre même si grand-maman a fait pipi il y a un quart d'heure.

Il est exact que l'exigence de grand-maman ne répond pas toujours à une envie réelle. Elle redoute la fin de nos visites. Elle va se retrouver seule et impuissante, abandonnée. Une visite ne peut pas s'achever sans qu'on aille chercher l'infirmière pour un dernier pipi de précaution. Parfois le pipi ne veut pas venir et l'infirmière se met en colère, même Évelyne, qui lui adresse son reproche d'une voix douce. Grand-maman ne sait plus quand elle a vraiment envie de faire pipi. Elle a tout le temps envie. Elle a trop peur qu'on ne lui apporte pas le bassin. Après la fracture du col du fémur, et ensuite, plus tard, après son deuxième infarctus, quand on la transporte dans un autre hôpital, elle ne cesse de réclamer le bassin. On a beau lui répéter qu'elle peut se laisser aller, elle a un cathéter : le tuyau relie directement sa vessie à un bassin placé sous le lit. C'est comme si les mots ne pénétraient pas jusqu'à son cerveau. «Ah bon», dit-elle, et deux minutes plus tard elle redemande le bassin. Elle sent l'irritation au bas de son ventre causée par l'intrusion de l'objet. Même avec le cathéter, grand-maman éprouve la torture de l'envie.

Moi aussi je viens trop tard. J'ai beau promettre chaque fois que je viendrai demain à trois heures, je finis par suivre mon rythme, pas celui de grand-maman. Elle ne se met pas en colère contre moi, même si elle est épuisée ou à demi assoupie quand j'entre dans sa chambre à six heures du soir. Elle me remercie de penser à elle, de venir la voir. Puisque je suis là, pourrais-je appeler l'infirmière : elle a besoin du bassin. Si je m'en vais après un quart d'heure, elle ne se fâche pas contre moi comme contre maman. Elle est désolée mais comprend : j'ai sûrement de multiples obligations. Oui, je vais au cinéma à huit heures, je dois me dépêcher.

Le matin je me réveille tard, après un sommeil profond, dans la chambre de jeune fille devenue ma chambre. J'y ai déplacé le canapé-lit. Je ne cesse de dire à grand-maman combien son canapé-lit est confortable et combien j'y dors bien grâce à elle, mais je lui ai caché le déplacement des meubles, qui l'affolerait. Tout ce qu'elle veut savoir, c'est si tout est toujours bien en place. Le reste l'intéresse peu. D'une certaine manière, elle sait déjà qu'elle ne reverra jamais son appartement. Il est devenu le mien. J'y habite à mon retour en Europe en juin 1988. Je prends le petit déjeuner sur la terrasse, me lave dans la jolie salle de bains blanche avec un savon Guerlain aux senteurs délicates, écris face à la baie vitrée dans le salon transformé en vaste bureau, où j'ai déplacé le bureau Louis XV et déplié une table de bridge pour y installer mon imprimante et mon ordinateur. C'est là qu'Alex me rend visite en octobre 1988. C'est là que je passe ma dernière nuit avec Martin en février 1989. De tout cela grand-maman ne sait rien. Je lui dis que tout va bien alors que j'ai passé ma nuit à pleurer. L'année suivante, quand je l'informerai que j'ai rompu avec Martin qu'elle adorait et lui révélerai l'existence d'Alex, elle ne sera pas triste comme je m'y attendais : l'un ou l'autre, ça n'a, de son point de vue, guère d'importance. Tout ce qu'elle veut, c'est me voir heureuse : suis-je heureuse ? Bien sûr qu'elle souhaite faire la connaissance d'Alex, dira-t-elle en réponse à ma question. Elle n'a plus le ton mondain d'autrefois ; elle parle d'une voix fatiguée et il y a dans ses yeux un ennui, une indifférence.

Un jour, je trouve au chevet de grand-maman une amie pédiatre. Quand grand-maman dit qu'elle a envie de faire pipi, l'amie n'appelle pas l'infirmière mais va chercher le bassin dans le cabinet de toilette. Avec des gestes sûrs, elle remonte elle-même la chemise de nuit de grand-maman, la fait basculer sur le côté, place le bassin sous ses fesses et ses cuisses, puis l'aide à se rallonger sur le dos. Elle essuie grand-maman avec trois feuilles de papier, ôte le bassin de dessous les cuisses, rabat la chemise de nuit, va vider le bassin et le nettoie. Je regarde faire. Je n'avais jamais pensé à accomplir ces gestes ; je ne connaissais pas la « méthode » ; quand l'infirmière donnait le bassin à grand-maman, je sortais de la chambre : la vue du corps de ma grand-mère, des bourrelets de son ventre blanc, de ses cuisses flasques, de son sexe, me dégoûtait. J'ai honte de moi. Désormais il ne sera plus nécessaire de courir après l'infirmière.

Quand grand-maman reviendra-t-elle chez elle. Reviendra-t-elle chez elle. C'est un sujet qui occupe maintenant la plupart des conversations à la maison. Grand-maman supplie maman de la faire revenir chez elle. Ne plus être dans cet hôpital, traitée en débile, en gamine, en impotente, en objet. Ne plus dépendre des cruelles infirmières. Ne plus appeler pour avoir le bassin. Ne plus entendre les cris des vieillards, leurs appels au secours auxquels personne ne répond. Ne plus sentir l'odeur. Ne plus subir la torture d'attendre. Ne pas finir ainsi sa vie. Dormir chez elle, dans son appartement, dans son lit. À côté de chez sa fille.

C'est là le problème : que l'appartement de grand-maman se trouve si proche du nôtre. Grand-maman n'a aucune autonomie : il faut quelqu'un à plein temps à domicile pour s'occuper d'elle. Il faut donc que papa et maman trouvent quatre personnes à plein temps, pour assurer les journées, les nuits, les vacances. Il est certain que cette organisation rencontrera des failles. Il y aura toujours une infirmière qui ne pourra pas venir, qui sera malade, dont les enfants seront malades. Il y aura des grèves de métro. Il sera impossible de la remplacer au dernier moment. On ne peut pas laisser grand-maman seule. Celle sur qui il faudra compter, alors, ce sera Elvire, qui déjà ne vit plus que par rapport à sa mère, par rapport à la maladie de sa mère. Quand Simone sera retournée chez elle, ce sera pis : Elvire deviendra son esclave. Ce ne sera pas une visite d'une heure chaque jour, mais des heures, des après-midi, des journées consumés aux côtés de sa mère. Est-ce que cela rendra Simone heureuse? Certainement non. Elle en a toujours voulu à sa fille. Elle a l'impression qu'Elvire n'en fait pas assez et ne prête pas suffisamment attention à sa souffrance. Quand elle sera seule chez elle, enfermée vingt-quatre heures sur vingt-quatre avec une aide-soignante, sa colère et son impatience se reporteront sur sa fille. Elvire sera responsable de chaque moment de souffrance et de dépression. Sa vie deviendra un enfer; celle de sa mère n'en sera pas meilleure. À Sainte-Perrine au moins, la frustration de Simone peut se diviser entre plusieurs personnes. À Sainte-Perrine, elle a encore un semblant de vie sociale : le médecin et les infirmières passent, des gens circulent pour rendre visite aux autres pensionnaires, de nombreux amis viennent la voir. Sa vie à Sainte-Perrine est certainement beaucoup plus gaie que lorsqu'elle se retrouvera seule chez elle. Aura-t-elle autant de visites? Sans doute pas. On est davantage enclin à rendre visite à une personne à l'hôpital, d'autant plus que Sainte-Perrine se trouve à Paris, dans le seizième arrondissement, le quartier où habitent la plupart de ses amis, qui ne feront sans doute pas l'effort de venir jusqu'à Levallois. Sans compter le fait que le cercle des amis se rétrécit de mois en mois, d'année en année, car ils meurent les uns après les autres. Ce n'est pas seulement pour Elvire, c'est pour son propre bien qu'il vaut mieux que Simone ne retourne pas chez elle.

Papa parle. Maman écoute. Les arguments de Philippe lui semblent raisonnables. Il est son mari : il a le droit d'exprimer son avis. Il ne veut pas que sa femme soit vampirisée par sa mère malade. Si sa belle-mère se trouve dans l'appartement d'à côté, il craint de ne plus voir sa femme, ou de ne plus la voir que comme elle est déjà beaucoup trop souvent : angoissée, tendue, tourmentée par la souffrance de sa mère et sa propre culpabilité de ne pouvoir rien faire pour améliorer la condition de cette dernière, absente à toute autre réalité. Elvire est d'accord. Elle reste inquiète. À ces arguments elle n'a rien à opposer sinon les supplications de sa mère : je veux rentrer chez moi.

Le problème n'est pas seulement psychologique, mais aussi pratique. Il est probable que l'état de Simone va se détériorer progressivement. Elle risque de devenir incontinente. Il faudra installer dans sa chambre un de ces lits percés sous lesquels on peut mettre un bassin. Ce retour chez elle n'a d'intérêt que si elle peut circuler d'une pièce à l'autre. Mais les portes sont trop étroites pour une chaise roulante. Pour transformer l'appartement coquet de grand-maman en un espace habitable par une grabataire, il faudrait y faire des travaux considérables. Il suffit d'ailleurs de parler de ces travaux à grand-maman pour qu'elle n'envisage plus de retourner chez elle. Est-ce vraiment si compliqué? Elle veut bien le croire puisqu'on le lui dit.

Autre argument : l'argent. Quatre employées à plein temps, cela coûte très cher. Une fortune. Seuls les richissimes peuvent s'offrir un tel luxe. Ce n'est pas remboursé par la Sécurité sociale. Grand-maman est riche, mais pas à ce point. La pension à Sainte-Perrine coûte déjà très cher, il a fallu vendre des actions. Si elle retourne chez elle et que l'on paie quatre aides-soignantes, cela risque d'épuiser ses fonds, suivant le temps pendant lequel elle vivra. Simone peut-elle vraiment souhaiter ne rien laisser à ses filles?

La raison parle contre ce retour. Il pose des complications extrêmes, implique des travaux, une organisation très coûteuse et très complexe et, surtout, il est à peu près certain d'assurer le malheur de la mère et de la fille. Il vaut mieux, pour l'instant, que Simone reste à Sainte-Perrine. Tout le monde est d'accord : Philippe, Elvire, Nicole, Serge Il n'y a pas un mot de dissension. On trouve un compromis pour améliorer sa situation : on paie une aide-soignante pour lui tenir compagnie tous les jours de cinq à sept heures. Simone aura ainsi la certitude qu'il y aura quelqu'un pour s'occuper d'elle avant son coucher. Cela réduira son angoisse, terrible à l'approche du crépuscule.

Quand il est sûr que grand-maman ne reviendra pas chez elle, j'apporte quelques changements de plus à l'appartement : j'ôte les doubles-rideaux dans la chambre et dans le salon. Dépouillé de ses lourdes tentures, l'appartement rajeunit. Sur le balcon, les géraniums depuis longtemps sont morts. Papa finit par vider les bacs, qu'il récupère. Le sol carrelé rouge du balcon est sale, souillé de terre et de poussière. Je ne passe pas le balai. Je n'y prête pas attention.

Le grand, l'immense chagrin de grand-maman, c'est de ne pas pouvoir assister à mon mariage. Mais il est impossible d'envisager son déplacement en Bretagne, même si elle est à peu près en forme et va plutôt mieux qu'avant en ce quatrième printemps de sa vie à Sainte-Perrine. À chaque visite, j'ai quelque chose à lui raconter. Je lui décris le formulaire conçu par papa, les inquiétudes de maman concernant son chapeau, les détails comiques de la préparation religieuse, le miracle qui permet aux grands-parents d'Alex, dans le désordre qui suit la révolution roumaine, de retrouver à Bucarest le prêtre orthodoxe qui avait baptisé en cachette le petit garçon juif de trois ans ravi par son arrière-grand-mère orthodoxe et d'obtenir de lui ce certificat de baptême sans lequel nous ne pourrions pas nous marier dans la romantique chapelle bretonne. Chaque détail passionne grand-maman. C'est le seul sujet pour lequel elle retrouve toute sa présence d'esprit.

Au retour de Ploumor, une semaine après le mariage, Alex et moi renfilons nos habits, costume sombre, nœud papillon, robe blanche et voile. Ainsi déguisés, nous nous rendons jusqu'à Sainte-Perrine, avec des petites salades de chez Lenôtre abominablement chères, payées par grand-maman. Le matin, elle s'est fait vêtir par l'infirmière, alors qu'elle s'habille de plus en plus rarement : elle a mis, en notre honneur, un de ses costumes Kookaï en coton et sa paire de charentaises, et elle s'est fait asseoir sur sa chaise roulante. Nous installons les barquettes sur la table roulante. Pour une fois, nous lui rendons visite à midi, pas à cinq ou six heures. De temps à autre les infirmières entrent dans la chambre sans que grand-maman les ait appelées pour voir ce tableau bunuelesque, de jeunes mariés pique-niquant dans cet hôpital pour vieillards. «Je vous présente ma petite-fille et mon petit-fils, dit grand-maman avec fierté d'une voix solennelle, sa voix d'avant, une voix de reine mère. Ils sont beaux, hein?» Les infirmières nous félicitent, nous disent que grand-maman n'a cessé de parler de notre venue ces derniers jours, puis se tournent vers grand-maman : «Tout va bien, madame Martinet? Si vous voulez le bassin vous appelez, hein? — Merci, Patricia, répond grand-maman qui retrouve soudain pour l'occasion son gracieux sourire mondain; tout va bien, je vous remercie, je n'ai besoin de rien.» Elle est radieuse.

C'est son dernier moment de bonheur. L'année suivante, à la fin de sa cinquième année de vie à Sainte-Perrine, elle a un nouvel infarctus, pour lequel on la transfère provisoirement à l'hôpital Boucicault. On sait qu'elle ne peut plus durer longtemps. Serge l'a dit à sa femme et à sa belle-sœur : plus aucun organe ne fonctionne dans le corps de leur mère, sa survie tient du miracle. Serge secoue la tête pour exprimer sa surprise devant ce fait qui met en doute la science : médicalement, Simone est morte. Mais elle vit encore. Ce miracle ne nous étonne pas : il est digne de cette petite bonne femme en fer d'un mètre cinquante née à six mois en 1908, à une époque où il n'y a pas de couveuse, et aussitôt condamnée par les médecins de l'époque. Elle retournera à Sainte-Perrine où on lui a gardé sa chambre, et elle survivra encore plusieurs mois, une survie pour laquelle les médecins n'ont pas d'explication sinon la force du refus de mourir de ma grand-mère ou, comme dirait mon père, la force de son désir d'emmerder le monde et surtout ma mère.

De passage à Paris peu après son infarctus, je lui rends visite un jour à l'hôpital Boucicault avec ma tante. Par rapport à ce vieil hôpital dont les bâtiments d'avant-guerre n'ont pas été restaurés, Sainte-Perrine est un hôtel cinq étoiles. Il est sinistre, le couloir nu et gris du pavillon cardiaque de l'hôpital Boucicault. Grand-maman est seule dans sa chambre, couchée sur le côté dans un lit clos par des montants de fer et reliée par des fils de diverses couleurs à de multiples tubes. Seule sa tête dépasse de dessous les draps blancs. Son visage nous fait face : il y a, dans ses yeux, une immense tristesse. Elle nous voit et sourit. Elle ne peut presque pas parler. Je lui raconte ce que je trouve à lui dire : qu'Alex va bien, que je suis heureuse, et j'évoque en quelques mots ma vie en Amérique, dans ce Cambridge où maman est partie étudier il y a trente-cinq ans, tu sais, grand-maman : Cambridge, Harvard. Grand-maman me regarde avec des yeux opaques ; j'ai le sentiment qu'elle ne comprend pas ce que je dis. « Bon, on doit y aller, intervient Nicole après une demi-heure. — Oh, déjà, dit grand-maman. — Oui. Serge et les enfants m'attendent ; quand on est arrivées, maman, je t'ai prévenue qu'on ne faisait que passer, rappelle-toi. » Grand-maman tourne ses pupilles vers moi. « Toi, reste, au moins. — Je dois y aller aussi, mais je reviendrai demain, je te promets. » Nicole me fait signe de me diriger vers la porte. Je recule. « S'il vous plaît, dit grand-maman d'une voix suppliante, restez encore un peu. — On t'a dit qu'on ne pouvait pas, maman. On est en retard. À demain. » Nicole ouvre la porte de la chambre et me fait signe de ne pas céder. Je la suis et referme la porte derrière moi.

À peine a-t-on fait trois pas dans le couloir qu'un cri retentit avec une résonance qu'amplifient les murs nus : « Marie ! » Je m'arrête. C'est un cri sauvage, qui commence avec fureur et s'achève dans un sanglot de désespoir. Dans l'état où elle est, il est inouï qu'elle ait encore la force de pousser un tel cri. Ma tante hausse les épaules : « Ça ne sert à rien, dans cinq minutes ce sera pareil ; c'est du chantage ; elle ne peut pas supporter d'être seule, c'est tout. Ne cède pas. » Mais ce cri vibre en moi, me tord les entrailles, oppresse ma poitrine, me terrifie. C'est moi qu'elle appelle. C'est moi qui l'abandonne dans cette chambre déserte. Je ne peux pas ne pas faire demi-tour. Je cours vers la chambre, je pousse la porte. Le visage de grand-maman est tourné vers moi ; ses yeux immenses dans son visage maigre reflètent son angoisse. « S'il te plaît, donne-moi le bassin. » Je lui dis que ce n'est pas la peine : elle a un cathéter, elle peut se laisser aller. Elle me supplie, comme si elle ne comprenait pas ma réponse et entendait seulement mon refus. Des larmes coulent sur ses joues ridées. Je me penche ˙ Je l'embrasse doucement sur la joue ; je lui dis le plus doucement possible de ne pas s'inquiéter, je reviendrai demain. Quand je sors de la chambre, elle m'appelle en gémissant, avec toute l'autorité dont sa voix est encore capable : « Marie, Marie ! » Cette fois-ci je n'y retourne pas.

Elle a tenu encore quatre mois, à Sainte-Perrine, sans qu'on la lève jamais de son lit d'hôpital, ne vivant plus que pour les piqûres de morphine qui soulagent la douleur. De retour en France, cet été-là, je lui rends visite presque tous les jours. Je n'arrive plus à trouver les mots pour la distraire. Aucun, sauf le nom de ma mère, n'éveille d'étincelle au fond de ses yeux. Même l'évocation de son histoire préférée reste sans effet : notre voyage à Salzbourg quand j'avais dix-neuf ans, ma carte d'identité oubliée après ses recommandations à n'en plus finir et les affreuses paroles que j'ai prononcées là-bas : « Les parents sont faits pour qu'on les tue. » « C'est comme ça que Marie m'a exprimé sa gratitude, a-t-elle ensuite dit pendant des années, à moi qui aurais tout fait pour elle. » Et cet autre voyage, avant, quand j'avais treize ans, en Sicile, pour lequel j'avais oublié ma carte d'identité faite spécialement en vue de ce voyage. « Grand-maman, tu te rappelles ? » J'essaie en vain de la faire rire. Mes mots la fatiguent. Seule revient à ses lèvres la phrase : « Où est Elvire ? — Elle va venir dans une heure. » Elle n'écoute pas la réponse. Elle nous reconnaît à peine. Depuis quelques jours le pli maussade ne quitte plus les lèvres d'Elvire. Elle sait que sa mère va mourir. Grand-maman murmure quelque chose. Je me penche, j'approche mes oreilles au plus près de ses lèvres, de son souffle : « Évelyne, va chercher Évelyne… »

Grand-maman n'est pas enterrée avec son mari qui repose à Mèves-sur-Loire, mais dans le caveau de sa famille, dans la partie juive du cimetière de Montparnasse. Devant la tombe ouverte, sous la pluie, papa fait un discours. Il récapitule. La naissance à six mois, la voiture à vingt et un ans, Floriot, la guerre, le miracle de la survie. Puis la fille de Nicole, ma jeune et discrète cousine, lit un poème chéri de grand-maman, l'unique poème dont elle ait jamais récité une strophe, et dont elle accompagnait la déclamation d'un geste gracieux de comédienne de théâtre : « Sois sage, ô ma douleur, et tiens-toi plus tranquille. / Tu réclamais le soir. Il descend, le voici. / Une atmosphère obscure enveloppe la ville, / Aux uns portant la paix, aux autres le souci… » On passe devant la tombe ouverte et, suivant la tradition juive, on y jette un peu de terre. Tous les survivants sont là, les nombreux amis de grand-maman. On s'embrasse. C'est fini.

Quelques mois après la mort de grand-maman, l'amie de maman qui est haut fonctionnaire et grand-mère modèle passe chez nous. Sa mère est morte d'un infarctus quelques jours plus tôt. À maman, Françoise peut raconter en détail les derniers instants : Elvire écoute avec avidité tout ce qui lui rappelle sa mère et permet de ne pas oublier. Malgré la limpidité de son discours et la clarté de sa voix, on s'aperçoit que la perte de sa mère donne à Françoise une émotion qui l'atteint au point d'ébranler son parfait contrôle. Elle qui est la délicatesse même et qui, telle la reine d'Angleterre, boirait sans hésiter l'eau de son rince-doigts pour ne pas trahir à son invité la bourde qu'il vient de commettre, s'exclame soudain : « Tu sais, Elvire, ce qui me chagrine, c'est de ne pas avoir fait ramener maman chez elle dès qu'elle s'est réveillée à l'hôpital, comme elle me le demandait. Elle sentait qu'elle allait mourir. Elle voulait mourir chez elle, dans son lit. »

Maman tressaille, pâle, et fait nerveusement jouer sa bague sur son majeur.

« Je ne l'ai pas écoutée, continue Françoise, et le résultat c'est qu'elle est morte dans un lit d'hôpital. Je ne sais pas si je pourrai jamais me le pardonner. »

Le visage de maman est crispé. Après quelques secondes, elle dit : « Tu ne pouvais pas faire autrement ; tu agissais pour le bien de ta mère, tu ne pouvais pas savoir qu'elle allait mourir. Pense qu'en dehors de ses derniers instants, ta mère aura vécu chez elle jusqu'à la fin, et en bonne santé; c'est une chance immense, pour elle, de ne pas avoir survécu à cet infarctus et de ne pas avoir connu, comme maman, la décrépitude.»

La voix de maman tremble. Je m'approche et lui prends la main. Elle serre mes doigts sans me regarder, avec une violence rare dans ses gestes physiques.

«Oui, répond l'amie de sa voix claire. Tu as raison; je dois le reconnaître : maman a eu une belle mort.»

Prague, mai 1996
New York, octobre 2000

Composition Bussière
et impression Bussière Camedan Imprimeries
à Saint-Amand (Cher), le 15 décembre 2000.
Dépôt légal : décembre 2000.
Numéro d'imprimeur : 2555-005118/1.
ISBN 2-07-076091-X./Imprimé en France

98999

Ville de Montréal

Feuillet de circulation

À rendre le		
Z 14 SEP'02	10 SEP'02	27 MAI 2003
04 OCT. 2001 26 OCT	04 OCT'02	15 AOUT 2003
	08 OCT. 2002	07 OCT. 2003
Z 20 NOV 2001	17 OCT. 2002	06 JAN. 2004
Z 04 DEC 2001		03 FEV. 2004
Z 18 DEC 2001	17 DEC. 2002	
Z 17 JAN 2002	14 JAN '03	11 MAR. 2004
Z 08 FEV 2002	04 FEV'03	16 JUIN 2004
05 MAR '02 10 AVR '02	26 FEV'03	05 OCT. 2004
Z 30 AVR 2002	0 MAR. 2003	01 DEC. 2004
11 JUIN'02	11 NOV. 2003	6-1-04
23 JUIL '02		
13 AOU '02		

06.03.375-8 (05-93)